Zu diesem Buch

Dieses Buch, das bereits kurz nach seinem Erscheinen in alle Weltsprachen übersetzt wurde, ist eines der großen Dokumente unserer Zeit und hat im Bewußtsein aller Menschen, die Auge in Auge mit den Gefahren unseres atemraubenden Säkulums leben, eine unverlierbare Spur hinterlassen. Es ist das Werk eines ordnenden, kritischen Geistes, der auf die Suche nach neuen moralischen Maßstäben geht. Soll, so fragt der Autor, eine sich ins phantastische steigernde, das Individuum nahezu auslöschende Technik zum allesverschlingenden Moloch werden oder lassen sich aus ihr dienende, segenbringende Kräfte entbinden? Das Leben des einzelnen wie der ganzen Menschheit hängt von der Beantwortung dieser Frage ab. Was Geschichtsphilosophen und Kulturkritiker denken, was Dichter in utopischen Romanen ausmalen, das ist hier zum Wirklichkeitsbericht geworden. Jungk schreibt nüchtern und sachlich, und doch spürt man aus jeder Zeile die Unruhe eines Mannes, der sich fragt, ob in unserer durch und durch technisierten, von eisiger Rationalität bestimmten Welt der Mensch überhaupt noch eine Chance habe, sich als Mensch zu behaupten.

Robert Jungk wurde am 11. Mai 1913 als Sohn des Schauspielers, Regisseurs und Filmautors Max Jungk in Berlin geboren. Nach dem Besuch des Mommsen-Gymnasiums studierte er bis 1933 Philosophie und Psychologie an der Universität seiner Vaterstadt. Als der Nationalsozialismus zur Macht kam, emigrierte Jungk nach Paris, wo er seine Studien an der Sorbonne fortsetzte. Er arbeitete in Frankreich und im republikanischen Spanien an Dokumentarfilmen und schrieb von 1940 bis 1945 unter Pseudonym für die «Weltwoche» in Zürich, wo er auch sein Universitätsstudium mit einer historischen Doktorarbeit abschloß. Als Korrespondent des «Observer» kam er 1945 nach Deutschland zurück und gab als erster ausländischer Journalist eine ausführliche Darstellung über die Hintergründe des 20. Juli 1944. «Die Zukunft hat schon begonnen» (1952) war das Ergebnis eines mehrjährigen Aufenthaltes in den USA. Das Thema, das hier angeschlagen worden war, wurde später in «Heller als tausend Sonnen» (1956) und «Strahlen aus der Asche» (1959) vertieft, international berühmten Büchern, die eindringlich vor den Gefahren der entfesselten Atomkraft warnen. Robert Jungk, der den Typus des verantwortungsbewußten und hochgebildeten Weltjournalisten repräsentiert, lebt heute in Wien. Er versucht seine Einsichten auch durch parteilich nicht festgelegtes politisches Engagement vor der Öffentlichkeit zu vertreten.

ROBERT JUNGK

Die Zukunft hat schon begonnen

Amerikas Allmacht und Ohnmacht

rororo

ROWOHLT

Umschlagentwurf Werner Rebhuhn
unter Verwendung eines Fotos des ersten
russischen Erdsatelliten Sputnik (Foto dpa)

rororo TASCHENBUCH AUSGABE
veröffentlicht im Mai 1963

Gesetzt in der Linotype-Aldus-Buchschrift
und der Palatino (D. Stempel AG)
Gesamtherstellung Clausen & Bosse, Leck/Schleswig
Printed in Germany

Vorwort zur Taschenbuchausgabe

Der Titel dieses Buches ist seit seinem Erscheinen zu einem immer häufiger gebrauchten «geflügelten Wort» geworden, das heute mehr noch als zu Anfang der fünfziger Jahre die zwischen Furcht und Hoffnung schwankende Zukunftserwartung unserer Zeit ausdrückt. Der Untertitel «Allmacht und Ohnmacht Amerikas» erwies sich bald als zu eng. Denn die Phänomene und Tendenzen, die ich am «Modell USA» aufzeige, haben längst die Grenzen der Vereinigten Staaten, ja sogar die «Vorhänge» zwischen West und Ost überschritten. Als am weitesten entwikkeltes Industrieland der Erde hat Amerika nur zuerst jene gefährlichen Möglichkeiten deutlich gemacht, die dem jetzigen Stadium der wissenschaftlich-technischen Revolution inhärent zu sein scheinen.

Es ist daher völlig falsch, die hier folgenden Reportagen als «antiamerikanisch» zu etikettieren und damit zu isolieren. Sie sind nicht gegen dieses eine bestimmte Land gerichtet, sondern gegen die Maßlosigkeit, die jeder modernen Zivilisation droht, wenn sie die vielfältigen, kaum wägbaren Voraussetzungen menschlicher Entfalutng den groben und daher leicht meßbaren Vorteilen technischer Leistungen unterordnet.

Wollte der Verfasser heute über Europa ein Buch mit ähnlicher kritischer Blickrichtung schreiben, so müßte manches Kapitel noch weit schärfer ausfallen. Denn wer könnte gegenüber dem brutalen «Griff nach der Geschichte» gleichgültig bleiben, der im Namen eines hastigen Wieder- oder Neuaufbaus in den letzten zehn Jahren zahlreiche europäische Kulturdenkmäler entweiht oder einfach dem Erdboden gleichgemacht hat? Wer wird nicht von Schreck gepackt, wenn er, über den eigenen lokalen Blickwinkel hinausschauend, mitansehen muß, wie Europas Landschaft durch den gierigen «Griff nach Land» seit Ende des zweiten Weltkrieges immer unkenntlicher wird, wenn er, ohne wirksamen Einspruch erheben zu können, erlebt, wie Tag um Tag Äcker, Wiesen, Wälder unter Betondecken begraben werden, wie an Stelle der grünen Hügel die Müllberge immer höher wachsen und überall aus lebendigen Flüssen und Seen träge Kanäle oder stinkende Kloaken werden? Und diese Sorge müßte sich zu ganz persönlich empfundener Angst steigern, wenn dann der «Griff nach der Gesundheit» geschildert würde: alle die lauten und leisen, sichtbaren und unsichtbaren Attacken einer unbewältigten Technik auf Leib und Seele der Menschen, die in den von immer mehr Lärm, Rauch und giftigen Abgasen erfüllten Stadtlandschaften Europas leben müssen.

«Schreiben Sie das doch!» Wie oft haben Zuhörer, denen ich von der sich mitten im sogenannten Frieden vor unseren Augen ereignenden Zerstörung des alten Erdteils erzählte, mir diesen Rat gegeben. «Rütteln Sie die Leute auf.» Doch ich frage mich, ob es wohl sinnvoll sei, auf einen Berg von Warnungen noch einen zweiten zu stülpen. Die Gründe für dieses Zögern sind in der Wirkung dieses nur hier als Taschenbuch vorliegenden Berichtes zu suchen. Er war bisher meiner Ansicht nach trotz aller hohen Auflagenziffern und vielen Übersetzungs-Ausgaben nicht erfolgreich. Ich hatte gehofft, die Leser zu bewegen, aber ich fürchte, es ist mir nur gelungen, sie zu erschrecken und zu lähmen. Das was sie hier über das auf sie Zukommende lesen konnten, hat sie nicht aktiver, sondern höchstens noch etwas resignierter gemacht. Ähnlich wie mir ist es auch anderen Zivilisationskritikern ergangen. Sie haben weniger zur Veränderung der von ihnen geschilderten und getadelten Verhältnisse beigetragen, als vielmehr der fast allgemeinen Apathie und Passivität unserer Zeitgenossen noch die entschuldigenden Argumente geliefert.

Deshalb sehe ich es jetzt als meine oberste Pflicht an, immer wieder darauf hinzuweisen, daß die in diesem Buch geschilderten Entwicklungen zwar gewaltig, aber keineswegs zwingend sind. Es geht in Zukunft weniger darum, sie aufzuhalten, als sie zu steuern und ihnen neue Richtungen zu weisen. Die Technik, so werden gerade die Techniker bestätigen können, befindet sich noch in einem ersten frühen und recht plumpen Stadium. Sie ist *nicht* unser Schicksal, sondern nur ein ziemlich neues, mächtiges Instrumentarium, dessen Differenzierung, Meisterung, Umgestaltung und Zähmung vielleicht die wichtigste Aufgabe der heute und morgen Lebenden sein wird.

Der Mensch mag, wie ich in diesem Buch berichte, in den Augen eines Weltraum-Mediziners als eine Fehlkonstruktion erscheinen. Er ist langsamer, ermüdbarer, gebrechlicher als die meisten seiner künstlichen Geschöpfe. Aber nur er auf dieser Erde verfügt über eine Energiequelle, die stärker ist als jede andere Naturkraft: die kritische *und* erfindende Phantasie. Aus ihr ist diese heute so bedrohliche Nebenwelt der Geräte erstanden, aus ihr müssen nun ganz neue Konzepte entspringen, die das Explosive, Gefährliche an seinen dienenden Platz verweisen.

«Die Zukunft hat schon begonnen» soll nicht ein Endstadium der Menschheitsgeschichte schildern, sondern den Anstoß zu einem neuen Beginn geben. Dies ist kein «fertiges Buch», sondern ein Anfang, der jeden Leser anregen möchte, von hier aus weiterzudenken und, statt die vielen derben «Griffe» fatalistisch hinzunehmen, von seinem Platz aus die Zukunft spürend, wissend, entwerfend und handelnd *formen* zu helfen.

Robert Jungk

«Wir behaupten, daß Rußland und Amerika
seit 1917 auf technische Allmacht ... konvergieren,
daß sie hierbei von Alt-Europa divergieren.»
Adrien Turel

GESCHRIEBEN MEHR ALS EIN JAHRZEHNT
VOR DEM ERFOLGREICHEN START
DER ERSTEN SOWJETISCHEN UND AMERIKANISCHEN
ERD-SATELLITEN

Griff nach der Allmacht

1

Als Christoph Kolumbus aufbrach, um für seine Königin den kürzesten Seeweg nach Indien zu suchen, wußte er so wenig über die Regionen, nach denen er sich einschiffte, daß er, ohne es zu wollen, eine «neue Welt» fand. Der x-millionste Besucher, der heute auf den Spuren des großen Seefahrers in das von ihm entdeckte «Amerika» reist, bringt dagegen eher zuviel als zuwenig Wissen um sein Ziel mit. Denn fast jeder von uns hat auf irgendeine Weise bereits den Einfluß des «Amerikanismus» erfahren, bevor er je den Boden der Vereinigten Staaten betritt. Uns allen ist «Onkel Sam» im Laufe der letzten Jahre aus einem fernen Verwandten zu einem nahen Nachbarn geworden, einem fast alltäglichen Besucher, dessen Heimat wir aus seiner Art, seinen Gewohnheiten, aus einer Fülle von Zeitschriften, Büchern, Bildern, Filmen besser zu kennen glauben als manches geographisch näher gelegene Land.

Trotzdem kann auch dem heutigen wohlinformierten Amerikareisenden ein Kolumbusschicksal blühen. Er kommt in ein ganz anderes Land, als er angenommen hatte. Hinter dem ihm bereits aus der Ferne bekannten Bild der «neuen Welt» entdeckt er noch eine andere höchst seltsame Welt, die ihm fremd und gefährlich erscheint.

Nur widerstrebend und unwillig nimmt der Zugereiste nach und nach immer mehr Eindrücke auf, die seinen Erwartungen widersprechen. Er will sie zuerst als «Ausnahmen» ausklammern und als «vorübergehende Erscheinungen» abtun. Nur ganz allmählich dämmert ihm, daß die Summe all dieser «Provisorien» vielleicht eine neue, eigene Wirklichkeit darstellen könnte, ein ganz verschiedenes, erst im Werden befindliches Amerika.

Gewiß – die Kulisse verrät nicht viel von diesem anderen Amerika. Sie ist intakt und frisch aufgeputzt. Die Freiheitsstatue grüßt bei der Einfahrt in den Hafen von New York, Toleranz und Humanität verheißend. Die Wolkenkratzer lächeln aus blitzenden Fensterreihen und strahlen pflichtgemäß Optimismus aus. Nirgends werden die Symbole einer freiheitlichen, auf ihre Anfänge stolzen Demokratie versteckt oder verleugnet. Im Gegenteil: gerade weil sie von Jahr zu Jahr an wirklichem Einfluß und echter Kraft verlieren, werden sie um so auffallender in die Schaukästen der Publizität gestellt. Aber in Wahrheit haben «das kleine rote Schulhaus», «das freundliche weiße Kirchlein», «der im Blockhaus geborene Präsident», «der rauhbeinige Individualist», «der Selfmademan, der es von Lumpen zu Reichtum brachte» zu der realen Gegenwart der Vereinigten Staaten kaum eine stärkere Beziehung als etwa Dome, Schlösser, Cancan- und Heurigenmusik zur Nachkriegswirklichkeit Europas. Sie sind Museumsstücke geworden, Attraktionen für Touristen und dankbare Gegenstände für einfallslose patriotische Festredner.

Denn auch die Vereinigten Staaten haben sich im Laufe der letzten zwei Jahrzehnte entgegen manchem äußeren Anschein tief verändert, mindestens so tief wie die von inneren und äußeren Umwälzungen durcheinandergeschüttelten Länder Europas. Es bricht jetzt durch die Fassade der «neuen Welt» etwas anderes durch, das ich als die «neueste Welt» bezeichnen möchte: ein Amerika, das mit den Leitsätzen seiner bisherigen Geschichte nicht mehr im Einklang steht und immer deutlicher Züge totalitärer Art aufweist.

Um dieser «neuesten Welt» zu begegnen, muß man die Stadtzentren verlassen und in die Vororte hinausfahren, wo die Arbeitswelt in die Lebenswelt hinübergreift und die menschliche Einzelexistenz immer mehr in die Uniform der Standardisierung preßt. Mittelpunkte dieser Siedlungen sind nicht mehr die Kirche, die Schule oder die Town Hall, sondern die Zentren von Erzeugung und Verbrauch, die Fabrik und der «supermarket».

Am klarsten aber wird das Bild der «neuesten Welt», wenn man überhaupt den bisherigen Zivilisationsmetropolen Amerikas in den östlichen Staaten und im Mittelwesten Lebewohl sagt, um sich nach den einst vorwiegend ländlichen oder ganz unbesiedelten Regionen im Süden, Südwesten und Westen der Staaten zu begeben; denn gerade dort sind die Wahrzeichen des anderen Amerikas seit Beginn des zweiten Weltkrieges mit der Schnelligkeit von Goldgräberstädten aufgeschossen.

Da sind die großen Rüstungsfabriken mit ihren nagelneuen Massensiedlungen, die metallschimmernden Ölraffinerien und automatisierten chemischen Industriekomplexe. Da sind vor allem die militärischen Reservationen, die Laboratoriumsstädte, die Testplätze. Sie liegen nicht nur geographisch abseits. Auch politisch führen sie ein Sonderleben. Die Freiheitsrechte sind in ihnen weitgehend aufgehoben worden, und man experimentiert mit allen möglichen Verfassungsformen herum, die von der unverhüllten Diktatur über den aufgeklärten Absolutismus bis zum Sozialismus reichen.

Wer einmal Gelegenheit gehabt hat, dieser bisher deutlichsten Ausprägung der «neuesten Welt» zu begegnen, wird ihre Mentalität auch an zahlreichen anderen Orten spüren, selbst wenn sie dort noch nicht so deutlich hervorgetreten ist. Denn all das Uniformierte, Gleichgeschaltete, in seinem ausschließlichen Streben nach Höchstleistung Unmenschliche ist heute noch fast überall so sehr mit den demokratischen, christlichen und humanitären Lebensformen der «guten alten Zeit» vermischt, daß es nicht gleich sichtbar wird.

Das hat seinen guten Grund. Während sich in anderen Ländern die totalitäre Tendenz meist mit revolutionärer Gewalt Durchbruch verschaffte und dann sofort alles daransetzte, die Spuren einer freiheitlicheren Vergangenheit zu beseitigen, geht der Prozeß in den Vereinigten Staaten evolutionär vor sich. Daher gibt es ein Nebeneinander von alt und neu, von Freiheitsresten und Sklavereibeginn, in dem zum Ausdruck kommt, daß die letzte Entscheidung noch nicht gefallen ist. Selbst die wenigen Persönlichkeiten, die bewußt auf eine neue, der amerikanischen Tradition widersprechende Tyrannei hinarbeiten, sind geschickt genug, sich dabei freiheitlicher Phrasen zu bedienen.

2

Es gibt für die jüngste, totalitäre Phase der Vereinigten Staaten sicher manche naheliegende und einleuchtende politische Erklärung. Eine solche Deutung ist aber nicht Gegenstand dieses Buches. Hier soll versucht werden, diese beunruhigende Entwicklung auf eine andere Weise zu schildern und zu erklären. Denn es handelt sich meiner Ansicht nach um einen Prozeß, der über die augenblicklichen innen- und außenpolitischen Konstellationen weit hinausreicht.

Historisch gesehen scheint mir die neue Tendenz zur Unfreiheit aus der gleichen Quelle zu kommen, die gestern und vorgestern noch den amerikanischen Freiheitsbaum tränkte, nämlich aus dem Streben zur Aufschließung immer neuer Gebiete, dem Drang zu immer «neuen Grenzen». Die «frontier», die im Laufe von anderthalb Jahrhunderten vom Atlantischen bis zum Pazifischen Ozean vorgeschoben wurde, hat Amerikas Denken, seine seelische Einstellung und nicht zuletzt seine Wirtschaft im neunzehnten Jahrhundert tief beeinflußt. Sie war das Symbol des maßlosen amerikanischen Fortschrittsgeistes; von hier kamen die allmählich zum Bedürfnis gewordenen Erschütterungen des Landes durch Funde immer neuen Reichtums. An der «Grenze» gab es keine Regeln, keine gesellschaftlichen und zivilisatorischen Hindernisse. Sie war das Paradies der Pioniere, das Land der «unbegrenzten Möglichkeiten», in dem sich jedermann, der genügend Kraft und Mut besaß, aus freien Stücken eine Zukunft aufbauen konnte.

Aber etwa um 1890 hatten die Pioniere das ganze Territorium ihres eigenen Landes erobert und besetzt. Der Dynamismus des amerikanischen Grenzgängers mußte nach neuen Zielen suchen, die nur noch jenseits der Ozeane oder in den großen Landmassen gegen Norden und Süden liegen konnten.

Es hätte damals nahegelegen, daß der Drang nach «neuen Grenzen» sich in puren «Imperialismus» verwandelte. Aber die Stimmen, die den Vereinigten Staaten ein «imperiales Geschick» prophezeiten und das Land auf den Weg kolonialer Eroberungsabenteuer zu weisen versuchten, fanden nur vorübergehend Gehör. Nach dem kurzen und wenig populären Krieg gegen Spanien wandte sich die wachsende Großmacht lieber anderen als territorialen Eroberungen zu. Sie suchte unter der Führung von Wissenschaft und Technik nach «neuen Grenzen», die nicht auf Landkarten zu finden waren. Grenzen, die jedermann offenstanden, der sie mit Nachdruck attackierte und zu überschreiten wagte.

Während andere Großmächte sich um Provinzen, Inseln, Wüstenstrecken stritten und dabei gegenseitig aufrieben, begann Amerika statt dessen seine Laboratorien und Fabriken zu entwickeln. Die neuen Pioniere waren Finanziers, gewillt, Risiken auf sich zu nehmen, Wissenschaftler und Ingenieure. Diese fruchtbaren Gehirne mußten nicht einmal «erobert» werden. Waren sie nicht schon im Lande, so kamen sie freiwillig nach den USA, angelockt von großzügigen Mitteln und Entwicklungsmöglichkeiten, die sie sonst nirgends auf der Welt fanden.

So sind die Vereinigten Staaten im Laufe eines halben Jahrhunderts zur führenden wissenschaftlichen und technischen Großmacht emporgewachsen. Ihre «neuen Grenzen» lagen und liegen noch heute vor allem in den Laboratorien und Werkstätten des eigenen Landes. Die scheinbar in den letzten Jahren erfolgte territoriale Grenzausweitung der USA, durch die Einrichtung eines weltweiten Netzes von militärischen Stützpunkten, ist zweifellos defensiver Natur. Dieser weitgespannte Verteidigungsgürtel soll vor allem dem Schutze jener anderen ungleich weiter zielenden und erfolgversprechenderen Offensive dienen, die stündlich und täglich in den Versuchsstätten des Mutterlandes weiter vorgetragen wird.

Denn es geht den Amerikanern auch heute noch um viel mehr als Landbesitz. Sie sind im Grunde ehrgeiziger, als selbst ihre schärfsten Gegner glauben. Ihr Streben trachtet nämlich nicht nach Herrschaft über Kontinente oder gar über den ganzen Erdball, sondern nach viel Höherem. Amerika bemüht sich darum, die Macht über das All zu gewinnen, die vollständige, absolute Herrschaft über das Universum der Natur in allen seinen Erscheinungen.

Es ist dies ein Machtstreben, das sich gegen keine der heute bekannten Nationen, Klassen, Rassen, Eliten und Kasten richtet. Es greift nicht bestimmte Regierungsformen an, sondern die seit Menschengedenken kaum erschütterten Wirkungsformen der Schöpfung. Wolken und Wind, Pflanze und Tier, der unendlich weite Himmelsraum selbst sollen unterworfen werden. Auf dem Spiel stehen mehr als Diktatorensessel und Präsidentensitze. Es geht um Gottes Thron. Gottes Platz zu besetzen, seine Taten zu wiederholen, einen eigenen menschengemachten Kosmos nach menschengemachten Gesetzen der Vernunft, Vorhersehbarkeit und Höchstleistung neuzuschaffen und zu organisieren: das ist das wirkliche Fernziel Amerikas. Darauf sind seine besten Kräfte gerichtet.

Dies ist eine Verschwörung, die ihres Erfolges so sicher ist wie nur je eine andere revolutionäre Bewegung. Sie wird von Staatslenkern gefördert, von den Massen beklatscht, von der Polizei gehätschelt. Denn sie verspricht allen Reichtum, sie will keinem Menschen etwas nehmen. Alles ursprünglich Sprießende, wild Wuchernde, in geduldiger Veränderung langsam Werdende wird von ihr ausradiert. Was sie nicht beobachten und messen kann, zwingt sie indirekt in ihre Gewalt. Sie sagt das Unsagbare. Sie kennt keine Scheu.

Die Sklaven, die vor den Karren des Griffes nach der Allmacht gespannt werden, gehören nicht fremden Nationen an, sondern den Elementen. Jedes Jahr, so hat man ausgerechnet, wächst diese Armee der «Energiesklaven» um Millionen von «Pferdekräften» und «Wärmeeinheiten». Nichts bleibt unberührt, nichts unbenützt. Selbst das Innerste von Himmel und Stoff, von Lebensquell und Seele muß sich öffnen. Es gibt kein Halt vor dem Tod, keinen Respekt vor der Zeit. Gegenwart, Vergangenheit, Zukunft sind Jongleurbälle, die durcheinandergewirbelt werden.

Welch zahmer Stümper war Prometheus, verglichen mit seinen fernen amerikanischen Nachfahren!

3

Es ist lange angenommen worden, daß dieser Griff nach der Allmacht auf die religiöse, moralische, politische Haltung Amerikas ohne Einfluß bleiben könne. Wie überall und in mancher Hinsicht wohl noch stärker sind aber mit dem Aufstieg der angewandten Wissenschaft und der Technik auch in den Vereinigten Staaten die Grundpfeiler der Demokratie, des Christentums und der persönlichen Ethik ins Wanken geraten. Wo vorher Glaube und Gewissen allein geurteilt hatten, heißen die neuen Richter nun Zweck und Leistung. Vor ihnen hat nichts Bestand, das nicht auf die scharfe Frage: «What is it good for?» – «Wozu kann es dienen?» zu antworten vermag. Alles und jedes, das Kleinste wie das Größte werden nun ins Joch gespannt und nutzbar gemacht.

Auch der Mensch selbst, der eigentliche Erdenker und Lenker dieser zweckgebundenen Welt, hat sich schließlich der neuen Knechtschaft nicht entziehen können. Der Amerikaner zahlt für den Griff nach der glückverheißenden Allmacht den höchstmöglichen Preis. Er gibt dafür seine Freiheit als gottgeschaffene Person hin. Diese individuelle Ohnmacht ist die Vorbedingung der Teilhaberschaft an der Allmacht. Denn der Vorstoß zur «frontier» unserer Zeit hat eine Vorbedingung, die der Pionier des vorigen Jahrhunderts nicht erfüllen mußte: kollektive Anstrengung und Disziplin.

Damals hatte jeder mehr oder weniger auf eigene Faust mit wenigen Gefährten seiner Wahl, ein paar Flinten, ein paar Pferden und einem «covered waggon» voller Proviant in die unbekannte, Reichtum versprechende Weite aufbrechen können. Die noch unausgebeutete jungfräuliche Erde wartete auf ihn, Ernten und Geld als Früchte seiner Anstrengung gaben greifbare Befriedigung.

Wie anders die neuen Pioniere! Ihre Laboratorien, Werkstätten, Versuchsanlagen gehören nicht ihnen. Sie selbst sind nur als Vorhut einer riesigen industriellen Armee denkbar. Hinter dem Bau und dem Abschuß jeder Fernrakete, jeder Atomzertrümmerung, jedem chemischen Experiment, jeder Arbeit eines Elektronengehirns steht ein hochentwickelter technischer Apparat, eine Unsumme von Opfern an Zeit, Kraft, Geld, individueller Freiheit. Nur in finanzieller, organisatorischer und persönlicher Abhängigkeit von den Leitern der forschenden Gesamtanstrengung ist der Pionier von heute möglich.

Es ist nur konsequent, daß der neue Pionier selbst den gleichen Methoden unterworfen wird, die er zur Beherrschung der Natur anwendet. Auch er wird wissenschaftlich beobachtet, auf seine Eignung geprüft, bis zum Äußersten seiner Fähigkeiten genützt und wie irgendein anderes Werkzeug weggeworfen, sobald er den gewünschten Zweck nicht mehr erfüllt. Der «freie Wille» muß in diesem Zusammenhang geradezu als unstabiles Element gewertet und ausgeschaltet werden, der unsichere Faktor Mensch durch einen möglichst zuverlässigen Typus ersetzt werden. Wie in jeder Revolution haben die Aufrührer, Himmelsstürmer, Unzufriedenen zu verschwinden. Der verläßliche lenkbare Durchschnittsmensch wird zum neuen Pionierideal.

4

So ist zur Zeit in den Vereinigten Staaten eine Welt im Entstehen, wie es sie nie zuvor gab. Es ist die von Menschen entworfene, im Höchstmaß vorausgeplante, kontrollierte und je nach dem Fortschrittsstand immer wieder «verbesserte» Schöpfung. Sie besitzt ihre besondere Art von Schönheit und von Schrecken. Denn obwohl die menschlichen Schöpfer sich bemüht haben, aus ihrer Kreation Schicksal, Zufall, Katastrophen, Unglück und Tod zu verbannen, so treten die Fortgewiesenen nun verkleidet nur noch viel eindringlicher auf: Kalkulationsfehler der Planstatistiker, Versagen der technischen Apparatur, Unfälle und Explosionen bringen ein Vielfaches an Leid.

Sogar die alten dunklen Mythen vom verschleierten Bild, dessen Vorhang niemand heben darf, von Geistern, Dämonen und verwunschenen

Regionen, ja von der Hölle selbst, kommen in dieser scheinbar so genau ausgerechneten, rational entstandenen Welt zu neuer Geltung. Denn der Durchschnittsmensch bewegt sich in der zweiten, künstlich aus der Retorte gewonnenen Natur genauso unsicher wie seine prähistorischen Vorfahren in der primären Natur, weil nur die Spezialisten – und oft nicht einmal sie – die Wesen und Kräfte begreifen, die sie in die Welt gesetzt haben.

Diese «neueste Welt» ist keine ferne Utopie, kein Geschehen aus dem Jahre 1984 oder einem noch ferneren Jahrhundert. Wir sind nicht wie in den Zukunftsromanen von Wells, Huxley und Orwell durch den breiten Graben der Zeit von dem reißenden Tier Zukunft getrennt. Das Neue, Andere, Erschreckende lebt schon mitten unter uns. So ist es, wie alle historische Erfahrung zeigt, immer gewesen. Das Morgen ist schon im Heute vorhanden, aber es maskiert sich noch als harmlos, es tarnt und entlarvt sich hinter dem Gewohnten. Die Zukunft ist keine sauber von der jeweiligen Gegenwart abgelöste Utopie: die Zukunft hat schon begonnen. Aber noch kann sie, wenn rechtzeitig erkannt, verändert werden.

In dieser zukunftsbezogenen «neuesten Welt» haben die Grenzen von Tag und Nacht, von Licht und Finsternis keine Gültigkeit mehr. Die Tat des ersten biblischen Schöpfungstages wird von den späten Nachkommen des Prometheus annulliert. Damit der moderne Produktionsprozeß keine Unterbrechung erleide, brennen in den Fabriken von Sonnenuntergang bis Sonnenaufgang die künstlichen «Sonnen» der elektrischen Scheinwerfer. In fast allen großen Städten Amerikas gibt es Markthallen und Drugstores, die verkünden: WIR SCHLIESSEN NIE! Es ist nur noch ein kurzer Schritt zu dem Augenblick, da der bereits in einem kalifornischen Laboratorium entwickelte künstliche «Nordlichteffekt» dem Himmel für immer sein Nachtgewand herunterreißt.

Und so geht es mit jedem einzelnen im heiligen Buche beschriebenen Schöpfungsakt. Der Mensch schafft künstliche Materie, er baut eigene Himmelskörper und bemüht sich dann, sie am Firmament über uns aufgehen zu lassen, er kreiert neue Pflanzen- und Tierarten, er setzt eigene, mit übermenschlichen Sinnesorganen ausgestattete mechanische Wesen, die Roboter, in die Welt.

Nur eines kann er nicht. Es ist ihm nicht gegeben, mit den Worten der Bibel auszurufen: «Und siehe da, es war sehr gut.» Er darf niemals die Hände in den Schoß legen und sagen, daß seine Schöpfung vollendet sei. Rastlosigkeit und Unzufriedenheit bleiben mit ihm. «Denn hinter jeder Tür, die wir öffnen, liegt ein Gang mit vielen anderen Türen, die wir abermals aufschließen müssen, nur um dort dann wieder hinter jedem einzelnen Zugang weitere Pforten zu abermals neuen Toren zu finden», sagte ein chemischer Forscher zu mir, einer der gottgleichen Schöpfer des künstlichen Universums.

Es scheint, als sei hinfort der Sinn all dieses Schaffens nur wieder neues Schaffen. Produktion ruft nach immer mehr Produktion, jede Erfindung nach weiteren Erfindungen, die vor den Folgen der vorhergehenden Neuschöpfung schützen sollen. Der Mensch kommt nicht mehr zum Genuß der Welt. Er verzehrt sich in Angst und Sorge um sie. Kein Glücksgefühl und kein «Hosianna» begleitet den neuen Schöpfungsakt.

5

Diese Unzufriedenheit mit der menschengeschaffenen «neuesten Welt», die heute in den Vereinigten Staaten oft schon so deutlich empfunden wird, daß sie zu einem Schwelgen in Furcht- und Untergangsphantasien ausartet, scheint mir eines der hoffnungsvollsten Zeichen für die Zukunft Amerikas. Zivilisationspessimismus ist nicht mehr nur die modische Pose eines kleinen Kreises von Künstlern und Intellektuellen, sondern der weitverbreitete Ausdruck tiefer Besorgnis und überall erwachender Kritik geworden.

Noch lebt allerdings dieser Zweifel meist in der gleichen Brust dicht neben dem alten maßlosen Geist eines übermütigen, vieles wagenden und alles erhoffenden Tätertums. Aber je lauter die Glückspropaganda wird, je provokanter das Lächeln der Zufriedenheit und der betonte Stolz auf den «höchsten Lebensstandard der Welt», desto quälender werden auch die Bedenken.

Es gibt viele, die sich einfach ins Amüsement, in die Sexualität, den Alkohol oder die Neurose flüchten, um mit dem Unbehagen fertig zu werden, die sogenannten «escapists». Es gibt andere, die resignieren, und einige wenige, die bewußt gegen die Entwicklung zu einem totalitären, inhumanen, technisierten Massenleben ankämpfen. Bestrebungen zur Vermenschlichung der Arbeit, zur Anpassung der Maschinen an die menschliche Psyche, zur Dezentralisierung und Humanisierung der großen Städte sind im Gang.

Aber all das hat vorläufig noch einen spielerischen oder sektiererischen Zug. Die große Geistesänderung, die sich durch Wiederanerkennung menschlicher Begrenzung und das Wiederfinden des Maßes ausdrücken müßte, ist bisher ausgeblieben. Da hilft kein messianisches Predigen, keine Ungeduld. Diese Wandlung kann wohl nur aus bitterster Erfahrung kommen. Erst wenn der krampfhafte Griff nach der Allmacht sich einmal löst, wenn die Hybris zusammenbricht und der Bescheidenheit Platz macht, dann wird Amerika von dem wiederentdeckt werden, den es vertrieben hat: von Gott.

Griff nach dem Himmel

GEBURTSMAL DER NEUEN ZEIT

1

Alamogordo, New Mexico

In Alamogordo stieg niemand aus. Es muß der Regen sein, dachte ich. Es regnet fast nie in New Mexico, und wenn es einmal vom Himmel schüttet, bleibt jeder möglichst bei sich zu Haus. Kein guter Tag also, um sich nach einer Sehenswürdigkeit durchzufragen, die auf keiner Landkarte verzeichnet ist. Die frierende, von Kälte ganz blasse Indianerfrau im Kassenraum der Station verstand nicht einmal, wovon ich sprach, und der Eisenbahnbeamte wußte auch nichts Genaues. Die Kellnerin im «Café Plaza» hatte von dem «großen Loch» wenigstens schon gehört. Aber sie riet mir, lieber davon wegzubleiben. Ein gewisser Pancho Gonzales habe dort trotz Verbot seine Schafe weiden lassen, sei eingeschlafen und ein paar Wochen später ins Bezirkskrankenhaus eingeliefert worden. «Er bekam zuviel ‹radictivity›», sagte sie beim Servieren der heißen Rühreier. Ein schlechtrasierter Mann am Nebentisch schaute von der Zeitung auf und verbesserte: «Radioactivity, Alice...» Sie antwortete etwas pikiert: «So what?»

Der Zeitungsleser hatte recht, als er mir abriet, ohne Erlaubnis der Militärbehörden diesen Platz besuchen zu wollen. Das sah ich ein, als ich eine Stunde später vor einem hohen Zaun stand und auf ein gelbes Warnplakat schaute. Dort stand in roten Lettern auf englisch und spanisch: «Gefahr. Eintritt verboten». Ich war ein paar tausend Kilometer weit gereist, um den Krater zu sehen, den die Explosion der ersten Atombombe gerissen hatte, das Geburtsmal eines neuen Zeitalters. Nun stand ich vor Gittern und Verbotstafeln. Das war sie schon, die neue Zeit. Kein Irrtum möglich.

Also zurück ins naßgraue, verschlafene Alamogordo, um mir beim Redakteur der Lokalzeitung Rat zu holen. Das ist fast immer die beste Stelle, wenn man sich in einer amerikanischen Stadt schnell zurechtfinden will. Die Gastfreundschaft, Offenherzigkeit und Hilfsbereitschaft amerikanischer Zeitungsleute ist grenzenlos. Sie stammt noch aus den guten alten Tagen, als es keine «Sicherheitseinschränkungen» aus Spionenfurcht gab. So auch hier. Kollege Morgan, den breitrandigen Hut auf dem Kopf, ist gerade dabei, in seinem nach Chilipfeffer und Druckerschwärze riechenden Office telefonisch Inserate aufzunehmen, als ich eintrete. Den Krater besuchen, das werde nicht so einfach sein, meint er zwischen zwei Anrufen. Es sei nämlich bis jetzt noch nicht ganz abgeklärt, welche der Militärstellen eigentlich darüber zu bestimmen habe. «Holloman Air Force Base» fliege zwar gelegentlich Besucher über den Krater, aber zu Fuß oder im Wagen dürften sie nicht heran. Darüber werde vom Santa Fé Office der Atomenergie-Kommission bestimmt. Sie habe Jurisdiktion über das «big hole» und den näheren Umkreis. Nun wolle das «Guided Missile Center» in El Paso aber auch noch ein Wort mitsprechen, weil es in dem umliegenden Dürrland mit ferngelenkten Geschossen experimentiere, und da könne sich doch einmal eine Rakete verirren ... «Das ist ein Krieg der Dienststellen bis zum Letzten, mein Freund», sagt er, «mich würde es nicht wundern, wenn einmal eine kleine Bombe losginge. Wozu ist das Zeug schließlich da?»

Ja, erzählt er später, als er für eine halbe Stunde aus seinem Büro geschlüpft ist, das habe man sich Anno 45 doch ganz anders vorgestellt. Als die Stadträte von Alamogordo hörten, daß die große Explosion im benachbarten Tulurosabecken vom 16. Juli am Radio als der «Anbruch einer neuen Menschheitsepoche» gefeiert wurde, hätten sie sofort die Errichtung eines Nationaldenkmals beantragt. Alamogordo sollte ein Mittelpunkt des Fremdenverkehrs werden und Mister Cakkins, ein versponnener Metallgräber, der den Aufgang der «großen Sonne» ungläubig von seiner Berghütte aus in früher Morgenstunde erlebt hatte, hoffte, als Fremdenführer endlich eine unerschöpfliche Goldader ausbeuten zu können: die Touristen. «Nun, das alles ist ganz anders gekommen. Sie wissen ja, warum», resümierte Morgan, und dann stürzte er sich sofort mitten in den Papierkrieg der militärischen Dienststellen, um mir meine Erlaubnis zur Besichtigung des «big radioactive hole» zu verschaffen.

2

Die Erlaubnis ließ auf sich warten. Mein Einführungsbrief vom State Department genügte nicht. Man hatte in Washington zurückgefragt. Dort wurde jetzt vermutlich mein Dossier durchgegangen, Fernschreiber tickten mein Personalement. Geprüft, überprüft, das Überprüfte nochmals geprüft und all das, weil sich jemand ein altes Erdloch in einem Stückchen Wüste ansehen will. Das ist die andere Seite des prometheischen Tatendranges der zeitgenössischen Amerikaner. Das ist der Angstschatten, der dem Tollkühnen folgt, das sind die Gewichte der Vorsicht und des Mißtrauens, die sich an die Fersen der Himmelsstürmer hängen.

Aber ich mußte mich während meiner Wartezeit nicht langweilen. Es gibt kaum eine andere Region Nordamerikas, in der die legendenumwobene indianische Vorzeit noch so lebendig ist wie in diesem Teil von

New Mexico. Hier sind die ältesten Höhlensiedlungen des Landes gefunden worden, hier wurden die Lehmhäuser und merkwürdig ineinandergeschachtelten Burgen der Puebloindianer gebaut. «Amerikas erste Wolkenkratzer» nennen sie die Prospekte der Reisebüros.

Ich vertrieb mir die Zeit, indem ich mit Miss Kuhrtz, einer Fürsorgerin der «United Pueblos Agency», die von ihr betreuten Indianersiedlungen besuchte. Sie war eine fröhliche ältere Dame, die in den drei Jahrzehnten ihrer Tätigkeit tiefen Einblick in das Leben und die Vorstellungswelt ihrer Schützlinge gewonnen hatte.

«All das sind die Überreste des Zeitalters der Giganten», erzählte sie, wenn wir auf der Fahrt von einem Dorf zum andern an erstorbenen Vulkanen, merkwürdig geformten Felsen und hohen vierkantigen Tafelbergen vorbeikamen. «Einst waren nach indianischer Überlieferung alle Wesen riesengroß, nur die Menschen blieben klein. Geflügelte Ungeheuer hockten über Abgründen, Drachen und Schlangen lauerten in Höhlen, feindliche Riesen und gepanzerte Monstren stellten Männern, Frauen und Kindern nach. Aber die ‹Zwillingsgötter› halfen. Sie zogen hinauf zur ‹schwarzen Mesa›, forderten Tsebayo, den böswilligsten der Giganten, zum Zweikampf heraus und töteten ihn durch eine Kriegslist. Sie ließen sich nämlich von ihm verschlingen und zerstachen ihm, sobald sie durch die mächtige Gurgel gerutscht waren, den Magen von innen her mit ihren Steinlanzen. In seinem Zusammenbruch soll der Riese ganze Gebirge zerschmettert haben. Er verendete schließlich, Rauch und Feuer um sich speiend, und sein Blutstrom erstarrte zu schwarzer Lava.»

Ein vielleicht noch besserer Kenner der Indianersagen ist der katholische Pater K., ein Missionar bayrischer Abstammung, zu dem mich Nurse Kuhrtz führte. Er lebt im Pueblo von Isleta, nicht weit von Alamogordo. Wir saßen in seiner Klause, als ich ihm klagte, wie unsinnig mir die Geheimnistuerei um den Krater von Alamogordo erschien. «Gewiß», meinte er, «uns Weißen ist das etwas Neues und Ungewohntes. Aber meinen indianischen Pfarrkindern erscheint es selbstverständlich, daß ein Volk ‹heilige Plätze› besitzt, deren Betreten nur wenigen Auserwählten gestattet ist. Die Puebloindianer haben solche ‹verbotenen Orte› immer gehabt und bis heute beibehalten. Und sie fragen mich ironisch, aber mit todernstem Gesicht: Weshalb muß der Weiße seine ‹heiligen Plätze› durch so viele Wächter, Hochspannungsdrähte und Alarmanlagen schützen? Bei uns genügt das Gesetz der Alten, sagen sie. Zäune errichtet man doch nur für das Vieh, das kein Wort versteht, oder zur Abwehr wilder Tiere. Menschen wissen Geheimnisse zu respektieren.»

Von einer Europareise hat der gemütliche Priester einen Hamstervorrat deutscher Volkslieder auf Tonband mitgebracht. In einsamen Stunden spielt er sie immerfort nacheinander ab, und die Indianerinnen von

Isleta waschen Hemden zum Klange des «Jägers aus Kurpfalz» oder «Es zogen drei Burschen wohl über den Rhein». Ich selbst bin allerdings neugieriger auf die Erzählungen des Paters aus der indianischen Schöpfungsgeschichte.

«Die Puebloindianer haben schon immer erwartet, daß hier in ihrer nächsten Heimat die nächste Periode der Weltgeschichte beginnen werde», berichtet der Priester. «Und wir haben wirklich im Umkreise von einer halben Tagesreise im Auto fast alle Testplätze für die neuesten wissenschaftlichen und technischen Entwicklungen beieinander. Da ist von hier gegen Norden zu die Atomstadt Los Alamos und gleich in meiner Nachbarschaft die erste Fabrik zur Massenherstellung der Atombomben in Sandia. Nach Alamogordo ist es nur ein Katzensprung, wie Sie wissen, aber ein paar Meilen weiter südlich liegt auch gleich der Raketenversuchsplatz White Sands und nur ein wenig südlicher die Carlsbad-Höhlen, in denen die Luftfahrtmediziner Versuche über den schwerelosen Zustand im Weltraum machen. Dieser Kontinent ist so riesengroß. Weshalb sich das alles gerade hier herum zusammendrängt? Nur weil wir in New Mexico so viel Wüstengelände haben? Das ist die offizielle Begründung. Aber es gibt in Arizona noch mehr Ödland. Also?»

Er sieht mich gespannt an. Wartet aber gar nicht ab, sondern gibt sich selbst die Antwort.

«Nun, meine Pfarrkinder meinen den wahren Grund zu wissen. Schon vor dem zweiten Weltkrieg, lange bevor die Ära der Atom- und Raketenexperimente begonnen hatte, sprachen sie zueinander vom baldigen Beginn des ‹vierten Zeitalters›. Nach ihrer Genesis gab es nämlich zuerst die Welt des Nebels und des Wassers. Dann kam die Epoche des Lebens unter oder in der Erde, danach die Ära der Existenz auf der Erde. Und nun hoffen sie auf die neue ‹Zeit des Himmels und der Strahlenwesen›. Als dann dort drüben in Alamogordo und White Sands unbekannte Flammenzeichen aufgingen, als hier in der Wüste gewaltiger, nie gehörter Donner grollte, als merkwürdige Riesenpfeile im Himmel aufstiegen und verschwanden, waren die Indios weder überrascht noch erschrokken. Sie begrüßten die neuen Phänomene sogar als Vorboten des Zeitenwechsels voller Begeisterung. Denn die ‹Lichtmänner› des vierten Zeitalters werden nach ihrer Überlieferung nicht mehr im Schweiße ihres Angesichts arbeiten müssen.»

«Woher er das nur alles weiß?» fragte ich die Fürsorgerin, als wir Isleta verließen. Sie antwortete nicht gleich. Dann sagte sie spitz: «Weil er die Indios belauscht. Weil er ihre Unterhaltungen, die sie in einem besonderen, nur für Eingeweihte bestimmten Dialekt halten, mit einem versteckten Mikrophon aufnimmt. Er ist nämlich auch nur ein Weißer, der keine Geheimnisse respektieren kann . . .»

Noch immer war keine Entscheidung aus Washington da, und ich kannte alle vier Ecken von Alamogordo nun schon so gut wie das Wartezimmer einer Behörde. Die Sonne war zurückgekommen und brannte heiß. Der kleine Park vor dem Verwaltungsgebäude des Bezirkes verfärbte staubgrau. Über der «Wiege des Atomzeitalters und der Raketenentwicklung» (so liest man am Stadteingang) lag eine Atmosphäre von Enttäuschung und Verdrossenheit.

Auch mein hilfsbereiter Zeitungskollege Morgan war schlecht gelaunt. Er steckte mitten in einem Kampf rivalisierender Cliquen, die einander im Stadtrat und in öffentlichen Versammlungen gegenseitig anklagten, Alamogordos Zukunft zu sabotieren. Eine Gruppe jüngerer Bürger verlangte den Bau neuer Wasserleitungen und einer Schule, bessere Straßen und die Reorganisation der Polizei, um den «vermehrten Anforderungen der neuen Zeit» zu entsprechen. Die Älteren zögerten, warnten; denn sie fürchteten erhöhte Besteuerung. Gewiß, sie gaben zu, daß Alamogordo seit «dem Tag der Bombe» gewachsen war. Es hatte Hunderte von Zuzüglern erhalten, aber das waren alle keine wirklichen Neubürger, sondern Familien von Soldaten, Technikern oder Bauarbeitern, die in den verschiedenen neuen Militärreservationen wie «Holloman Air Base» oder «White Sands» beschäftigt waren. Sollte doch das Verteidigungsministerium für sie sorgen, der Staat Mittel für vermehrte öffentliche Einrichtungen bereitstellen! «Wir haben sie nicht gerufen», hieß es. «Wir profitieren noch nicht einmal geschäftlich von diesen Leuten, denn sie kaufen ja fast doch nur in den PX-Läden des Militärs ein.» Sogar die Gastwirte beschwerten sich: «Die G. I.s nehmen fast keine Drinks bei uns. Am Samstagabend gehen sie über die Landesgrenze bei El Paso nach Mexico. Dort gibt es billigen Whisky, Wettlokale und Bordelle. Damit können wir nicht konkurrieren.»

Ungleich tiefer gehen die sozialen Auswirkungen des Atomzeitalters in den Indianerpueblos. «Was weder der jahrhundertelangen Arbeit der christlichen Missionare noch den zuerst gewaltsamen, dann geschickteren Bemühungen der amerikanischen Regierung gelang, haben die Technik und der Dollar in ein paar Jahren fertiggebracht», erzählte mir Miss Kuhrtz, als wir eine schwangere Bewohnerin des Pueblos Tesuque ins Indianerspital nach Albuquerque fuhren. «Die politischen und religiösen Formen der Stämme sind tief erschüttert und werden vielleicht die jetzt aussterbende Generation der alten Leute nicht überleben.»

Das begann damit, daß während des zweiten Weltkrieges Eingeborene dieses Teiles von New Mexico zu Bauarbeiten an den neuen Atom- und Rakteninstallationen geholt wurden. Sie verdienten nun oft in einem einzigen Monat so viel wie sonst als Ackerbauer und Viehzüchter in einem ganzen Jahr. Selbst die Frauen, die in den militärischen Reservationen als Dienstmädchen arbeiteten, brachten jetzt mehr Dollar nach Hause, als sie je zuvor auch nur gesehen hatten. Anfangs wurden diese Summen, wie es bei allen Einnahmen seit Generationen Brauch gewesen war, in die von den Dorf- und Familienältesten geführten Gemeinschaftskassen eingezahlt. Aber dann kamen bei Kriegsende die G.I.s aus dem Militärdienst zurück und begannen gegen die alten Sitten zu rebellieren. Die in White Sands, Los Alamos oder Sandia beschäftigten Arbeiter und Haushaltshilfen lieferten bald nur noch einen Teil des Inhaltes ihrer Lohntüten im Pueblo ab und drohten sogar, alles Geld für sich zu behalten, wenn der Ältestenrat mit den an die Gemeinschaftskasse gezahlten Dollars nicht «etwas unternehme».

Daraufhin wurde gleich in den ersten Jahren der atomischen Ära von mehreren Pueblos elektrisches Licht eingeführt, moderne Berieselungsanlagen begannen die alten Kanalsysteme zu ersetzen, Ackerbaumaschinen hielten ihren Einzug. Nun kamen Lastautos, Radioapparate und sogar Telefone in die Pueblos, und mit jedem weiteren Schritt zur materiellen Anpassung an den «amerikanischen Lebensstil» schritt die Revision der «alten Werte» weiter fort. Die jüngeren Mitglieder des Pueblos verlangten und bekamen mehr Mitspracherecht. Diejenigen, denen die Konzessionen der «Alten» nicht genügten, brachen ganz aus dem Dorfverband aus, um in neugegründeten Arbeitersiedlungen wie White Rock, unweit von Los Alamos, ganz frei von den alten Bindungen und Gesetzen zu leben. «Die neue Generation glaubt nicht mehr an die auf Erwartung des Regens und die Unabwendbarkeit des Schicksals gegründete Religion ihrer Väter und Ahnen», faßte ein Professor der «University of New Mexico» die neueste Entwicklung für mich zusammen, «sie ist dem Geld und dem Erfolgsprinzip ihrer weißen Umwelt gewonnen worden.» Das ist das soziale «Nebenprodukt» des Atomzeitalters in New Mexico.

4

Der Begleitsoldat, den sie mir zu dem Besuch des Atomkraters mitgegeben hatten, nachdem mein Fall endlich geklärt und von irgendwo aus dem bürokratischen Jenseits die lang erwartete «clearance» eingetroffen war, dieser gesunde vierschrötige Junge konnte einfach nicht begreifen, weshalb ich so viel Geduld aufgebracht hatte, um dieses «Stückchen Nichts inmitten von gar nichts» sehen zu können.

Nachdem er mich an den von Stacheldraht umzäunten Rand des großen überraschend flachen Sandtellers geführt hatte, den die erste Bombe bei ihrem Aufprall vom 33 Meter hohen Kontrollturm auf den «Punkt Null» der Testanlage gerissen hatte, setzte er sich auf den Führersitz seines «Jeep» zurück und begann in seinem bunten «Comic»-Heftchen zu blättern.

Der Krater war an vielen Stellen von einer grünen Gesteinsschicht wie von einer Art Schorf bedeckt, der sich im weißen Siedefeuer der Explosion gebildet hatte. Sie nennen diesen schlammfarbigen Schiefer «Trinitit» — «Dreifaltigkeitsgestein» — nach dem Codewort «Trinity», unter dem der erste Versuch im Jahre 45 lief. Splitterchen dieses «Trinitit» werden als «Souvenirs» in einem durchsichtigen Plastiküberzug eingesiegelt, um Alamogordo herum heimlich verkauft. Auch meine bewaffnete Eskorte trug so einen winzigen Zeitzeugen bei sich in seiner Brieftasche, gleich neben den Fotos der Eltern, Geschwister und der verschiedenen Girlfriends.

Nimmt man das Dreifaltigkeitsgestein in die Hand, so bröckelt es erstaunlich leicht. Das ist dem Wüstengras, dem Schafkraut, dem Echsenfarn und Schuppenmoos, die hier unten in der Wüste seit Urzeiten wachsen, zugute gekommen: In den paar Jahren, die seit dem Test vergingen, haben Pflanzen die glasige grüne Todesschicht an Tausenden Stellen durchbrechen können. In noch ein paar Jahren werden sie den ganzen Raum des Kraters füllen.

«Drop that thing», rief mir der Zerberus zu. «Lassen Sie es liegen, das Zeug ist noch r. a.» Ich ließ gehorsam mein radioaktives Stückchen «Trinitit» fallen, warf noch einen letzten Blick auf die große häßliche Narbe und wandte mich zum Gehen. «Ich verstehe nicht, weshalb sie das Ding nicht einfach zuschütten», sagte der G. I., «such a nuisance.» Damit machten wir uns auf den Rückweg.

KEINE ZEIT FÜR GEFÜHLE

1

Omaha, Nebraska

Omaha in Nebraska — das ist immerhin eine Stadt von ein paar hunderttausend Einwohnern. Aber in New York, in Chicago oder Los Angeles sprechen sie davon, als sei es der typische kleine Provinzort, irgendwo in den «backwoods», den «hinteren Wäldern» gelegen. Nun gibt es in und um Omaha schon lange keine Wälder mehr. Es liegt mitten im überreichen flachen Ackerland des Mittelwestens, eine zufällige Ansammlung von Asphaltstraßen und Stadthäusern — darunter sogar ein paar Wolkenkratzer — wächst ganz widersinnig und fremd aus all dem endlosen Grün und Gelb der Äcker heraus. Aber irgendwo muß ja das Vieh verkauft und geschlachtet, die Ernte versichert und angeboten werden, die Züge müssen auf ihrer langen Fahrt von Ost nach West und vom Atlantik zum Pazifik Kohlen laden, Wasser nehmen und die Maschinen wechseln können. Und so entstand, wuchs, gedieh Omaha, die Stadt, die jeder braucht und niemand achtet.

Noch unnatürlicher wirkt in dieser bäuerlichen Umgebung die Ansammlung flacher moderner Gebäude am Stadtrand von Omaha. Sie passen einfach nicht zu den gemütlichen roten Scheunen, den trägen Windmühlenrädern und den prallen Silos in der Nachbarschaft. Wie Eisdecken, die aber selbst am heißesten Julitag nicht schmelzen, liegen ein paar Landstreifen mitten in prangenden Maisfeldern. Das lateinische Motto, unter dem diese Siedlung steht, ist in Wappenform gleich neben dem Eingangstor zu lesen. Es lautet: «MORS AB ALTO» — «Tod aus der Höhe».

«Offutt Field» heißt dieses Stückchen «neueste Welt» im fruchtbaren Nebraska. Ein Militärflugfeld wie Dutzende anderer amerikanischer «Air Force Bases», die seit 1941 gebaut wurden, auf den Namen eines zu Tode gestürzten Piloten getauft. Und es ist ein Flugplatz von ganz besonderer Bedeutung, vielleicht der schicksalsträchtigste der USA. Denn in diesen nagelneuen, wenn auch unscheinbaren Bürogebäuden, die in Anlehnung an eine ehemalige Reiterkaserne gebaut wurden, befindet sich der Hauptsitz des «Strategic Air Command», dem im Kriegsfalle die Leitung aller überseeischen Bomberaktionen anvertraut ist. Gerade hier in der «tiefen Provinz», in der Hochburg des einst weltabgewandten Isolationismus, ist der Mittelpunkt eines Stützpunktsystems, das fünf Kontinente überzieht.

Und jeder dieser fernen Stützpunkte kann im Flug fast genauso schnell erreicht werden, wie der in Omaha haltende transkontinentale Schnellzug braucht, um an eine der beiden Küsten Amerikas zu gelangen.

Betritt man die durch Klimaanlagen angenehm abgekühlten Büros von Offutt Field, so ist der erste Eindruck keineswegs bedrückend oder gar geschichtsschwanger. Amerikanische Militärinstallationen wirken ja selten so düster und unheildrohend wie europäische Kasernen. Selbst hier, wo ein für seine forsche Rauheit und strenge Disziplin berüchtigter General kommandiert, erinnert die Büroatmosphäre eher an einen «country club».

Der diensttuende Offizier spricht gerade mit Seattle, aber es geht dabei anscheinend nicht um den Transport von Bomben, sondern um die Vorbereitung eines Wochenendtrips. «Natürlich bringen wir Fischgeräte mit», plaudert der Mann in Khaki vergnügt. «Und ihr drüben sorgt für die Filmkamera. Farbenfilm ... Ja, unbedingt ... Und noch eins: der General trinkt keinen Scotch. Er ist ein hundertprozentiger Bourbonmann. Okeydoke. Hasta Mañana.»

Durch die offene Bürotüre ist ein breitschultriger, etwas dicklicher Offizier eingetreten. Er sieht weder nach rechts noch nach links, nicht den schlaksigen rothaarigen Adjutanten, der ihm mit unterzeichnungsbereiten Papieren in der Hand gefolgt ist, nicht die hübsche blonde

Sekretärin, die seine Aufmerksamkeit auf sich ziehen möchte, und schon gar nicht den fremden Zivilisten, der immer noch wartend vor einer Weltkarte steht. Die ist auf eine neue, ungewohnte Manier gezeichnet. Hier liegt die Landmasse der USA nicht wie sonst üblich auf der westlichen Seite, sondern breit in der Mitte des Planes und darum herum gegen die Kartenränder zu gruppieren sich artig die anderen Kontinente. Fast genau in der Mitte der USA befindet sich ein schwarzer Punkt, unter dem die Worte «Offutt Field» (Omaha) zu lesen sind. Und in der Mitte von Offutt Field, im Zentrum aller Erdteile und Meere und Inseln steht jetzt dieser untersetzte Klotz von Mann, der die ausgegangene Zigarre nicht einmal aus dem Mund nimmt, während er verkündet: «Nichts mit Seattle, Kalberer – absagen. Ich muß auf einen Sprung nach Washington. Die kochen wieder etwas gegen uns in der Senatskommission.»

Das war natürlich der General. Jeder hier fürchtet ihn, preist aber seine Leistungen. «Was für ein verdammt wundervoller Sklaventreiber», sagen sie. «Wie er das SAC in Form gebracht hat. Wie er keinen Disziplinverstoß duldet. Wie er aber über jede Einzelheit von Alaska bis Arabien, von Marokko bis Okinawa unterrichtet ist.» – «Am liebsten», so sagen sie, «läßt er sich über den Zustand seines weltweiten Kommandos in knappsten Zahlen berichten: 6 Prozent mehr Kosten bei der 15th Airforce, 18 Prozent weniger Flugleistung bei der 6th Airforce, 8 Prozent Materialerneuerungen notwendig pro Monat, nur 0,4 Prozent Verluste an Mannschaften und Maschinen im vergangenen Jahre.»

Seine Kalkulationen sind durchaus gefühlsfern. Als er den Piloten der «Fliegenden Festungen», die unter seinem Befehl während des zweiten Weltkriegs Japan anflogen, befahl, ihre Ziele dichter anzufliegen, stiegen die Durchschnittsverluste für jeden Raid um hundert Prozent. «Aber das Rechenexempel ging auf», erklärt mir Presseadjutant Kalberer als die «Stimme seines Herrn».

«Wenn bei einem Angriff ein Drittel unserer Bomber verlorenging, dafür aber doppelt so viele Treffer erzielt wurden, so war das weniger kostspielig als zwei Attacken mit je einem Fünftel Verluste.»

Die großen vier- bis zehnmotorigen Bomber, die unter dem Kommando des Generals stehen, sind nicht in Offutt Field selbst stationiert. Hier landen nur die Maschinen, auf denen er seine Inspektionsflüge rund um die Welt antritt. «Ich kenne sechzig Länder der Erde», erzählt der «Boss» seinen Bewunderern, wenn er einmal Entspannung sucht. Die meisten Länder kennt er allerdings nur aus der Luft oder von kurzen Landungen auf einer der «Air Bases». Diese Stützpunkte gleichen einander wenn möglich wie ein Schachfeld dem anderen: die gleichen «runs», die gleichen «Hangars», das gleiche Essen in der Kantine, die gleichen Soldatengesichter, die den besuchenden Chef mit den gleichen

Standardworten begrüßen, ob das nun in Nordafrika, Nordbayern oder Nordjapan ist. «Und bitte keine überflüssigen Worte, der General liebt keine Entschuldigungen und Beschwerden! Sein Wahlspruch heißt: ‹Das Resultat allein zählt. Mir ist es ganz gleich, ob eine Mission aus Pech oder aus Untüchtigkeit in die Binsen geht.›»

Aber den besten Überblick über seine «Magnesium-Ungeheuer» — so nennt er plump-zärtlich die Bomber — hat der General doch, wenn er zu Hause, das heißt in Offutt Field ist. Jeder Flugstützpunkt innerhalb und außerhalb der Vereinigten Staaten steht in ständiger Verbindung mit der «Electronics Section» bei Omaha, einem von schußbereiten Garden schwerbewachten, fensterlosen Gebäude, dessen Räume Tag und Nacht vom Weißviolett der Fluoreszenzröhren erhellt werden. Hier tikken die Fernschreiber laufend Berichte von den 17 großen SAC-Stützpunkten in Nordamerika, werden in einem besonderen durch Panzertüren gesicherten Raum Radiogramme und Ferngespräche von Dutzenden im Ausland gelegenen Flugstützpunkten empfangen. Grönland ruft, Japan meldet sich, Alaska gibt einen Wetterbericht durch. Es ist drei Uhr nachmittags in Omaha, aber schon zehn Uhr nachts im englischen Stützpunkt «East Anglia», drei Uhr morgens in Bahrein, fünf Uhr früh in Port Darwin. Es regnet in Siam und Brasilien, über Libyen rast ein Sandsturm, auf den Aleuten hat es heute nacht leicht geschneit.

Offutt Field führt über all das Buch und befiehlt dementsprechend jedem seiner Bomber die Reiseroute. Es ist stolz auf seine «sofortige Schlagbereitschaft». Niemand im ganzen Kommando mit seinen Tausenden von Piloten, Mechanikern, Funkern, Bodenmannschaften, über dessen genauen Verbleib irgendwo auf der Erdkugel zu dieser bestimmten Minute man nicht Bescheid wüßte. Selbst wer dienstfrei ist, hat sich in regelmäßigen Zeitabständen bei der vorgesetzten Stelle zu melden, keinesfalls darf er sich weiter als zwei Autostunden vom Standort seiner Einheit entfernen.

Dreißig, vierzig, fünfzig Stunden sind die Langstreckenbomber des SAC beim Durchschnittstempo von fünfhundert bis sechshundert Stundenkilometern oft auf Trainingsflügen ohne Stopp unterwegs. Da darf niemand von der vierzehnköpfigen Besatzung (drei davon sind Piloten) sich länger als für zwei oder drei Stunden schlafen legen. Wenn die Maschine in Höhen von zehn- bis fünfzehntausend Metern kreuzt, ist es streng verboten, einen der sechs Schlafbunker zu benutzen, weil im Falle eines niemals ganz ausgeschlossenen Leckwerdens der Druckkabine der im Körper aufgesparte Sauerstoffvorrat nur dreizehn Sekunden lang ausreicht, ehe Bewußtlosigkeit eintritt. Das ist zuwenig Zeit für einen aus dem Traum Geschreckten, um die Sauerstoffmaske richtig aufzusetzen, festzumachen und in Betrieb zu setzen.

Während dieser Trainingsflüge überqueren die Fernbomber hoch über den Wolken Ozeane, die sie nicht einmal sehen, besuchen fremde

Länder und Kontinente, deren Konturen sie höchstens in flüchtigen Schatten auf dem Radarschirm erblicken. Ohne zwischenzulanden ziehen sie «Schleifen» über den klein gewordenen Erdball. Hier hat die rasend schnelle und sichere Überwindung der Distanzen, die einst vielgepriesene Eroberung der Luft, ganz ihren eigentlichen Sinn verloren: der Himmel ist ein großer Exerzierplatz geworden, auf dem ein General mit Feldwebelschneid herumkommandiert und dabei weiß, daß er mit den modernsten seiner «Metall-Monstren» schon wieder von gestern ist. Seit eine neue «Rasse» von todbringenden Ungeheuern aufgetaucht ist: die ungleich schnelleren ferngelenkten Raketen mit ihren Atomsprengköpfen.

2

Muroc, California

Etwa hundertfünfzig Kilometer nordöstlich von Los Angeles im Gebiet der Mojavewüste gibt es eine Reihe von ausgetrockneten Seebetten, so dürr, so trostlos, so unerträglich heiß, daß sich lange Zeit kein Lebewesen, nicht einmal die Wüstenratten oder heulenden Hunde, dort aufhielten. Eine Zeitlang während der Prohibition wurde an einem der Ufer des «Muroc Dry Lake» Schnaps gebrannt und nach den Städten geschafft. Das geschah in aller Offenheit, weil die «moonshiner» wußten, daß die hitzescheue Polizei sie hier ungestört lassen werde. Aber obwohl die Profite bei diesem Geschäft beträchtlich waren, ergriffen die illegalen Whiskybarone bald die Flucht vor der Hitze. Selbst tausendprozentige Gewinne erschienen ihnen nicht verlockend, wenn sie dafür schon bei Lebzeiten in der Hölle braten sollten.

Dann entdeckten die sogenannten «hot rodders» das Gebiet. Das waren autobegeisterte junge Burschen, die alte Wagen durch ein paar Kunstgriffe in Renncars umbauen konnten. Sie begannen mit ihren «hot rods» («heißen Knüppeln») auf dem harten, heißen Sand des Muroc Lake nach Geschwindigkeitsrekorden zu jagen. Auch diese schnelligkeitssüchtigen Motorfanatiker waren wie die Schnapsbrenner vor zu strengen Gesetzen geflüchtet. In den überfüllten Straßen und «highways» von Los Angeles hatten sie ihren Durst nach grenzenloser Schnelligkeit nicht stillen können, ohne mit der Polizei in Konflikt zu geraten. Hier draußen aber war praktisch Niemandsland, das nur den kratzbürstigen Kaktuspflanzen und den Staubteufelchen gehörte.

Als die «hot rodders» zu einem ihrer Rennen einen Fliegermajor namens «Hep» Arnold einluden, begingen sie einen nicht mehr gutzumachenden Fehler. Denn später, als der gleiche Offizier in verantwortlicher Stellung den Aufbau und Ausbau der amerikanischen Luftwaffe leitete, erinnerte er sich des Geländes am Trockensee von Muroc. Es erschien ihm als ein idealer natürlicher Landungsplatz für Flugzeuge und zudem wegen seiner Abgelegenheit besonders geeignet zur Erprobung neuer geheimgehaltener Typen. Stillschweigend nahm der Staat während des zweiten Weltkrieges das praktisch besitzlose Gebiet für sich in Beschlag. Die «hot rodders» mußten sich einen anderen Trockensee für die Austragung ihrer Turniere suchen, fanden den «Harpers Dry Lake», wurden bald auch von dort durch das Militär vertrieben und endeten schließlich bei einem dritten Salzsee, den sie «El Mirage Dry Lake» genannt haben, weil sie nicht wissen, ob nicht auch dieses Motorenparadies sich schließlich als ein «Mirage», eine «Luftspiegelung» im Zeitalter der «harten militärischen Realitäten» erweisen wird.

Einige fanatische «hot rodders» haben später, sobald sie etwas älter geworden waren, versucht, durch freiwillige Meldung zur «US-Airforce» als Flieger wieder zu ihrem geliebten Muroc Lake zurückkehren zu dürfen. Besonders als die dort eingerichtete «Air Force Base» nach dem zweiten Weltkrieg nur noch zur Erprobung der allerschnellsten Flugmodelle benutzt wurde. Eigentlich hätte man annehmen sollen, daß diese Jungen, denen die Begeisterung für möglichst hohe Geschwindigkeit im Blut lag, das geeignetste Pilotenmaterial abgeben würden. Das dachten sie auch selbst. Aber nicht einer von ihnen bestand die scharfen psychologischen Prüfungen, durch die alle Anwärter auf Testpilotenposten in Muroc gehen müssen.

Denn der ideale Pilot, den die amerikanische Luftwaffe sucht, darf kein Fanatiker des «speed» sein. Wer sich an der reinen Schnelligkeit berauscht, wird ebenso als untauglich abgelehnt wie jemand, der seinen Rausch auf dem Boden einer Whiskyflasche findet. Die «hot rodders» sind Maschinenromantiker, die von der Geschwindigkeit in ekstatische Zustände versetzt werden. Ein moderner Überschallpilot aber soll selbstbeherrscht, präzis und kühl, ein Maschinenrationalist sein. Man vermutet daher ganz zu Unrecht in den Lenkern der schnellen Düsenjäger, den «jetpilots», tollkühne Draufgänger, Windhunde des Äthers! Statt dessen findet man bemerkenswert gut ausgewogene, solide, beinahe langweilig wirkende Typen, die weit mehr vom Pedanten als vom Abenteurer an sich haben.

Auch die Rolle der großen Herzensbrecher paßt nicht zu den Jetpiloten, so sehr Verfasser populärer Magazingeschichten und Filmautoren auf ihrer Suche nach dem erotischen Helden unserer Zeit sich bemühen, sie für diesen Platz zu reklamieren.

Ich sprach mit der Gattin eines solchen «ace», der gerade mit frischem Ruhm bekränzt vom Kriegsschauplatz nach der Heimat zurückgekehrt war. «Ein Jetpilot braucht eine ruhige Frau, die seine Nerven schont. Er hat keine Zeit für Gefühle», sagte sie. «Leidenschaftliche Romanzen, Launen, Liebeskummer kann er sich gar nicht leisten. Sie wären lebensgefährlich für ihn.» Sie selbst hatte ihren Mann kennengelernt, als er im Militärspital lag. «Er suchte ein Mädel, das ihn nicht aufregen würde, see?» sagte sie naiv. «Anscheinend paßte ich in diese Rechnung. Und dann wollte er natürlich nur eine Frau, die nicht um ihn zittern würde, während er bei seinem Job war. Ein Kamerad von ‹Russ› mußte aus dem Geschwader ausscheiden, weil seine Frau ihn für die Flugarbeit ruinierte. Jeden Abend, wenn er heil nach Hause kam, fiel sie ihm vor Freude weinend um den Hals. So wurde er ‹accident conscious›, erwartete bei jeder etwas gefährlichen Situation einen Unfall und sprang zweimal zu früh ab, statt seine Maschine zu retten. Das wurde etwas zu kostspielig für die Airforce.»

Der «typische Testpilot», der in «Edwards Air Force Base» am Muroc Lake lebt, ist ein Mann von mindestens dreißig Jahren, womöglich aber noch etwas älter, Familienvater mit den ersten grauen Haaren im Schopf und unter Umständen sogar ein wenig korpulent, wie zum Beispiel «Chuck Yeager», der als erster am 12. Februar 1947 über dem Muroc Dry Lake schneller als der Schall flog. Seither konnten Dutzende von anderen Piloten diese einst so gefürchtete «Schallmauer» durchstoßen, haben den bei dieser Geschwindigkeit sich hoch vor ihnen aufstauenden Schockwellen getrotzt und in der noch sehr wenig erforschten Zone jenseits der «sound barrier» tückischen Wirbeln widerstanden, die ihnen die Herrschaft über ihre Maschinen zu entreißen versuchten.

Das größte Problem bieten jetzt die gewaltigen Reibungshitzen, die sich bei diesen Geschwindigkeiten entwickeln. Nur mit Hilfe spezieller Kühlapparate wird verhindert, daß die Metallflügel des modernen Ikarus schmelzen wie Wachs und er selbst den Hitzetod sterben muß.

3

Der Zutritt nach «Edwards Air Force Base» ist selbstverständlich nur ganz wenigen ausgewählten «Außenseitern» gestattet. Ich selbst verdanke die Erlaubnis eigentlich einem Zufall. Eines Tages hörten Einwohner des bei Los Angeles gelegenen San-Fernando-Tals zu später Nachtstunde laute Detonationen, die so klangen, als stammten sie von Explosionen. Als diese Erscheinungen sich mehrmals bei hellem Tageslicht und mit wachsender Lautstärke wiederholten, wurden die Bewohner unruhig. Es liefen Gerüchte um, daß in der Nähe ein neuer Waffenversuchsplatz installiert worden sei, und es erhoben sich Proteste. Anfragen der Presse wurden von den zuständigen Militärbehörden zunächst mit Schweigen übergangen. Die Folge war ein Anwachsen der Gerüchte, die nun schon fast allgemein Glauben fanden. Schließlich ließen sich die lokalen Vertreter der Streitkräfte dazu herbei, eine Erklärung abzugeben. Es handele sich, so sagten sie, um ein ganz ungefährliches akustisches Phänomen, welches auftrete, wenn sehr schnelle Flugmaschinen, aus großer Höhe zur Erde hinunterstoßend, plötzlich wieder zum waagerechten Flug hochgerissen würden. In das von dem Jetflugzeug geschaffene Vakuum pflege dann die Luft mit einem dumpfen Geräusch einzuströmen.

Nun — das wollte niemand glauben. Man hat sich in Amerika seit dem letzten Kriege daran gewöhnt, derartige beruhigende Erklärungen mit großer Skepsis aufzunehmen. Zu oft schon stellten sich angeblich «harmlose» Versuche später als Unternehmungen von hoher Gefahrenmöglichkeit sowohl für die unmittelbaren Teilnehmer wie auch für die unbeteiligte Nachbarschaft heraus. So wurde zum Beispiel die erste Atomexplosion bei Alamogordo den zufälligen Zeugen in der näheren Nachbarschaft zuerst als ein «ganz normaler Munitionstest» dargestellt.

Um nun unter Beweis zu stellen, daß sie diesmal nichts beschönigt hatten, boten die Militärsprecher an, einigen geladenen Gästen das eigenartige Phänomen auf der «Edwards Air Force Base» demonstrieren zu lassen. Zum ersten Male nach zweijähriger Sperre wurde das sonst jeder Pressebesichtigung verschlossene Versuchsfeld am Muroc Lake für kurze Zeit und für sorgfältig gesiebte Besucher zugänglich.

Als wir gegen fünf Uhr morgens von Los Angeles herkommend im Auto durch die Mojavewüste fuhren, glich die Gegend einer Art Mondlandschaft. Nur ab und zu tauchten zwischen Felsbrocken und alkalihaltigen Sandhäufungen die Silhouetten der im wilden Krampf verzerrten Joshuabäume auf, die ihre stachligen Äste wie im Hilferuf gegen den Himmel streckten. Es dämmerte noch, als plötzlich am Horizont feurige Kometenschweife auftauchten. Drüben an der «Base», so erklärte der Luftfahrtredakteur der «Los Angeles Times» in unserem Wagen, seien die mit Raketenantrieb und «Nachbrenner» ausgerüsteten Lockheed F 94 aufgestiegen. Diese frühesten Morgenstunden sind angeblich für Schnelligkeitsversuche besonders günstig, weil die leichte Luft kühler ist und weniger starke Schockwellen bildet.

Die «Air Force Base» selbst enttäuscht beim ersten Blick. Die meisten Gebäude sind flüchtig zusammengehauene Holzbaracken aus der Kriegszeit. Das Ganze gleicht einem der hastig errichteten «Minning Camps» aus der Zeit des kalifornischen Goldrausches, meinte mein Kollege. Mich selbst erinnerte dieser militärische Außenposten mit seiner Stacheldrahtumzäunung und dem zur Musik seines kleinen Radioapparates ausweisfordernden G.I. am rohgezimmerten Eingangstor eher an ein Lager für «Displaced Persons», wie ich es in Europa sah. Die Atmosphäre in der «Mess» verstärkte diesen Eindruck noch. In langen Reihen standen Bodenmannschaften und Mechaniker halb ausgeschlafen und mürrisch beim Kaffeeausschank an oder warteten, das Metalltablett in der Hand, auf ihre Ration. Sie können, wie ich später erfuhr, ihre primitiven Quartiere nur mit kleinen Petroleumöfen heizen. Das aber reicht in den kalten Wüstennächten nicht aus. Hier wie an so vielen anderen Plätzen, wo Amerika sein erstaunliches technisches Machtpotential aufbaut und erprobt, wird für den menschlichen Komfort am wenigsten getan, weil das Geld für solche «Nebensachen», wenn überhaupt, immer erst zum Schluß bewilligt wird. Für die Maschinen, die Millionen Dollar kosten, ist nichts gut genug. Aber die fleißigen uniformierten Arbeitsbienen, die diese anspruchsvollen metallenen Drohnen bedienen, müssen sich mit wenig zufriedengeben.

Der große «run», an dessen Seiten die riesigen Hangars liegen, ist natürlich tadellos in Ordnung. Glatt, ohne Fehler, ein immenses «Parkett», das täglich neu gebohnert werden muß, weil Auspuffgase, heiße Flammen, brennendes Kerosin und dampfendes Öl Löcher und andere Unebenheiten in den harten Zement brennen.

Es war schon gegen acht Uhr morgens, als wir hier am Rande der Startbahn den beiden Testpiloten Major Frank Everest und Major Ascani vorgestellt wurden, beide zu den ersten fünf gehörend, die sich nach Yeager hinter die «Schallmauern» wagten. Eine ganze Batterie von Oszillographen, Mikrophonen und Druckmeßgeräten wurde auf langen Tischen neben dem Feld aufgestellt, um das Phänomen der «Jet-Detonation» festzuhalten, während die beiden Flieger sich in ihre Maschinen einbauen ließen.

Wenn ich von «einbauen» spreche, so ist das durchaus wörtlich zu verstehen. Der moderne Überschallpilot wird in den Apparat, den er fliegen soll, installiert wie ein vorläufig leider noch unersetzlicher Maschinenbestandteil. Von seiner Arbeitsuniform führt man Verbindungsleitungen zum Sauerstofftank, zur Radioanlage, zum Radar, zu den automatisch geregelten Temperaturanlagen. In der Bauchgegend und an den Waden seines Spezialanzuges befinden sich kleine Druckkammern. Sie sollen der in scharfen, schnellen Kurven besonders stark fühlbaren Vermehrung der Schwerkräfte entgegenwirken, die in der Einheit «g» (gleich normale Schwerkraft) gemessen werden. Sobald zu viele «g» das Blut in die Körperextremitäten treiben, pressen es die Gummiblasen des «G-Anzuges» wieder zum Herzen und Kopf zurück.

Im Sturzhelm, der dem Jetpiloten aufgestülpt wird, sind nicht nur Mikrophon und Kopfhörer zu finden, sondern auch das durch elektrische Heizung gegen plötzliche Vereisung geschützte Visier aus Plexiglas, eine Sauerstoffapparatur und ein «Gehirnwellenschreiber», der durch ein rotes Warnlämpchen nahende Sauerstoffverknappung meldet, bevor die eigenen Sinne die Gefahr gespürt haben.

Dieses ganze System von «Nabelschnüren» wird dem elektrischen Kreislaufsystem der Maschine angeschlossen. Vielfach eingeschraubt in den Organismus seines Flugzeuges, durch Radioverbindung vom Erdboden aus ständig geleitet, startet der Pilot. Charlie Chaplin, der am laufenden Band gegen die Maschine aufmuckte und die von ihrem Gesetz diktierte Organisation der Arbeit vorübergehend in Verwirrung stürzte, erscheint, verglichen mit dem Überschallpiloten, als das Symbol einer Revolte, die heute nicht einmal mehr möglich wäre.

Denn dieser neue «supersonische Mensch» ist nicht mehr nur ein Maschinen-Gegenüber, dem noch ein gewisses Maß von Freiheit und Protestmöglichkeit blieb, sondern bereits von seinem Geschöpf einverleibt und ein Teil von ihm geworden.

Aber es scheint, als entwickelte sich die Maschine ihrerseits auf den Menschen zu. Je höher gezüchtet sie ist, desto mehr menschenähnliche Eigenschaften entwickelt sie. Sie zeigt geradezu unberechenbare Empfindlichkeiten und Launen. Hört man das Startgeräusch eines Jetmotors, diesen fast animalischen Schrei, gegen den das Stottern und Takken der gewöhnlichen alten Explosionsmotoren fast gemütlich klingt, so wird man den Eindruck nicht los, hier mache sich ein lebendiges Wesen durch unartikuliertes Brüllen Luft.

Ist es Zorn? Ist es Schmerz? Die Jetmechaniker, meist schon ein wenig taub und von einer Reihe eigenartiger körperlicher Störungen befallen, die von den Luftmedizinern den gar nicht vernehmbaren «Übertönen» der neuen Maschinen zugeschrieben werden, glauben aus diesen Lauten etwas heraushören zu können. Es herrscht auf den Jetflugplätzen der Fliegerglaube, daß die Mechaniker Unglücke fast immer aus dem Startgeräusch der Maschine voraussagen können. Es geschieht daher nicht selten, daß ein Pilot in «Everest Base» seinen Chefmechaniker, der ihm während des üblichen Ausprobierens und Überprüfens der Maschine beisteht, vor dem Start fragt: «Weint sie oder lacht sie heute?»

«Sie rollt sich vor Lachen», meint der Mechaniker.

«Gut», sagt der Pilot, «dann kann's ja losgehen.»

Das durchsichtige Dach aus Plexiglas wird über seinen Sitz geschoben, alle springen beiseite, um nicht von dem unheimlichen starken Sog der runden Luftdüsen in die Maschine hineingerissen zu werden, und ohne erst wie frühere Flugzeuge langsam auf dem Landestreifen anzurollen, hat sich die F 86 D schon blitzschnell in die Luft erhoben und steigt fast senkrecht empor, bis sie dünn wie ein Silberbleistift geworden ist, der nun auf dem sauber gewischten blauen Morgenhimmel seine zarten weißen Kondensstriche zeichnet.

Aber die Stimme des Piloten ist noch ganz nahe bei uns. Um den Besuchern etwas zu bieten, hat General Boyd, der Kommandant der «Air Force Base», die Funkverbindung mit dem Flugzeug über einen großen Lautsprecher leiten lassen, der neben der Startpiste steht. Er selbst übernimmt heute die Rolle des «Mitpiloten» auf der Bodenstation. Und so hören wir alle mit, wie jetzt Major Ascani meldet:

«Roger, Roger ... Das ist 579. Ich mache Kontrollen auf 33.» Also 33 000 Fuß hoch ist er jetzt. Der Kommandant gibt mit ruhiger Stimme Routineanordnungen. Selbst der erfahrenste Pilot erhält diese Befehle stets von unten, damit er mitten in seinem schnellen Flug, ganz von der Kontrolle Dutzender Instrumente in Anspruch genommen, bestimmt nichts vergißt.

«Wo ist Frank?» will Boyd wissen, «komm herein, Frank.»

Denn auch die zweite Maschine mit Frank Everest ist inzwischen weit weg von unserem Standplatz gestartet.

Everest antwortet sofort: «6 2 8 ruft. Bin auf 42. Etwas nordöstlich vom Feld Schwierigkeiten mit Eisbildung.»

Boyd: «Dreh tüchtig auf. Wir warten.»

Everest: «6 2 8 ... fertig ... gehe in Steilflug ...»

Wir hören wie der Pilot atmet, der da oben irgendwo in der Weite manövriert. Er schnauft ein wenig durch die Nase. Dann plötzlich sagt er zu sich selbst: «Go!»

Wenn er jetzt aus dem Steilsturz wieder zur Waagerechten einlenkt, müßten wir den versprochenen Donnerschlag hören. Und tatsächlich, da donnert es laut: Boom ... Und noch einmal: Boom ...

Die ganze Batterie der Registrierinstrumente schüttert, die Nadeln tanzen wild.

Die Demonstration ist gelungen.

«O.K., Frank», witzelt Boyd derb ins Mikrophon. «Nun hast du dich erleichtert, kannst wieder 'runterkommen.»

Das Ganze wiederholt sich, als nun auch Ascani seine Manöver durchführt. Diesmal hören wir nicht nur die merkwürdige «Explosion», sondern sehen auch die Maschine, wie sie schneller als ein Geschoß über die ganze Länge des großen Trockensees in nicht sehr großer Höhe entlangwischt und schon wieder verschwunden ist.

4

Später im Konferenzsaal der Testabteilung sehen wir die beiden an dem Versuch beteiligten Piloten wieder. Sie geben müde, blaß und um Jahre gealtert von der großen Anstrengung auf Fragen Auskunft. Ein junger Spezialist der Aerodynamik ist gerade dabei, noch einmal an einer Wandtafel das Phänomen der Detonationen zu erläutern, als General Boyd mitten in der Besprechung durch einen Boten ein Briefumschlag gebracht wird. Er öffnet, und sein Ausdruck ist so intensiv, daß fast jeder, ohne zu ahnen, worum es geht, von der Tafel weg auf ihn schaut.

Er sieht uns an, macht eine Handbewegung, um den Vortragenden zum Schweigen zu bringen, und beginnt zu sprechen:

«Ich muß Ihnen eine traurige Mitteilung machen. Ein Jetbomber, der gestern nacht von unserer Base aus zu einem Übungsflug aufstieg, ist nur einige Meilen von hier entfernt im Gebiete der ‹Air Force Base› zerschellt aufgefunden worden. Wir hatten bereits vor Stunden jede

Funkverbindung mit ihm verloren. Eine Suchpartie hat die Trümmer der Maschine gefunden. Alle acht Insassen sind leider tot.»

Sofort ist die ganze «wissenschaftliche Demonstration» des Morgens vergessen. Die anwesenden Reporter wittern nun eine viel größere «Story». Der General wird mit Fragen überschüttet. Darf man die Unglücksstelle besuchen? Was für ein Modell wurde ausprobiert? Sind die Piloten bekannte Persönlichkeiten? Seit wie vielen Stunden wird die Maschine vermißt? Auf jede Frage gibt es die gleiche Antwort: «Kein Kommentar.» Alle sind von ihren Sitzen aufgestanden und drängen sich um den General und die beiden noch blässer gewordenen Testpiloten. Niemand mehr beachtet den Mann an der Tafel, der resigniert die Kreide aus der Hand gelegt hat.

Und im Augenblick, da alle Fragen abgeprallt sind, da es klar wurde, daß kein noch so geschickter Versuch die Militärs aus ihrer vom «Rüstungsgeheimnis» gebotenen Reserve bringen kann, in dem Moment also, als beide Seiten schweigen und vielleicht zum erstenmal an die Toten denken, die da draußen jetzt in der glühenden Sonne unbestattet liegen, geschieht etwas kaum Faßbares.

Es schwirrt nämlich ein Flugzeug durch den Konferenzraum. Es ist ein kleines Modell, das der Maschine ähnelt, die wir heute früh beim Versuch gesehen haben, ein winziges buntes Ding aus Pappe. Es taumelt, nachdem es noch ein- oder zweimal gegen die Wände angeprallt ist, durch das Zimmer und «stürzt» dann mit einem Spielzeugsurren «ab». Alle Anwesenden sind von dem «Luftangriff» völlig überrascht. Während wir uns noch fragen, wer eigentlich dieses Satyrspiel inszeniert hat, sehen wir schon einen kleinen Kerl, der jetzt mit einer Blitzlichtkamera den General und die beiden Testpiloten knipst, wie sie sich erstaunt über das Pappmodell beugen. Einer der Soldaten, die an der Tür aufgestellt waren, erwacht endlich aus seiner Starre und greift nach dem Eindringling, der inzwischen behende auf einen Stuhl geklettert ist und schon wieder drei, vier, fünf kleine Pappmaschinen durch den Raum schwirren läßt.

Ein Komplice des Wichtleins, ein Pressemann anscheinend, hebt beschwörend die Arme auf und erklärt mit lauter Stimme, worum es sich handelt: Nur keine Aufregung, das sei alles eine Reklame für ein Spielzeug-Jet im Hinblick auf die kommende Weihnachtssaison. Der Wachsoldat bekommt von dem General einen Wink, den eifrigen «publicity agent» loszulassen, der sich durch Beziehungen in die sonst so streng bewachte «Edwards Base» hineinschmuggeln konnte. Jedermann bekommt jetzt von dem flinken Kerlchen einen Kasten mit einem zusammengefalteten Modellflugzeug in die Hand gedrückt. Alles beginnt an Flügeln aus Pappe, «Motoren» aus Gummiband herumzubasteln. Das Konferenzzimmer ist ein «Testflugplatz» eigener Art geworden.

Der General und die beiden Testpiloten aber haben den Tumult benutzt, um sich stillschweigend davonzumachen. «Poor old General Boyd», resümiert der mit Orden behangene «Public Relations Officer», der die Herde von Zeitungsleuten behütet, «das Unglück geht ihm wirklich zu Herzen. Denken Sie nur, wieviel Papierarbeit der arme Mann jetzt vor sich hat. Schon allein die Beileidsbriefe an die Hinterbliebenen ...»

ARMER KLEINER ÜBERMENSCH

1

San Antonio, Texas

Wenn ich an das zeitgenössische, nach Allmacht über die Natur strebende Amerika denke, drängt sich mir stets zuerst das Bild eines jungen Mannes auf, dem ich im luftmedizinischen Laboratorium der «University of Southern California» kurz begegnete. Nein, es handelt sich nicht um einen jener frischen, unbeschwerten College Boys, die wir alle schon auf Plakaten, auf Fotos und in Filmen gesehen haben. Gerne würde ich so einen lachenden, rosigen, zukunftsfrohen Jungen an der Spitze meiner Erinnerungsparade marschieren lassen. Aber da drängt sich jener andere vor, dessen Namen ich nicht einmal kenne, läßt sich nicht abweisen, schaut mich immer wieder aus dunklen Augenhöhlen mit einem verschwommenen, fast gebrochenen Blick an. Und ich muß zu ihm zurückschauen, muß diese aufeinandergepreßten Lippen wieder sehen, aus denen das Gebiß wie auf einer Karikatur herausfletscht. Wie sich da die Schädelstruktur gegen das von einem ungeheuren Druck ganz abgeplattete Fleisch der Wangen vorgeschoben hat, die Stirnhaut nach hinten gezerrt, die Kinnlade heruntergesackt ist. Armer Kerl ..., armer kleiner Übermensch.

Er ist beinahe nackt, dieser Junge. Außer einer kleinen Badehose trägt er auf seinem Körper nur noch zwei Gurte aus Nylon, mit denen er an einen gepolsterten Sitz gefesselt ist. Dieser Sitz aber befindet sich in einer offenen Gondel auf dem äußersten Ende eines langen, schrägen Tragarmes, der erst langsam, dann mit immer größerer Beschleunigung um eine Mittelachse bewegt wird. Eine Glocke schrillt. Das ungewöhnliche «Karussell» beginnt sich schneller und schneller zu drehen. Das Bündelchen Kreatur da oben auf seinem Sitz wischt rasend rasch und immer noch rasender vorbei. Ganz im Gegensatz zu den verzerrten Zügen kommt die Stimme der «Versuchsperson» noch ganz klar über einen Lautsprecher. Sie zählt in ein Mikrophon:

«One ... Two ... Three ... Four ... Five ... Six ... Seven ... Eight ... Nine ... Ten ... One ... Two ... Three ...»

Die Stimme stockt. Schweigen. Nur das Surren der «Zentrifuge». Dann zwei Zahlen überspringend, mit größter Anstrengung bricht es hervor: «S ... SS ... ix.»

Der Stahlarm wirbelt im Höchsttempo. Und die Stimme stammelt, lallt in den Lauten einer Sprache, die keiner mehr versteht:

«Ave ... Eiiiiii ... TTTaaa ...»

Abermals die Glocke. Mit einem scharfen Ruck, der in seiner abrupten Häßlichkeit dem Auge des Zuschauers weh tut, kommt der große Kreisel zum Stehen. Der Körper dort unten, eben noch mit Riesengewalt von den Fliehkräften gegen seine Unterlage gedrückt, wird jetzt wie ein loses Bündel nach vorne in die Traggurte geworfen.

Zwei uniformierte Sanitäter stehen schon bereit. Sie lösen den Bewußtlosen aus seiner Verschnürung, betten ihn mit mechanischen Drillbewegungen auf eine erhöhte Bahre und treten zurück, um ein paar Männern in weißen Mänteln und einer Nurse Platz zu machen. Fix werden um den Oberarm des Ohnmächtigen Blutdruckmesser gespannt, an seinen Schläfen und Knöcheln elektrische Kontakte festgemacht, von seiner Zunge mit Glasplättchen Speichelabstriche genommen, ein Gummirezepter über den Mund gestülpt, Instrumentengriffel zucken über hochsensitives Papier. Erzählen mit ihren Kurven: so schlägt sein Herz, so pulst sein Hirn, so zittern seine Nerven.

Nun schlägt der junge Mann seine Augen auf.

«Good boy», sagt der Arzt, dann sachlich zu seinen Assistenten und der Nurse: «Vorbereiten für die Urinprobe», und hinüber zu dem mechanischen Versuchsleiter: «Der nächste ...»

Wieder das scharfe Geklingel der Glocke. Das ungewöhnliche Ringelspiel hat einen neuen Passagier.

Diesmal hockt in der kleinen Gondel am Ende des Zentrifugenarmes etwas Weißes, Pelziges, das, sobald die Geschwindigkeit sich steigert, schreiende Laute von sich gibt.

«‹Scottie› scheint heute schlecht gelaunt», meint der grobschlächtige «Public Relations Officer», der mich zur Besichtigung dieser für die Auswahl neuer Flieger benutzten Apparatur eingeladen hat. «Ein paarmal hat er gestern versucht, sich absichtlich den Hals zu brechen. Unglaublich! Wollte scheinbar wirklich Selbstmord begehen. Er haßt die Versuche, kann sich nicht dran gewöhnen.»

Abermals reißt die Bewegung des herumschwingenden Metallarmes plötzlich ab wie ein Film.

Der Insasse der Gondel zuckt an allen Gliedern und gibt einen seltsamen, unheimlich klingenden Laut von sich. So klagt kein Mensch, aber auch kein Tier. Der Ziegenbock «Scottie» ist weder das eine noch das andere mehr. Er ist ein Laboratoriumswesen, eine Statistikexistenz, und wird in eine Mitteilung «Über die Wirkungen von positiver Akzeleration auf eine Reihe von Warmblutwesen» als eine von 87 anderen

«Versuchspersonen» eingehen. Durch das Wimmern von «Scottie» hindurch meldet der Maschinenmeister, aus der Antriebskabine kommend: «Das waren 28 g.»

«28fache Schwerkraft», erklärt man mir, «ein Wunder, daß es ihm beim Stoppen nicht den Kopf abriß.»

Die Sanitäter sind schon wieder zurück, ruck-zuck, zuck-ruck an der Arbeit. Der Arzt über VP «Scottie» gebeugt, konstatiert ruhig: «Innere Blutungen, kein Wunder.»

Die Glocke läutet schon wieder...

2

Geschüttelt, geschlagen, gebeutelt, verbrüht, vereist, erstickt, zerquetscht: all das geschieht Tag um Tag Dutzenden junger Amerikaner. Im kalifornischen Santa-Susanna-Gebirge lassen sie sich auf einen schmalen Fahrschlitten binden und mit Raketenantrieb senkrecht in die Höhe jagen, in der Mojavewüste sausen sie auf einer superschnellen Draisine über eine horizontale Fahrschiene, in Johnsville (Pennsylvania) werden sie auf einer großen Schaukel so lange hin und her geschwungen, bis ihnen die Sinne vergehen, in Ann Arbor (Michigan) treibt man sie mit einem besonderen Tonbandgerät in völlige Sprachen- und Sinnesverwirrung, in Princeton (New Jersey) verlieren sie getroffen von Überschallwellen das Gleichgewicht. Sie harren in den Feueröfen von «Eglin Air Force Base» (Florida) aus oder in den Eiskammern des «Wright-Patterson Filed» bei Dayton (Ohio), springen aus zwölftausend Metern Höhe über der «Holloman Air Force Base» (New Mexico) ab oder lassen sich auf frei fahrenden Fahrstühlen in die Tiefe der nahe gelegenen Carlsbad Cavern schleudern. In San Antonio (Texas) aber pumpt man sie in hermetisch geschlossenen Druckkammern auf simulierte Höhenlagen von zehntausend, fünfzehntausend, zwanzigtausend Meter, in denen das Blut zu kochen beginnt und der Körperstickstoff in Form von Hautblasen an die Oberfläche quallt.

Warum lassen sie sich so quälen? Kein Tyrann hat sie dazu verurteilt. Kein Regime will Geständnisse von ihnen erpressen. Trotzdem unterwerfen sie sich Torturen, wie kein Foltermeister sie raffinierter ersinnen könnte. Tun es noch dazu freiwillig. Denn man hat ihnen gesagt: Ihr seid unsere Vorhut. Ihr seid die Pioniere, die Patrouillen an den Grenzen menschlicher Leistungs- und Leidensfähigkeit. Wir müssen diese Grenzen genau erkennen, weil wir sie überschreiten wollen und zum Teil bereits überschritten haben.

Nie zuvor ist die Spezies Mensch so systematisch und überlegt Zerreißproben unterworfen worden wie in den Laboratorien der amerikanischen Luftmediziner. Hier wird das «schwache Fleisch» nur als Material gewertet. Man prüft es objektiv und mitleidlos wie eine Textilfaser, wie eine Metallegierung. Man fragt: Welchen Druck halten die Lungen aus? Wie stark dürfen Stöße sein, die der Knochenbau noch verträgt? Wie schnell reagiert das Auge? Wann überflutet Angst die geistigen und moralischen Strukturen? Nichts mehr davon soll dem Zufall überlassen bleiben. Man mißt mit der neueingeführten Maßeinheit «Dolor» Schmerz. Man stellt eine Gleichung für den Erfrierungstod auf, steckt die Zone zwischen Bewußtsein und Ohnmacht mit der Stoppuhr ab. Auch das Unerträgliche, das Leiden soll mathematisch erfaßt werden.

All das geschieht, weil dieses Geschlecht seine bisher weiteste Reise angetreten hat. Sie führt aus dem irdischen Bannkreis hinaus in Regionen, für die der Mensch wahrscheinlich nie bestimmt war und denen sein Organismus deshalb von Natur aus nicht gewachsen ist. Hier genügen nicht mehr Willenskraft und übermenschliche Energie, wie sie Seefahrer und Entdecker früherer Generationen einsetzten, um zu überleben. Denn selbst der charakterlich stärkste Flieger wird bei Sauerstoffmangel auf 17 Kilometern Höhe in spätestens 13 Sekunden bewußtlos oder verliert bei der im Starten oder Kurven oft unvermeidlichen Vermehrung des Schwerkraftdruckes die Sinne. Seit die Flugmaschinen in den letzten Jahren immer länger, immer schneller und in immer höheren Luftschichten operieren können, haben sich die Mediziner mit zahlreichen neuen Schwächeerscheinungen, mit vorübergehenden oder dauernden Leiden, mit ganz ungewöhnlichen Unfällen und seelischen Zusammenbrüchen befassen müssen, denen die Piloten der fortgeschrittensten Flugmodelle ausgesetzt sind.

Und das alles ist erst der Beginn. Experimentalflugzeuge haben längst zwanzigtausend Meter Höhe erreicht. Dahinter aber locken die von unbemannten Raketen bereits erreichten Regionen bis zu vierhundert Kilometer über dem Erdboden. Die neue Sparte der «Weltraummedizin» aber beschäftigt sich seit 1947 schon mit den biologischen und physiologischen Problemen des interplanetaren Verkehrs. Sie versucht zum Beispiel zu ermitteln, wie der menschliche Körper den übergroßen Schwerkraftdruck aushalten wird, der bei den gewaltigen Abschußgeschwindigkeiten der Raumschiffe ertragen werden muß. Sie studiert die körperlichen Folgen der jenseits des Bannkreises der Erde sich einstellenden völligen Schwerelosigkeit, die dem «Astronauten» nicht nur die Herrschaft über seine Bewegungsmuskeln, sondern auch das Gefühl für oben und unten nimmt, so daß ihm sein Aufstieg zu den fremden Sternen durch Sinnestäuschung als ein Absturz ins Bodenlose erscheinen wird. Die große Frage, die über allen diesen wissenschaftlichen «Folterkammern» steht, heißt: Wie kann der Mensch befähigt werden, mit seinen neuen, schneller und höher fliegenden Maschinen Schritt zu halten? Wird er, wie der leitende Ingenieur einer großen kalifornischen

Flugzeugfirma etwas abschätzig zu mir äußerte, «ein Hemmschuh des Fortschritts» bleiben?

Ein Instruktor der «Airforce», dessen Vorlesung in der berühmten Akademie für Flugkadetten in Randolph Field ich besuchte, formulierte das in folgendem kategorischem Satz: «Gemessen an seinen bevorstehenden Flugaufgaben ist der Mensch eine Fehlkonstruktion.»

Und achtzig Kadetten notierten die Vereinfachung noch weiter vereinfachend: «Der Mensch ... eine Fehlkonstruktion.»

3

Daß der Mensch, wie er aus den Händen seines Schöpfers hervorgeht, von einem Spezialisten der amerikanischen Luftfahrtmedizin als eine Art Ausschußprodukt beschrieben wurde, traf mich als Blasphemie. Aber die jungen Menschen, die hier in San Antonio in sechswöchigen Kursen auf ihr theoretisches Pilotenexamen vorbereitet werden, kommen nicht einmal auf den Gedanken, daß diese Haltung jemandem gotteslästerlich erscheinen könne. Sie sind alle mit der festen Überzeugung aufgewachsen, daß es nichts, aber nichts auf der Welt gebe, was nicht von Menschenhand immer weiter verbessert werden könnte.

Denn ihr großes Lebenserlebnis ist, daß während der kurzen Zeitspanne ihres eigenen Aufwachsens in der sie umgebenden Maschinenwelt jedes Jahr vervollkommnetere Schöpfungen auftauchten: Autos mit immer besseren Motoren, Fernsehapparate mit immer größerem Schirm und größerer Bildschärfe, Erntemaschinen, die mehr und mehr Handgriffe imitieren können. Jedes Jahr hat ihnen die Reklame für Waschmaschinen, Rasierapparate, Rasenmäher, Autoreifen und zahllose andere Gegenstände vor allem anderen den Grundsatz eingehämmert: Dieses Jahr *noch* besser, *noch* perfekter, *noch* vollkommener.

Weshalb sollte es dann nicht auch möglich sein, den Menschen umzubauen, ein «Modell Übermensch» zu schaffen, an dem möglichst jede zwölf Monate wie bei einer Automarke Verbesserungen anzubringen wären? Die in den Zerreißproben erwiesene «Fehlkonstruktion» des menschlichen Organismus wird als Ansporn aufgefaßt, die in den Laboratoriumsversuchen durchgemachten Qualen und Leiden werden als «biologische Schwäche» gewertet, die man überwinden müsse.

«Es hat einfach etwas zu geschehen, um diese ärgerlichen ‹Ausfallserscheinungen› zu beseitigen», sagte der eine der Kadetten zu mir. «Die werden uns nicht stoppen.»

Hinter dieser Bestimmtheit steht die aus der Erfahrungswelt der «Patentgadgets» und Maschinen tausendfach bestätigte Überzeugung: «It can be done» – «Es kann getan werden.» Für den jungen, schon in die technische Welt und ihre jährlichen Fortschritte hineingeborenen

Amerikaner ist dieses «it can be done» der stärkste Glaubenssatz. «Kein Problem ist unlösbar», sagt er. «Nichts ist unerreichbar.» Diese vier Worte «it can be done» sind in der Seele des Bewohners der «neuesten Welt» wahrscheinlich fester verankert als die Grundsätze der Demokratie und verpflichtender als die Gebote der Religion. Sie sind das naive Bekenntnis, mit dem er seinen Anspruch auf Allmacht ausdrückt.

4

Die «School of Aviation Medicine», in einem Teil des freundlichen grünen «Campus» der Luftuniversität «Randolph Field» bei San Antonio untergebracht, war bis 1939 die einzige luftmedizinische Spezialschule der Welt. Ursprünglich bestand ihre Hauptarbeit in der Auswahl geeigneter Militärpiloten und der Schulung von Luftsanitätern. Seit aber der technische Fortschritt die Erreichung neuer Höhenzonen und Geschwindigkeiten ermöglichte, hat sich das Arbeitsgebiet des Instituts außerordentlich erweitert. Eine der seither gegründeten neuen Abteilungen trägt den bezeichnenden Namen «Human Engineering». Diese «auf den Menschen bezogene Ingenieurkunst» ist aber genau besehen die Aufgabe aller sechzehn Zweige der Schule für Luftfahrtmedizin und Weltraummedizin.

In mehr als einem halben Hundert Bungalows, Laboratorien und Werkstätten sind über hundert Ärzte, Biologen, Physiologen, Neurologen, Atomphysiker, Überschallspezialisten, Elektronenfachleute, Anthropologen und Psychologen dabei, einen «Stratosphärenmenschen» und vielleicht sogar einen «Weltraummenschen» zu entwickeln.

Ihre «Produktionsmethoden» sind weitgehend denen der Industrie angepaßt. Man beginnt damit, das Problem erst einmal in Zahlen- und Buchstabenformeln mathematisch auszudrücken und dann den logischen sowie praktisch kürzesten Weg zur Lösung zu erforschen. Das ist die Aufgabe der in «Randolph Field» speziell gegründeten Abteilung für «Biometrie».

Ihr Leiter, ein noch nicht dreißigjähriger Gelehrter, dem ich meine Verwunderung über diese Methode zum Ausdruck gebracht hatte, verteidigte sich: «Weshalb sollen zwischen der Mathematik und der Medizin nicht ebenso enge Wechselbeziehungen bestehen wie zwischen der Mathematik und der Technik? Warum soll man nicht die ‹Maschine Mensch› ebenso in der unpersönlichen Symbolsprache der Formeln darstellen und logisch durchleuchten können wie eine Flugmaschine? Aus Scheu vor einer solchen ‹Entheiligung› sind viele medizinische Fortschritte nur auf dem mühsamen Weg von Irrtum und Erfahrung zustandegekommen. Wie viele Jahrtausende hat es beispielsweise gedauert, ehe der Höhlenmensch sich durch Pelzkleidung gegen Erkältungen zu schützen begann, wie viele weitere Jahrhunderte vergingen, ehe dieser Mensch dann statt des primitiven Kälteschutzes, den er mit sich herumtrug, das Haus erfand? Wir stehen heute in der Luftmedizin ähnlichen Problemen gegenüber. Ein ganz ‹neues Klima› verlangt nach ganz neuen Schutzmaßnahmen. Die Biometrie kann den Forscher vor Um- und Irrwegen bewahren, kann ihm zahlreiche überflüssige Experimente ersparen.»

Hauptsächlich durch die Arbeit dieser Abteilung wurde von Anfang an eine Reihe von utopischen Lösungsversuchen entweder überhaupt verhindert oder nach kurzer Zeit unterbunden. Rein theoretisch lag es zum Beispiel nahe, durch biologische Kreuzung eine ganz neue «weltraumfeste» Menschenrasse zu erzeugen. Das wurde weniger aus religiöser Scheu als aus praktischen Gründen sofort ausgeschaltet. Erstens einmal war die Praxis der Erbmassenbeeinflussung, wie sie an Tieren und Pflanzen bereits mit wachsender Sicherheit geübt wird, noch nicht fortgeschritten genug. Zweitens aber hätten diese Bemühungen zu lange Zeit in Anspruch genommen. Denn die «Produktionszeit» für eine solche besonders gezüchtete Pilotenrasse hätte doch mindestens neun Monate plus vierzehn bis achtzehn Jahre betragen.

Weniger schnell stellte man fest, daß die Hoffnung, Piloten durch Injektionen «höhenfest» zu machen, nicht sehr aussichtsreich war. Etwas länger noch dauerte es, bis die in militärischen Gedankengängen erzogenen Leiter der Schule sich davon überzeugen ließen, daß hier ihre Exerzierweisheit ein Ende habe. Selbst durch eifrigstes Training der künftigen Stratosphärenflieger konnten die erhofften Resultate nicht erzielt werden. Gewisse Versuchspersonen gewöhnten sich zwar allmählich daran, eine größere Zahl von «g» zu ertragen, so daß sie schließlich statt siebenfacher Verstärkung des Schwerkraftdruckes eine zehnfache Verstärkung aushalten lernten. Aber diese Leistungssteigerung genügte noch lange nicht. Bei gewissen Flugmanövern wurde nämlich eine noch viel größere, auch bei langer Gewöhnung unerträgliche Belastung verlangt.

So setzte sich schließlich die Erkenntnis durch, daß der «Stratosphärenmensch» oder «Weltraummensch» nicht wirklich von innen her aus der eigenen Substanz umgebaut werden könne, sondern durch Zusatzgeräte aller Art von außen her für die neuen menschenfeindlichen Lebensbedingungen jenseits der Sauerstoffgrenze und Schallwand «fitgemacht» werden müsse.

Man ging zuerst daran, dem Piloten ein künstliches zweites Paar «Lungen» in Form von Sauerstoffapparaten zu geben, die allerdings auf sehr großen Höhen ihrerseits besondere «Krankheiten» entwickelten und im Hinblick darauf umgebaut werden mußten. Dann wurde dem Piloten ein «Knochenbau» in Form von Druckkammern und eine neue «Haut» in der Gestalt von neuen Schutzhüllen verliehen. Endlich hat man ihm durch Einbau von Elektronengeräten, wie Radar, «Sehorgane» verschafft, die beim Überschallflug weit schneller auf entgegenkommende Gegenstände reagieren können als die viel zu trägen eigenen Augen.

Die theoretischen Grundlagen für die Herstellung dieses ganzen Arsenals neuer «übermenschlicher» Prothesen werden durch die Studien in «Randolph Field» und einer seither ständig größer gewordenen Zahl von militärischen Versuchsstellen und Laboratorien gelegt.

Auf Grund dieser Experimente sind schon Dutzende von Stratosphärenuniformen und Weltraumanzügen entworfen, gebaut und erprobt worden, die bald an die Verschalungen prähistorischer Saurier, bald an Ritterpanzer oder Taucherausrüstungen erinnern. Maskiert, schwer gewappnet, verhüllt bis zu einem Grade, wo er mehr blind als sehend ist, steigt der Mensch nun in die Höhen des Himmels auf, gezwungen, sich fast allein auf seine «künstlichen Organe», die Elektronenleitgeräte, zu verlassen. Nur so wagt er sich in die neu eröffneten, erst halb eroberten Regionen über seinem Haupte.

Dabei verläßt ihn nie die große und verständliche Furcht, daß seine Schutzvorrichtungen versagen könnten. Wird seine Verpanzerung durch einen Fehler, durch einen Unfall oder aber, wie es bei dieser vor allem für kriegerische Zwecke entwickelten Maschinerie zu erwarten ist, durch feindliche Einwirkung beschädigt, so ist er beinahe schutzlos den menschenfeindlichen Gewalten der Umgebung preisgegeben. Eine einzige Kugel, die durch die Druckkammer seiner Maschine schlägt, reißt vor ihm eine Welt auf, in der das Atmen unmöglich wird, wo er so sicher zu verenden droht wie ein Fisch, der gewaltsam aus seinem Element gezogen wurde. Es ist die uralte, jetzt wirklich gewordene Furcht vor dem Nichts, der «horror vacui», der ihn auf seinem neuesten Abenteuer begleitet.

Ich sah in «Randolph Field» mehrere Rettungsübungen, die in Voraussicht eines solchen Versagens der Schutzapparatur durchgeführt werden. Vor allem werden künftige Piloten, Bordmannschaften und Krankenschwestern, die beim Ausladen Verwundeter in Stratosphärenbombern beschäftigt sind, auf die Gefahren des «explosiven Druckverlustes» vorbereitet. Man sperrt sie in einen langen stählernen Tank ein, dessen Inneres durch ein Bullauge beobachtet werden kann, und pumpt sie auf eine simulierte «Höhe» von etwa 10 000 Metern.

Sie waren gut gelaunt und strahlten vor Lebenslust auf dieser «Himmelfahrt». Es wurde gelacht, geflirtet, der ganze Versuch glich einem Gesellschaftsspiel. Aber dann kam der Augenblick, um dessentwillen das Experiment veranstaltet worden war. Von außen her durchbohrte der Versuchsleiter die durchsichtige Membrane, die über das Bullauge gespannt war. Mit einem lauten «Bang» strömte die Luft in die Druckkammer ein. Die Kabine erfüllte milchiger Nebel, durch den man nur undeutlich die Gesichter der Versuchspersonen erkennen konnte. Es war ihre Aufgabe, in den wenigen vollbewußten Sekunden, die ihnen nach diesem, einem «Abschuß» aus der Stratosphäre ähnelnden Ereignis noch bleiben würden, ihre Sauerstoffmasken zu finden, sie überzustülpen, festzuschnüren und sich zum Fallschirmabsprung fertigzumachen.

Sieben der acht Teilnehmer absolvierten ihre Aufgabe mit gewünschter Präzision. Aber ein achter war wohl von der simulierten «Explosion» so erschüttert worden, daß er seine Maske nicht rechtzeitig fand. Und da hatte ich es wieder vor mir, dieses verzerrte Gesicht des Höllensturzes. Die Krankenschwestern mit ihren schwarzen Gummilarven, mehr Reptilien als Menschen gleichend, beugten sich über den Ohnmächtigen: die neue «Rasse» der Stratosphärenmenschen bemühte sich um den schwachen Erdenmenschen. Und auf den Schutzmasken, die nun ihr Antlitz waren, konnte man kein Erbarmen lesen.

Griff nach dem Atom

DIE LETZTEN ABENTEURER

1

Durango, Colorado

Sie kommen und kommen. Jeden Tag kommen welche. In alten Autos, auf Bussen, mit der Eisenbahn. Junge und Grauhaarige. Grünhörner und Erfahrene. Wenn der Schaffner des «Greyhound-Bus» von einem Reisenden die Warnung erhält: «Vorsicht! Werfen Sie mit meinem Gepäck nicht so herum. Es sind empfindliche Geräte drin», weiß er schon, woran er ist. Wieder ein «Uranjäger». Wieder einer, der sich einbildet, in ein paar Monaten der Erde ein Millionenvermögen abzujagen. Der «empfindliche Gegenstand», um den die Neuankömmlinge zittern, ist die Elektronen-Wünschelrute unserer Tage, ein «Geigerzähler». Von außen sieht er nicht viel anders aus wie ein tragbarer Radioapparat. Man läßt ihn an einem Lederriemen über die Schulter hängen, stöpselt die Kopfhörer ein, nimmt die an einer mit Gummi isolierten Schnur hängende «Suchröhre» in die Hand und wandert durch die Landschaft. In den Kopfhörern knistert, klopft und tickt es immerzu. «Das ist kosmische Strahlung», doziert der künftige Urankönig. «Radioaktivität. Bombardiert uns immerzu von da oben. Tag und Nacht. Funny, isn't it?»

Der erste Uranjäger, den ich traf, bestieg bei der Eisenbahnstation Grand Junction den gleichen Bus wie ich. Unser gemeinsames Ziel hieß Durango, auf der anderen Seite der Rockies am Ende einer großartigen Gebirgsstraße gelegen, die den stolzen Namen «Million Dollar Highway» trägt. Er hatte zwölf Jahre in der «Navy» gedient, dann zwei Jahre lang versucht, sich im Postversandgeschäft von Sears & Roubuck etwas zu der kleinen Summe dazuzuverdienen, die ihm der Staat bei seinem Ausscheiden aus den «Armed Forces» ausgezahlt hatte. Aber es ist wirklich zu langweilig, im Lagerhaus Nähmaschinen und elektrische Bügeleisen auszuliefern, wenn man vorher mit Torpedos und anderem hochexplosiven «stuff» herumhantiert hat. «Ich las einen Magazinartikel über den ‹uranium rush› hier draußen in Colorado und sagte mir sofort: Das ist etwas für dich, Joe. Wissen Sie, mein Großvater hat noch den ‹gold rush› nach Kalifornien mitgebracht. Und nicht schlecht dabei abgeschnitten.»

Er spricht und spricht. Ein großer, gutgebauter Kerl ist er, dem man auch jetzt noch nach vier Generationen die irische Abstammung ansieht:

rötliches Haar, etwas wäßrige Träumeraugen, ein lautes Lachen, das ansteckend wirkt, und natürlich ein Name, der mit O' anfängt, O'Mahoney oder O'Shaugnessy oder etwas Ähnliches. Bei jedem der zehnminütigen «Ausruhstopps» demonstrierte er seinen Zähler. Die «Melodie» der kosmischen Strahlen in seinem Kopfhörer entzückt ihn immer wieder. Er ist begeistert, als auf der Paßhöhe das Krickrackel lauter tönt als unten im Tal. «Schon mehr Radioaktivität», doziert er. «Hören Sie nur, was für ein Tanz das da drinnen ist.»

Gegen Mittag halten wir für eine halbe Stunde in Silverton. Das ist eine alte, hoch in einem Bergsattel der Rockies gelegene Minenstadt. Tonnen von Silber soll man früher hier gefördert haben. Davon ist jetzt nicht mehr viel übrig. Nur eine ärmliche Ansammlung von Wellblechhäusern, die wir auf der Fahrt hinauf passierten, scheint noch bewohnt zu sein. Die Kellnerin am Luncheon Counter, das selbst in beinahe dreitausend Meter Höhe nicht viel anders aussieht als irgendwo anders in den Städten, klärt uns auf, daß die «Anaconda»-Leute hier oben jetzt Zinn und Molybdän schürfen. Während sie den elektrischen Mixer bedient und auf der offenen elektrischen Platte Spiegeleier für die Gäste brät, kann sie von nichts anderem als dem Besuch einer Filmtruppe reden, die kürzlich einige Tage lang die dünne Höhenluft mit dem Lärm ihrer hektischen Aktivität erfüllt hat.

«Der ganze Ort hat mitgemacht», erzählt die Kellnerin, «wir mußten unsere Kostüme aus der Goldgräberzeit anziehen und bekamen 15 Dollar Statistengehalt pro Tag. Von mir ist eine Großaufnahme in Technicolor drin. Mister Dailey, der Star, hat das beim Regisseur durchgesetzt, weil er von mir so gut bedient wurde.» Sie leert den Milchdrink zu schnell in das Glas meines irischen Freundes und verschüttet dabei ein paar Tropfen. «Aufpassen, Kim Novak», warnt er. Dann läßt er ihr doppeltes Trinkgeld.

Wir gehen, während wir auf die Weiterfahrt warten müssen, noch ein paar Schritte auf der «Main Street» von Silverton auf und ab. In einer Auslage sieht man Felsproben. Sie sind zum Verkauf an Souvenirjäger säuberlich in einer Auswahl mit Schnüren auf Pappunterlagen angebunden: Da ist feuerroter Fels neben durchsichtigen, violett schimmernden Kristallformationen, kupfergrünem Feldspat, dunkler Bergstein durchsetzt mit Hunderten von winzigen Goldpünktchen. Daneben sind auch größere Proben zu sehen: ganze Brocken von Quarz, Feldspat, Ilmenit. Der Mann im Laden sammelt sie selbst. Er ist ein Liebhaber schöner und merkwürdiger Mineralien, die es hier oben auf «Amerikas hartem Rückgrat» in Mengen gibt. Als wir ihn fragen, weshalb er nicht auch unter die Uransucher gegangen ist, antwortet er ausweichend: «Ich glaube einfach nicht daran.» Mehr will er anscheinend nicht sagen, obwohl mein Gefährte in ihn dringt. «Da», sagt der Mann und legt eine neue Gesteinsprobe auf die Gummiunterlage mit der Coca-

Cola-Reklame, «das ist etwas für Sie: Carnotit. Uranhaltig. Wir haben früher das Zeug einfach weggeworfen. Kein Preis zu erzielen. Aber jetzt...» Er machte eine vielsagende Handbewegung.

Joe O'Weißnichtwie ersteht das Stückchen Carnotit für einen halben Dollar. Es ist mit einem giftig glimmernden, grüngelblichen Ausschlag überzogen. «Schön sieht es nicht aus», sagt er, als wir vor dem Bus stehen, der sich zu füllen beginnt, «aber hören Sie einmal.»

Er hält seinen metallenen Zauberstab an den Stein, lauscht mit einem Ausdruck des Entzückens in die Kopfhörer hinein und stülpt sie dann mir über den Kopf.

«Tock tock tock, tick tick, tock, tock tock», bumpert es ganz laut gegen meine Ohren. Das heißt in der nervösen Klopfsprache der Erdgeister, von der Elektronenröhre im Geigerzähler übermittelt:

«Uran, Uran, Uran.»

«Da unten», sagt der Irensohn und zeigt in Richtung der absteigenden Straßenwindungen, «gibt es Haufen davon.»

Und während der Bus durch herrliche Hochwälder ins Rio-Grande-Tal hinunterrollt, wiederholt er immer wieder zur Refrainmelodie eines Modeschlagers: «Haufen, Haufen, Haufen.»

2

Der Mann von der «Chamber of Commerce» in Durango war eher besorgt. «Wir sehen alle diese Neuankömmlinge nur mit sehr gemischten Gefühlen», sagt er. «Unsere Stadt hat lange genug einen schlechten Namen gehabt. Jedesmal, wenn ich meine Verwandten im Osten besuche, kostet es mich Überwindung zu erzählen, daß ich aus Durango bin. Früher ist es ja bei uns wirklich einmal recht wild zugegangen. Die Wildwestschmöker leben noch heute davon. Durango ist ein Name, der so romantisch klingt. Darum verlegen die Schreiber viele ihrer Stories in unseren Heimatort. In Wirklichkeit haben wir längst mit den schlimmsten Sauf-‹Saloons› aufgeräumt und alle Radaubrüder ausgewiesen. Wir sind a ‹clean city›, eine saubere Stadt. Aber jetzt kommt, angelockt durch die Phantasiegeschichten vom ‹Uraniumrausch›, alles Gesindel zu uns. Das glaubt hier wieder Wildwestsitten einführen zu können.»

Wer am Tage durch die Mainstreet von Durango geht, merkt kaum noch etwas von der rauhen Vergangenheit des Ortes und sehr wenig von dem angeblichen «Boom». In den Kneipen riecht es stärker nach frischem Linoleum als nach Alkohol. Spricht man vom «Uranrausch», so verschließt sich das Gesicht der meisten Leute. Gewiß, einer der Aufseher bei der Telephongesellschaft hat angeblich draußen in Montezuma County ein paar «claims» abgesteckt, reich ist er davon bestimmt noch nicht geworden. Sonst hätte er doch wohl seinen Dreihundertdollar-Job schon aufgegeben. Und ein Drogist behauptet, «oben am Plateau» eine Pechblendensträhne gefunden zu haben, aber der war ja immer etwas verrückt. Am meisten Geld hat ein ganz Schlauer gemacht, der Geigerzähler an die Schatzgräber verkauft. Wie wär's mit einem Bier?

Das ist also ein Thema, von dem die Leute von Durango erstaunlicherweise nicht gerne sprechen. Jedes Wort darüber muß man aus ihnen herausziehen. «Fahren Sie doch nach Dove Creek», riet man mir, «dort werden Sie finden, was Sie suchen. Vielleicht kein Uran, aber doch wenigstens Leute, die nichts anderes im Kopf haben als dieses vertrackte Metall.»

Nun, Mister Genaro aus Dove Creek, der Fahrer des Lastautos, der mich hinauf auf das Colorado-Plateau mitnahm, gehörte nicht zu dieser Sorte. Jedenfalls waren seine Mitteilungen auf den gleichen ablehnenden Ton gestimmt, den ich überall vernommen hatte, sobald das Gespräch auf den neuen «rush» kam. Er war ein stämmiger Italiener mit kräftigen Schultern und einem sicheren, selbstbewußten Blick. Vor fünfzehn Jahren hatte ihn das Schicksal hier in diese recht abgelegene Ecke Amerikas verschlagen und er bereute es nicht.

Während wir über den Highway Nummer 86 fuhren, zeigte er auf die links und rechts liegenden blühenden Äcker und Gärten. Er selbst hatte mit dem Kredit einer Bank ein Stück solcher Erde gekauft, es gerodet, bepflanzt und fruchtbar gemacht und in der Kriegskonjunktur für seine Produkte gute Preise erzielt. «Ich habe ‹grünes Gold› gefunden», lachte er, «und es wächst mir mit jeder Ernte neues in die Tasche. Zeigen Sie mir einen der Schatzgräber, der in zehn Jahren fast hunderttausend Dollar auf die Seite legen konnte und sich zu gleicher Zeit einen Besitz schuf, der mindestens noch einmal soviel wert ist?» fragte er herausfordernd. «Aber sag das einem dieser Verrückten und sie schütteln den Kopf. Das sei nichts für sie, meinen die Herren. Zuviel Arbeit. Zuwenig Gewinn. Dabei rackern sie sich zu Tode und kommen nicht einmal bei Nacht dazu, ruhig zu schlafen. Wenn ich spät abends noch einmal um mein Haus herumgehe, um meine Schlafengeh-Zigarette zu rauchen, sehe ich auf dem Plateau Lichter der violetten Suchlampen. Da kriechen sie doch wirklich im Dunkeln zwischen den Felsen herum und hacken und lauschen und sammeln Gesteinsproben, die Tröpfe. Und wenn sie wirklich einmal etwas finden, dann stürzen sie sich in Schulden, um Bohrer, Dynamit, Lastwagen und andere Ausrüstungsgegenstände zu kaufen, an denen sie gerade so lange abzahlen müssen, bis der ‹Boom› wieder vorbei ist und sie ohne einen Penny mit einem Haufen nutzloser Geräte dasitzen.»

Einmal, erzählte der Italiener, habe er einem alten «miner», dessen Tüchtigkeit und Arbeitskraft er schätzte, angeboten, sein Partner bei der Rodung und Nutzbarmachung eines neuen Terrains zu werden. Der habe ihn nur ärgerlich angeschaut, wie ein eigensinniger Bub, dem die Mutter sagt, er solle über dem Spielen nicht das Essen vergessen, und von da an kein Wort mehr mit ihm gesprochen.

«Glauben Sie mir», sagte der tapfere Landwirt, «es geht ihnen in Wirklichkeit gar nicht ums Geld. Sie wollen das Abenteuer. Sie suchen nach dem Wunder, der großen Überraschung, dem Haupttreffer. Es sind im Grunde alles Vagabunden und Spieler.»

Aber trotz aller Verachtung, die er für seine Nachbarn hatte, gab ihre «leichtsinnige Lebensführung», wie er es nannte, ihm scheinbar doch immer wieder zu denken. «Wissen Sie, was die Kerle sich einbilden?» fragte er, gerade bevor er mich absetzte. «Sie seien wirkliche, echte Männer und wir Ackerbauern nichts als verweichlichte Gesellschaft ohne Energie, ohne Mut und ohne Lebensfreude. Diese Narren.»

3

Am Tage, als ich in Dove Creek ankam, schrieb das Lokalblättchen, die «Dove Creek Press», gerade: «Unser Ort ist überlaufen von Ölingenieuren, Geologen, Grundstücksmaklern und Uranspekulanten. Die Vertreter privater Petroleumgesellschaften wollen sich in den ‹Boom› einschalten, aber die Mystiker der staatlichen Atomenergie-Kommission sind auch da, um allen bei dem verrückten ‹rush› nach mineralhaltigen Terrains mißtrauisch auf die Finger zu schauen.»

Diese «Goldgräberstimmung» ist für Dove Creek nichts Neues. Die kleine, an der Straße nach Utah gelegene Siedlung hat schon mehr als einen solchen «Rausch» und auch mehr als einen der darauffolgenden «Katzenjammer» durchgemacht. Die Häuser von Dove Creek mit ihren großartigen falschen Fassaden und Säulenportikus, von denen die weiße Farbe abblättert, erzählen eine Geschichte der Aufschwünge und Abstürze. Da ist auf einem Gebäude jetzt noch zu lesen: «Dove Creek Opera House». Das stammt aus den «roaring eighties» oder den «gay nineties» des vorigen Jahrhunderts, als sich Dove Creek wie jedes andere größere «mining camp» ein Opernhaus zulegte, in dem durchreisende Truppen gelegentlich Opern, viel häufiger allerdings derbe Singspiele zeigten.

Das war damals im «silver boom» und im darauffolgenden «gold rush». Dann kam das «radium fever» und der «vanadium run». Dazwischen aber lagen jedesmal Jahre der Armut und Vergessenheit. Die Schatzgräber zogen ab, die Ackerbauern und ein paar Geschäftsleute blieben. Und außer ihnen natürlich die verpfändeten Zeugen kurzer Pracht: riesige Stehbars mit Spiegeln und vollbusigen «beauties», die mit dem gleichen dummen Lächeln von den Wänden auf die neuen, jetzt meist vierbeinigen «Bewunderer» hinunterschauten.

«Mister Dove Creek» nennen seine Nachbarn den reichsten und bekanntesten Ortsbürger, einen massiv gebauten Selfmademan namens Matt Sitton, der das wirtschaftliche Auf und Ab erfolgreich überstand. Amerikas Zeitungen haben ihn «Uraniumkönig» getauft, einen Titel, den er mit einigem Unbehagen trägt. «Ich bin in Wirklichkeit nämlich ein ziemlich kleiner Mann im Uran-Business», sagte er dem Besucher, den er in dem modernen, noch nach frischer Farbe und feuchtem Zement riechenden Hauptquartier der von ihm gegründeten «Dove Creek Bank» empfängt. «Die ‹big boys› in diesem Geschäft sind Großfirmen wie die ‹Climax Corporation› oder die ‹Vanadium Corporation of America›, hinter denen Großfirmen und Großbanken in den Oststaaten stehen. Die können Millionen in die Suche nach neuen Metallen hineinstecken und alle die modernen Maschinen kaufen, mit denen der Abbau erst wirklich rentabel wird. Aber natürlich ist ein anonymer Aufsichtsrat oder ein bebrillter Rechtsanwalt, der das Vermögen unbekannter Aktienteilhaber verwaltet, für die Rolle eines ‹Urankönigs› nicht der richtige. Die Leute wollen sich da einen rauhen Kerl vorstellen, der mit Mut, Energie und ein wenig Brutalität das Schicksal zwingt. Da mußte ich eben einspringen.»

Tatsächlich ist Mister Sitton, obwohl sein komfortables verglastes Büro auf die Hochebene mit ihren «claims» hinaussieht, in denen ein Teil seines Urans gefördert wird, selbst niemals auf die Suche nach dem kostbaren Metall gegangen. Auch er hat eigentlich die «Männer im Feld» nur finanziert und durch geschickte Anlagen allmählich für sich erworben, was andere suchten und gelegentlich fanden.

Ursprünglich kam Sitton nach dem Colorado-Hochplateau, weil er in der Höhenluft Heilung von einer früheren Tuberkulose finden wollte. Das war gerade nach dem Ende des ersten Weltkrieges. Der junge Mann begann als Lehrer der kleinen Gemeinde, erwarb sich aus Ersparnissen ein Stückchen Land dazu und eröffnete schließlich einen Laden, in dem die Schatzsucher sich Vorräte und Werkzeuge kaufen konnten.

In diesen Jahren ging die ganze Region gerade durch die Periode des «radium boom». Schon um die Jahrhundertwende hatte man hier Carnotit gefunden, ein Gestein, das Vanadium, Uran und Radium enthielt. Das erste pure Radium war von dem Ehepaar Curie aus Carnotit gewonnen worden, das ihnen die beiden französischen Wissenschaftler Poulot und Voileque im Jahre 1898 aus einem Vorkommen im unweit von Dove Creek gelegenen «Paradox Valley» geschickt hatten. Erst während des ersten Weltkrieges wurde das Radium durch die Verwendung in der Krebsbehandlung und für die leuchtenden Uhrenzifferblätter kommerziell interessant. Obwohl der Prozentsatz des im Carnotit von Colorado enthaltenen Radiums verschwindend klein ist, begann sich damals der Abbau bei einem Weltmarktpreis von hunderttausend Dollar für ein Gramm Radium zu lohnen.

Doch im Jahre 1923 krachte dieses ganze Kartenhaus unechter Prosperität zusammen. Im Kongo waren ungleich reichere Uranlager von hochprozentiger Pechblende entdeckt worden, und die Belgier brachten das Gramm Radium nun um dreißigtausend Dollar billiger auf den Weltmarkt. Von einem Tag zum anderen waren die Urangräber von Dove Creek arbeitslos. Es gab einfach keinen Absatz mehr für «ihr» Carnotit. Viele wanderten aus der Gegend weg und hinterließen als Pfand für Schulden dem Krämer Mister Sitton ihre Rechte auf die nun wertlos gewordenen «claims» der Umgebung. Unter diesen Schuldnern Mister Sittons befand sich auch ein irischer Priester namens O'Neill. Er war ursprünglich nach Amerika ausgewandert, um genug Geld für den Bau einer Kirche in seinem Heimatdorf zu verdienen. Als er aber einige besonders erfolgversprechende Funde gemacht hatte, schob der Priester die Ausführung seiner eigentlichen Absicht immer wieder auf. Manche Bewohner von Dove Creek behaupteten, daß dieses vergessene Gelübde das Unheil der Radiumkrise auf sie herabbeschworen habe.

Jedenfalls erhielt Mister Sitton von dem Priester vor dessen Tod alle Rechtstitel auf seine «claims» zugesprochen mit der auf dem Sterbebett ausgesprochenen Bitte, wenigstens einen Teil späteren Gewinnes an die irische Heimatspfarre O'Neills zu überweisen. Nach ein paar Jahren begann sich Sittons Geduld zu lohnen. Zuerst verlangte die Stahlindustrie nach dem ebenfalls im Carnotit enthaltenen Vanadium zur Härtung ihrer Produkte, und dann begann von 1942 an der amerikanische Staat für einen damals unbekannten Zweck Carnotit aufzukaufen. Erst 1945 hat Sitton dann erfahren, daß die erste Atombombe, die bei Alamogordo explodierte, «sein» Uran enthielt. Eine neue Ära ungeahnter Prosperität mit einem einzigen unersättlichen Käufer, dem amerikanischen Staat, begann für Sitton.

Aber obwohl über Nick Cooks Laden «für Artikel aller Art» jetzt ein Neonzeichen leuchtet und Neil Bolt ein neues Haus gebaut hat, dessen unterer Stock schon an einen neuen «Liquor Store» vermietet wurde, obwohl Dove Creek, befruchtet vom Geldstrom der Spekulanten, die rechts und links Land kaufen, mit jedem Tag ein Stück weiter in das Felsenland des Hochplateaus hinauswächst, wollen die Einheimischen auch diesmal nicht recht an die Dauer dieses Glückes glauben, und wer hier aus dem «Boom» ein wenig Geld macht, kauft sich statt Schürfanteilen eher ein Stück Ackerboden oder Vieh. Denn wenn ihr Ort auch heute noch abenteuerlich wie die übriggebliebene Dekoration aus einem Wildwestfilm aussieht, sind die Dauerbürger von Dove Creek doch solide Bürger, die für Spiel und Rausch nichts übrig haben, weil sie die Folgen genauer kennen als die Schatzsucher. Sie setzen, wie Mister Genaro, ihr Mitbürger, lieber auf den milden als auf den wilden Westen und überlassen Mister Sitton gerne seinen Spekulantenruhm.

4

Die «Sittongruppe», verstärkt durch Ölkapital aus Texas, beherrscht heute das Colorado-Plateau so sehr, daß die Uransucher kaum mehr damit rechnen können, in der Umgebung von Dove Creek Entdeckungen zu machen. So ziehen die meisten von ihnen bald weiter westlich in das Gebiet des Nachbarstaates Utah hinüber. Dieses einst von den allem Bergbau feindlichen Mormonen beherrschte Territorium hat systematischer Durchdringung länger widerstanden als irgendein anderer Landstrich der USA. Besonders im Süden von Utah gibt es schwer zugängliche Gegenden, die bis heute von keinem weißen Mann betreten worden sind.

Die Suche nach Uran hat nun aber zur schrittweisen Öffnung dieser letzten, kaum erschlossenen Region der Vereinigten Staaten geführt. Mit einem besonders stoßfesten Typ des «Jeep», der auf Spezialreifen fährt und bewegliche Hinterräder hat, wagen sich die Uranjäger in das weglose Gelände mit seinen tiefen Canyons und oft zauberhaft schönen «Lichtungen» inmitten versteinerter Wälder aus rötlichem Fels.

Diese durch wildgezackte Bergmassive voneinander getrennten Schluchten sind jedoch oft so schwer zu erreichen, daß es Jahre und Jahre dauern würde, ehe einzelne Gruppen von Schatzsuchern sie mit Geigerzählern auf ihren möglichen Urangehalt untersuchen könnten. Die amerikanische Regierung, der daran gelegen ist, die Förderung des für ihr ganzes Atomprogramm unentbehrlichen Erzes im eigenen Lande zu beschleunigen, hat deshalb Flugzeuge eingesetzt, die, mit besonderen Instrumenten versehen, von der Luft her aussichtsreiche Uranlager ausfindig zu machen versuchen.

Die Maschine, mit der wir von Monticello in Utah aus aufstiegen, war von der Atomenergie-Kommission in eine Art fliegendes Laboratorium mit zahlreichen Suchinstrumenten verwandelt worden. Außer dem Piloten und zwei Technikern flog auch Zerubabel S., einer der erfahrensten «Metalljäger» der Region, mit. Er hatte südlich vom «schmutzigen Bach» eine Kuppe gesichtet, die seiner Ansicht nach typisch uranhaltig aussah, war aber nicht imstande gewesen, zur Überprüfung seiner Vermutung selbst mit dem Geigerzähler bis dorthin vorzudringen.

Da saß er nun also mit dem altmodischen breiten schwarzen Filzhut auf dem Kopf, den verschossenen blauen Hosen und mit an einem Silberkettchen befestigten Amulett um den Hals auf einem Zeltbahnsessel am vorderen Kabinenfenster und schaute auf die wildzerfurchte Berglandschaft Utahs hinunter, während die Techniker sich an ihren Spürgeräten zu schaffen machten. Es war ein ungewöhnlich klarer Tag, und wir flogen so tief, daß man ganz deutlich zerfallene Hütten, verlassene Baracken, aufgegebenes Material sehen konnte: Spuren früherer Wühltätigkeit der Gold-, Silber- und Kupfersucher. Der alte Prospektor mit uns kannte die Namen aller dieser «Geisterstädte». Die vom Wind und Wasser geformten bizarren Felsdenkmäler, die bald wie Münstertürme, venezianische Brücken, Menschenprofile oder Pyramiden aussehen, schienen auf ihn keinen Eindruck zu machen, dagegen zeigte er uns aufgeregt aus der Höhe eine Art wolfsähnlicher wilder Hunde, die in diesen verlassenen Schluchten ungehindert und furchtlos umherstreifen.

Aber so scharf auch die Augen des Prospektors waren, die Techniker der A.E.C. (Atomic Energy Commission) verließen sich nicht auf sie. Nachdem wir etwa zehn Minuten geflogen waren, öffnete Jones, der leitende Ingenieur, eine Bodenklappe und warf an einem etwa zwanzig Meter langen Seil eine befestigte Metallkapsel aus der Maschine heraus. In dem Verschluß befand sich eine Vakuumröhre, die kaum größer war als eine Zigarette. «Das ist ein Magnetometer», erklärte mir Mister Jones. «Es ‹sieht› schärfer als ein Falke und vor allem sogar durch die Felsdecke hindurch in die Untergrundformationen. Die Navy hat das Ding im Krieg zur Aufspürung von Unterseebooten verwendet. Nimmt hier», er zeigte auf eine Kontrollskala, «jede Veränderung des magnetischen Feldes auf.»

Außer diesem erstaunlichen fliegenden Auge führten wir auch eine überfeine mechanische «Nase» mit. Ein Luftventil am Kopf der Maschine «schnüffelte» nach leisesten Spuren von Radon-Gas, das in kleinsten Mengen über Lagern von radioaktiven Gesteinen ausgeströmt wird. Ein Brownscher Aufnahmeapparat konnte genau messen, wie stark die Luftproben durch das vorhandene Gas ionisiert waren, und gab dies in Ausschlägen auf einer elektrischen Skala bekannt. Schließlich wurden auch unsere künstlichen «Ohren» eingeschaltet. Das war ein sechsfach verstärkter großer Geigerzähler, der durch Bleiplatten gegen die störenden Hintergrundgeräusche der kosmischen Strahlen abgeschirmt war. In ihn hineinhorchend, würden wir kontrollieren können, ob unser «Auge» und unsere «Nase» wirklich die Wahrheit meldeten.

Doch bevor unsere mechanischen Späher noch Kunde von einer Entdeckung gegeben hatten, rief der Prospektor aus: «Dort ... dort drüben ist es.» Wir zirkelten über einer «mesa», die der Kuppel des Petersdoms erstaunlich ähnlich sah und schon gebärdete sich der Geigerzähler, als sei eine Klapperschlange in ihm versteckt, zuckte der mit dem Magnetometer verbundene Griffel steil auf dem graphischen Papier aufwärts, führte die Nadel des Brownschen Recorders einen wilden Tanz auf.

«Ich glaube, Sie haben da etwas», sagte Jones und klopfte dem alten Prospektor auf die Schulter. «Wir werden uns die Sache in den nächsten Tagen noch näher ansehen. Mit dem Hubschrauber können wir näher herankommen, vielleicht sogar landen.»

Dann gab er dem Piloten die Weisung, Hanksville anzufliegen, wo sich eines der Büros der Atomenergie-Kommission befindet.

5

Über Hanksville steht ein Schleier von Silberstaub. Es ist um die Mittagsstunde und brennend heiß, aber die «Bulldozer» kennen keine Siesta. Sie schaufeln und brummen, rennen böse gegen die Hindernisse, die sich ihnen entgegenstemmen, stoßen schließlich durch sie hindurch in einer Wolke von glitzernden Splitterchen. Die großen Wegebaumaschinen rollen hinterdrein. Sie sehen mit ihren fast senkrecht hochstehenden gelbgestrichenen Kettenkränen aus wie mächtige Vorwelttiere, die sich mit aufgerichteten Riesenleibern tolpatschig vorwärts bewegen.

Ein Vorarbeiter mit einem Helm aus leuchtendrotem Plastikmaterial gibt über ein Mikrophon Befehle, die durch große Lautsprecher hundertfach verstärkt werden. Er steht da mit breiten Beinen wie ein Bändiger in der Zirkusarena und sagt seinen Ungetümen an, welche Dressurfiguren sie machen sollen.

«He, Joe», sagt er, «35 Grad! Halt den ‹scraper› schräger.» Oder: «Los, Tuck, reiß dem Biest die Zähne aus. Stoß den Haken 'rein. Vielleicht können wir's ohne Dynamit schaffen.»

Vor ein paar Monaten noch war Hanksville das verlorenste Nest im verlorensten Teil von Utah. Die etwa hundertfünfzig Einwohner lebten hauptsächlich von Schafzucht. Ganz gelegentlich traute sich einmal ein Tourist durch die Wüste von San Rafael bis hierher ans «Ende der Welt». Man zeigte ihm dann das verfallene Haus, in dem «Butch» Cassidy, Utahs berüchtigtster Desperado, einst residierte. Er beherrschte mit seinem «Robbers Roost Gang» das weglose Hinterland jahrelang wie ein Fürst. Die Bewohner von Hanksville waren seine Untertanen, die für einen Teil der von «Butch» geraubten Güter ihm und seinen Boys Unterkunft und Nahrung gaben.

Doch nun wird in wenigen Wochen eine gute breite Straße bis nach Hanksville gehen. Sogar der staubige Weg hinüber nach Hite am Coloradofluß wird eingeebnet und verbreitert. Eine ganze Anzahl von Seitenstraßen führt jetzt hinauf ins Templegebirge bis zu den Absperrungen, an denen zu lesen ist: «Eintritt verboten! Atomic Energy Commission.»

In seinem provisorischen Büro sitzt der Zweigmanager der A.E.C., ein höchstens dreißigjähriger Mann, der mit seinem «crew cut» und schwergerahmter Hornbrille wie ein Student aussieht.

«Straßenbau ist fast so wichtig wie die Uranförderung selbst», sagt er dem Besucher. «Denn bei einem nur einprozentigen Ertrag muß das uranhaltige Gestein tonnenweise weggeschafft werden, und das geht nur über gute Straßen. Eine ganz andere Sache wie die Goldgräberei im vorigen Jahrhundert. Da konnte der ‹miner› meist ganz allein den Goldsand auswaschen oder die Goldkörner aus dem Gestein auslösen. Die 49er und ihre Nachfolger brauchten nicht viel mehr Ausrüstung als einen oder zwei Packesel und eine Goldwaschpfanne. Unsere Uranjäger aber müssen mindestens ein Lastauto, einen Jeep, Diamantbohrer, Lufthämmer, fahrbare Kompressorenanlagen haben, wenn sie auch nur mit einem Minimum von Ertrag rechnen wollen.» – «Hey Jack», ruft er einen jungen, braungebrannten Mann im olivgrünen Ausschlaghemd an, der, an einer farbigen Schutzbrille herumputzend, darauf wartet, als nächster mit dem «Boss» zu sprechen, «nimm doch den Herrn hinüber zur ‹Calamity Mine›.» An mich gewendet: «Keine Angst, die ‹Kalamität›, nach der die Grube benannt wurde, ist nicht zu fürchten. Dort hatten Metalljäger vor vierzig Jahren Kupfer zu finden gehofft und fanden ‹nur› Uran, mit dem sie damals nichts anfangen konnten. Es gibt deshalb ein paar Dutzend ‹calamity mines› in der Gegend.»

Jack gibt, bevor wir abfahren, in knappen Worten seinen Bericht. Die Versuchsbohrung bei Loch 323 war bisher nicht ergiebig, obwohl eine Tiefe von 73 Metern erreicht wurde. Dafür scheint sich 317 günstig zu entwickeln. Soll man Sprengungen beginnen? Der «Boss» überlegt einen Augenblick und fragt, ob die letzten Proben von 317 schon untersucht worden seien. Ja, man habe an Ort und Stelle eine Probe mit dem Funkenzähler und der Ionenkammer gemacht, aber die genaue chemische Analyse des Laboratoriums sei noch nicht fertig.

«Weshalb warten wir dann nicht lieber diesen Bericht noch ab. Grand Junction macht mir die Hölle heiß, wenn er erfährt, daß ich ohne Lab-Probe zu sprengen beginne. Okay?»

Ob es mir recht sei, wenn wir noch im Laboratorium vorbeischauen würden, fragt Jack. Vielleicht sei der Bericht schon fertig. Ich willige gerne ein.

Wir überqueren die Hauptstraße von Hanksville. Da laufen noch unbesorgt Hühner und Kinder mit schmutzigen Nasen herum, als sei das Atomzeitalter nie nach ihrem Heimatort gekommen. Vor den Häusern sitzen alte Männer und Frauen, schauen in die Luft und durch die Fremden hindurch.

Das «Lab» ist in einem hastig aus vorfabrizierten Teilen zusammengestellten Neubau untergebracht. Darüber ein Plakat «The Rim of the World» – «Der Rand der Welt». Zwei junge Chemiker und ein hagerer Geologe mit kurzgeschorenem grauem Haar machen gerade ihre «Coke»-Pause, als wir hereinkommen. Mit dem «Na, ihr nehmt's ja leicht heute» und der Antwort «Dafür haben wir auch keine Zeit für Sonnenbäder und hübsche Mädchen» ist die übliche amerikanische Fopp- und Spottouvertüre unterwegs. «Womit können wir dem Herrn dienen?» fragt der etwas rundliche Chemiker. «Eine Blonde? Eine Rothaarige? Wir haben auch eine neue Brünette ...»

«Nonsense», sagt der, «ihr wißt doch, daß ich mich nur für Gelbgrün und Violett interessiere.»

«Aha», sagt der Chemiker, «Uran, nichts als Uran hat er im Kopf.

Also zurückkommend auf Ihr Angebot vom 19. dieses Monats: Was können wir offerieren? Bohrung 317? Eine prima Nummer. Hier ist das Zeugnis mit bester Empfehlung. Aus der kann noch alles werden. Sagen Sie es dem Chef.»

Jack studiert das hingereichte Papier, auf dem die genauen Prozentzahlen der chemischen Probe vermerkt sind. «Looks good», sagt er befriedigt.

Aber sein Boss ist schwieriger. Ihm scheinen die Proben noch nicht zu beweisen, daß Loch 317 wirklich ergiebig sei. Im Gegenteil, er befürchtet, man sei wieder einmal auf eine dieser vertrackten Adern gestoßen, die nach ein paar Tagen einfach wieder abbrechen. «Also noch nicht sprengen?» fragt Jack. «Nein..., vorläufig weiterbohren...», heißt die enttäuschende Antwort.

6

«Es gibt drei Arten von Männern hier», sagt Jack, während wir auf dem Jeep über einen breiten Saumpfad zur «Calamity Mine» rumpeln, «die Träumer, die Resignierten und die Enttäuschten. Oder eigentlich nur zwei, denn die Träumer werden sehr schnell entweder zu Resignierten oder Enttäuschten.»

Ich hatte ihn gefragt, was für ein Menschenschlag hier draußen nach Utah komme, um Uran zu finden. Es seien bis auf die paar alten professionellen Metallschürfer fast alles Flüchtlinge, sagte er. Flüchtlinge vor der Monotonie moderner Städte und Bürozellen. Flüchtlinge, die es weniger ungewiß fänden, in ödes, halbwüstes Land zu gehen, als in den Zentren der Zivilisation weiterzuleben, über denen das Damoklesschwert der vollständigen Zerstörung schwebe. Was sie dann aber hier draußen fänden, seien meist wieder Büros, Vorschriften, feste gesellschaftliche Hierarchien, in die sie sich einzufügen hätten. Der Westen Amerikas sei heute kein Platz mehr für «rauhe Individualisten». Natürlich könne man sich absondern und sein eigenes eigenbrötlerisches Leben zu leben versuchen, aber das sei ja schließlich auch in den Canyons der großen Städte möglich.

Die Hoffnung, durch einen glücklichen Uranfund schnell reich zu werden, halte er für lächerlich, meinte Jack. Die Vorkommen seien viel zu unregelmäßig und unsicher, als daß man etwas Genaueres über sie wüßte, bevor nicht die ganze komplizierte und kostspielige Maschinerie von Probebohrungen und ständigen Nachprüfungen durch das Laboratorium in Gang gesetzt sei. Mache ein Einzelgänger mit seinem Geigerzähler einmal einen Fund, so hätte er kaum die Mittel, seine Entdeckung aus eigener Kraft auszuwerten. Das Beste, was er erreichen könne, sei eine kleine Beteiligung von einer der Schürffirmen. Natürlich unter Abzug aller

Spesen. Und da bleibe dann bei Bilanzabschluß selten sehr viel für ihn übrig.

«Auch ich», gesteht Jack, «hoffte als gemachter Mann nach Illinois zurückzukehren. Nun habe ich statt dessen einen Job als Verbindungsmann zwischen der A.E.C. und der Utah Mining Corporation übernommen. Gar keine üble Beschäftigung. Nur manchmal etwas einsam so ohne Mädels und Unterhaltung. Erst wer einmal ein paar Monate hier draußen gelebt hat, weiß das Stadtleben zu schätzen.»

7

Trotz aller seiner Offenheit hatte mir Jack noch nicht von dem Gegenstand gesprochen, der «privaten» Förderfirmen und Regierungsstellen im amerikanischen Urangebiet das größte Kopfzerbrechen bereitet: dem Gesundheitsschutz aller derjenigen, die mit der Förderung des radioaktiven Erzes zu tun haben. Als wir bei der «Calamity Mine» ankamen, einem höchst primitiven Schacht, der weder gut abgestützt noch richtig gelüftet war, stand gerade die Arbeit still. Die Häuer hatten sich um einen Kollegen geschart, der in der Mine ohnmächtig geworden und in aller Eile an die frische Luft gebracht worden war.

«Radiumvergiftung», hieß es, «die gelbe Krankheit.»

«Die Bergleute sind unbelehrbar», klagte Jack. «Sie wollen einfach nicht verstehen, daß dieses Material etwas anderes, viel Gefährlicheres ist als Kohle oder andere Erze, die sie vorher abgebaut haben. Wir haben versucht, sie zu erziehen. Bisher ohne großen Erfolg. Sie behaupten, unser Carnotit enthalte so wenig Uran, daß ein Bergmann an Altersschwäche sterbe, bevor er eine zu große Dosis wirklich schädliche Radioaktivität bekommen könne. Ein Fall wie dieser wird sie vielleicht lehren, mit Schutzanzügen und Atemfiltern zu arbeiten.»

Unter den Umständen war an eine genauere Besichtigung der Mine nicht mehr zu denken. Wir brachten den Kranken schnell nach Hanksville zurück, wo ich von Jack und seinem «Boss» Abschied nehmen mußte.

Aber merkwürdig: während ich im ersten Teil meines Trips durch das Urangebiet die «gelbe Krankheit» noch nicht ein einziges Mal erwähnt gehört hatte, vernahm ich jetzt fast an jedem Ort, durch den ich kam, etwas davon. In der kleinen Stadt Nucla erfuhr ich von einem Manne namens Frank Wilson, der nach seiner Arbeit in einem Uranwerk ungewöhnliche Geschwüre an Händen und Füßen bekam und schließlich starb. In Uravan, wo sich eine Mühle zur Verarbeitung des Uranerzes befindet, erzählte man von einem Farmer, der prozessierte, weil sein Vieh, das nahe der Anlage graste, an einer unerklärlichen Krankheit einzugehen begann. In Naturita, wo eine andere Raffinerie in Betrieb ist, hatte ein Ingenieur seine Stellung aufgeben müssen, weil er jedesmal, wenn er mit radioaktivem Material zu tun hatte, Krämpfe bekam.

Und in Durango, wo jedermann verstummt war, als ich eine Woche vorher nach dem «Uranrausch» gefragt hatte, öffneten sich unweigerlich die Münder aller dieser Menschen, sobald man von dem Thema der Radiumvergiftung sprach.

«Jetzt wissen Sie vielleicht, weshalb wir der Sache nicht froh werden können», sagte mir ein Geschäftsmann, der bei meinem ersten Besuch einfach nicht auf das Thema «Uran» hatte eingehen wollen. «Und nun fahren Sie noch ein wenig vor die Stadt, wählen Sie die südliche Verlängerung der Mainstreet. Dann werden Sie es noch besser verstehen.»

Ich mußte gar nicht lange zu Fuß gehen, um zu sehen, was er gemeint hatte. Etwa einen Kilometer von der Stadtgrenze entfernt sah ich plötzlich auf den Blättern eines Baumes das mir schon ganz bekannte Gelbgrün des Carnotit. Einige Schritte weiter, und ich stand vor der merkwürdigsten Wiese. Besser gesagt: das war einmal eine Wiese gewesen. Jetzt sah sie eher aus wie ein Geistertanzplatz, voll bleicher Grashalme, trocken wie Papier, die beim Anfassen zu einem giftig aussehenden Staub zerfielen. Schon waren meine Anzugjacke und meine Schuhe von der gleichen gelbgrünen Substanz bestäubt, und je weiter ich ging, desto stärker war alles um mich herum – die abgestorbenen Bäume, die Felder, die Hochspannungsleitung, die Reklameplakate sogar – von diesem widerlichen Zeug ganz fein überpudert. Es mußte schon in meinen Haaren, auf meiner Gesichtshaut sein. Ich bildete mir ein, auf den Lippen etwas Bitteres zu schmecken, als ich etwa eine Meile weit durch diese Landschaft gewandert war, über die ein Todesreif fiel.

Dann stand ich vor einem Tor, an dem ein Aushängeschild warnte: STOP! THIS IS THE PRIVATE PROPERTY OF THE VANADIUM CORPORATION OF AMERICA (V.C.A.). Von ferne hörte ich das Knirschen mechanischer Mörser. Aus einer länglichen Halle kamen Dämpfe: Grüngelb auch ihre Farbe.

Ein uniformierter Fabrikpolizist sah mich stehen und bellte, ohne daß ich ihn nach etwas gefragt hätte: «Hier werden keine Arbeiter angenommen. Gehen Sie ins Stadtbüro.»

Als ich später in der Zentrale der Atomenergie-Kommission bei Grand Junction war und nach der «Radiumkrankheit» fragte, wurde mir geantwortet: «Wir wissen das alles und werden scharfe Schutzbestimmungen erlassen.» Zum Beweise wurde mir der gerade herausgekommene Bericht von P. W. Jacoe, dem Vorsitzenden einer Untersuchungskommission, vorgelegt, wo es hieß «Arbeiter in den Minen und Werken, die Uranerze fördern oder verarbeiten, leiden an Radiumvergiftung und Silikosis. Sie legen sich keine Rechenschaft von der Gefahr der radioaktiven Strahlen ab, weil sie diese nicht sehen können.

Chemiker rühren gereinigtes Uran mit nackten Händen um. Arbeiter essen in radioaktiv gewordenen Werkstätten ihren Lunch. Es finden keine regelmäßigen ärztlichen Untersuchungen der Angestellten statt, die vielleicht erst in vielen Jahren die Folgen ihrer Beschäftigung in den ungenügend geschützten Werken der V.C.A. in Form von Blutkrankheiten, Knochenentartungen und möglicherweise sogar Krebsleiden werden büßen müssen.»

Da aber von dieser Seite des Uranrausches so selten oder gar nicht gesprochen wird, kommen immer neue Glücksjäger nach Colorado und Utah. Auf der Suche nach etwas, das in Amerika seltener geworden ist als seltene Metalle, auf der Suche nach dem Abenteuer kommen sie und kommen jeden Tag.

EINE STADT MUSS STERBEN – EINE STADT MUSS WACHSEN

1

Augusta, Georgia

Kleine Orte in Amerika leiden fast immer an lokalpatriotischem Größenwahn. Um den Autotouristen zu kurzem Stopp zu veranlassen, verkündet die «Chamber of Commerce» in großen Plakaten am Stadtrand, dies sei die «Salathauptstadt der Welt» oder die «Artischockenmetropole Amerikas» oder ganz kurz und schlicht: «Der schönste Platz auf Gottes Erdboden».

Eine Anpreisung ähnlicher und doch so ganz anderer Art fand ich am Eingang von Ellenton, einem der ersten Orte nach Überschreitung der Staatsgrenze von Georgia nach South Carolina. Aber diesmal war da keine Reklametafel in leuchtenden Farben aufgestellt. Kein Slogan in flirrenden gebogenen Neonröhren zog die Aufmerksamkeit auf sich, sondern vier unbeholfene Kistenbretter, auf die ein Unbekannter mit ungelenker Hand geschrieben hatte:

ES IST HART ZU VERSTEHEN WARUM
UNSERE STADT
ZERSTÖRT WERDEN MUSS
UM EINE BOMBE ZU MACHEN
DIE JEMANDES ANDEREN STADT
ZERSTÖREN WIRD
DIE ER GENAUSO LIEBT
WIE WIR DIE UNSERE
WIR DENKEN SIE FANDEN

NICHT NUR DEN BESTEN FLECK IN DEN USA
SONDERN IN DER GANZEN WELT
WIR LIEBEN DIE LIEBEN HERZEN
UND FREUNDLICHEN LEUTE
DIE IN UNSERER HEIMATSTADT LEBEN

Daß Ellenton nicht nur der «beste Fleck in den US», sondern in der ganzen Welt ist, wissen seine Bewohner eigentlich erst seit kurzem. Früher priesen sie sich gar nicht so glücklich, in diesem kargen Föhrenland zu wohnen. Vorher verfluchten sie das harte Klima, den Baumwollbohrer, der die mageren Ernten noch magerer machte, den roten Sandboden, die sumpfigen Niederungen am Savannahfluß und ihre eigene Geschichte, die sie zum Leben abseits vom Fortschritt zu verurteilen schien. Sie haben jedem, der es hören und nicht hören wollte (besonders aber dem Steuereinnehmer), ihr melancholisches Liedchen vorgesungen, dessen Schlußvers lautet:

«Land und Leute sind hier arm,
stehlen sie nicht, was hält sie dann warm?»

2

Erst als die kleine Stadt zum Tode verurteilt wurde, erst als es sich zeigte, daß nichts, aber nichts mehr sie und vier ihrer Nachbarorte retten könnte, da begannen die Bewohner von Ellenton um ihre Heimat zu trauern wie um einen nahen Verwandten, dessen Werte man erkennt, wenn der Arzt ihn schon aufgegeben hat.

Die Stimme, die Ellenton seinen bevorstehenden Untergang verkündete, kam über das Radio während der Mittagssendung des 18. November 1950. Es war die gleichgültige Stimme eines Ansagers, eine Stimme ohne Zorn und ohne jede Spur von Anteilnahme. Die Ortschaften Ellenton, Dunbarton, Jackson, Bush und Meyers Mill würden in absehbarer Zeit evakuiert und dem Erdboden gleichgemacht werden, teilte er mit, um einem neuen Komplex von Atomfabriken Platz zu machen. Das wurde ganz sachlich vorgetragen; denn heutzutage kleidet sich der Fluch, der auf Menschen und ihren Besitz fällt, oft ins knappe, unpathetische Gewand der telegraphischen Nachricht, und statt des Engels mit dem feurigen Schwert erscheint den Betroffenen etwa ein freundlicher Herr aus Washington, der den Hadernden und Verzweifelnden geduldig die Stirn bietet, ohne sich aus der Fassung bringen zu lassen.

Aber obwohl Mister Nelson, so hieß der Unglücksbote in diesem Fall, seine Autorität nur von den Regierungsstellen in der amerikanischen Bundeshauptstadt herleitet, war er doch genauso unerbittlich wie ein strafekündender Himmelsherold, der um Begnadigung oder Aufschub angefleht wird. Man hielt ihm bei einer öffentlichen Sitzung, die in der zum Bersten überfüllten Schule schon wenige Tage nach Bekanntwerden des Projektes abgehalten wurde, entgegen, daß viele Familien von Ellenton und Umgebung seit Generationen hier lebten und nicht so leichtfertig wie Großstädter ihren Wohnsitz wechseln können. Weshalb, so wollte man wissen, könne die Regierung nicht einen unbesiedelten, unbeackerten Flecken Erde im großen, weiten Amerika finden, um dort ihre Atomfabriken zu bauen. Ach, er hatte alle Antworten parat, dieser Bote. Er zeigte sogar Mitgefühl, gab vorsichtige Versprechungen, aber an dem Entschluß selbst konnte nun doch nichts mehr geändert werden.

Und so sitzen die Bewohner von Ellenton nun im «Café Busy B», einer von jeher schmucklosen, geradezu verwahrlosten Holzbaracke, deren zerbrochene Fensterscheiben schon lange mit Pappdeckeln «provisorisch» ersetzt worden sind. Provisorisch? Nein, nun wohl doch endgültig und für immer. In ein paar Monaten wird die «Busy B» nur noch ein wenig Holzabfall sein, ebenso wie der «lange Laden» von Mike Cassels, genauso wie die Baptistenkirche, der Poolroom und das einzige «historische Haus» von Ellenton, in dem 1876 die willkürliche Verhaftung zweier Neger zu einem blutigen, Todesopfer fordernden Zusammenstoß zwischen Schwarzen und Weißen führte. Sie warten nur noch auf die großen gelben «Bulldozer», die ihre Wohnungen und Arbeitsplätze in zwei, drei Stößen umrennen werden, auf die schweren Straßenbaumaschinen, die schon von North Augusta her im Anrollen sind: Bäume vor sich umlegend, ganze Hügel wegschaufelnd. Sie warten auf die großen Walzen, die alles plattdrücken, was noch nicht eingeebnet ist, und aus der blühenden Naturlandschaft sterile Industrielandschaft machen werden.

Nur die kleine Eisenbahnstation wird vom Untergang gerettet, ja, wie es heißt, sogar beträchtlich vergrößert werden, um all die Materialtransporte für die neue Fabrik bewältigen zu können. Auch sie ist schon über hundert Jahre alt, eine der ersten Haltestellen der «Dampfbahn», die durch die spekulative Laune einiger vermögender Herren gerade hier im abgelegenen South Carolina früher eingeführt wurde als in anderen, viel stärker bewohnten Gebieten der Vereinigten Staaten. Mit ihr kam das Industriezeitalter zuerst in diese Gegend. Deshalb darf sie wohl allein das Kommen der neuen Industrie überleben. Die rauchspukkenden «Feuerrösser» wurden damals genauso unfreundlich begrüßt wie jetzt die Atomfabrik, und einige Pflanzer der Gegend befahlen ihren schwarzen Sklaven sogar, sich dem fremden Ungetüm in den Weg zu legen, um es aufzuhalten. Aber bald verzichteten sie auf solche Demonstrationen und kauften sich lieber mit Aktien bei der neuen Linie ein.

Die Männer von Ellenton warten und warten. Sie spielen endlich die langen, durch keinerlei Arbeit unterbrochenen Kartenpartien, von denen sie oft geträumt haben; denn es hat ja ohnehin gar keinen Sinn mehr, die Hände zu rühren. Die Regierung hat zwar versprochen, die Bauern für alle Arbeiten zu entschädigen, die noch bis zum Augenblick des Abbruches geleistet wurden. Aber wer wird denn für eine Ernte schuften, die er doch nie mehr einbringen wird? Selbst wenn jemand ihm für die nicht ausgereiften Früchte und die nicht mehr zur Blüte bestimmte Baumwolle bares Geld auf den Tisch legt, wer will denn solches Geld?

Man hat ohnehin vor, den Herren in Washington Rechnungen zu präsentieren, die ihnen wohl zu hoch sein werden. In den Pausen zwischen den Gin-Rummy-Partien werden imaginäre Entschädigungssummen ausgerechnet. Es wird um Zehntel Pennies gespielt, aber im Geiste mit selten oder nie gesehenen Tausenddollarnoten gerechnet, die man sich dann später für den Regierungsscheck abholen möchte.

«Ja, aber mit allen Dollars aus Washington kann ich mir doch kein Jagdgebiet kaufen wie unseres», sagt ein schlaksiger Rothaariger, der bis dahin die einzige Fabrik am Ort, ein Brettersägewerk, betrieb und einen ähnlichen Betrieb in Augusta, drüben in Georgia, aufmachen wird. «Die Jagdhunde werde ich auch verkaufen müssen. Was sollen sie in einer großen Stadt? Wer kann mir das ersetzen?» Und die anderen Männer nicken, die Karten werden verteilt, die nächste Runde stumm gespielt.

Man sollte eigentlich denken, daß die Gespräche in der «Bus B» oder rund um den Eisenofen im «langen Laden» von Mike Cassels sich um die «Bombe» drehen, für die hier bald Explosionsmaterial hergestellt werden soll. Aber irgendeine Scheu hindert die Männer, dieses Thema aufzuwerfen. Was sie beschäftigt, ist vor allem die Frage, ob irgendeine Regierung der Welt das Recht habe, freie Menschen von ihrer Scholle zu vertreiben. «Und noch dazu in Friedenszeiten», unterstreicht einer. «Als sie Oak Ridge, die Atomstadt in Tennessee, bauten, war immerhin Krieg, und trotzdem haben sich viele Bauern, die evakuiert werden sollten, so lange geweigert, von selbst zu gehen, bis man ihnen das brennende Feuer aus dem Herd riß.»

«Es ist eben diesmal kein richtiger Frieden», weist man den Einwand zurück, «sonst hätten wir uns schon gewehrt.» Anfänglich sammelten sie in Ellenton Geld, um sich einen Anwalt in Washington zu nehmen, einen «lobbyist», der die Regierungsentschlüsse vielleicht wieder rückgängig machen könnte. Aber Mike Cassels, dessen Wort im Orte unbedingt gilt, riet energisch ab. Das habe ja doch keinen Zweck und mache nur böses Blut, meinte er. «Wir sind ohnmächtig, wenn es um so große Entscheidungen geht», sagte er. «Wenn ich nur wüßte, weshalb gerade unsere Heimatgegend so wertvoll und unentbehrlich sein soll? Unsere Väter hätten sicher um diesen Boden gekämpft, wir aber sind ganz hilflos.»

Am treffendsten hat einer aus dieser Runde die Stimmung ausgedrückt, als er auf den patriotischen Tröstungsversuch eines auswärtigen Besuchers, der vom «großen geschichtlichen Geschehen» sprach, antwortete: «To hell with history!» – «Zum Teufel mit der Geschichte!»

Inzwischen kommen jeden Tag mehr Fremde nach Ellenton. Die meisten sind Neugierige oder Habgierige. Die Neugierigen haben in den Zeitungen vom Schicksal Ellentons gelesen. Sie ziehen meist enttäuscht wieder ab, wenn sie im monotonen Alltag der Kleinstadt nichts Sensationelles entdecken. Die Habgierigen wollen Geschäfte machen. Einer davon, ein «Hausumzieher», ist aus dem Staate Colorado schnell bis hierher gekommen, weil er nicht zu Unrecht Interesse für seine Dienste witterte. Er bietet jedem an, der bereit ist, den Preis zu zahlen, sein Heim so, wie es ist, aus den Fundamenten auf den Wagen zu heben und nach jedem gewünschten Platz außerhalb der neuen Regierungsreservation zu transportieren. Wem das zu teuer vorkommt, dem steht wenigstens die Kunst eines Photographen zur Verfügung, der die dem Untergang geweihten Wohnstätten noch schnell vorher aufnehmen will.

Diese beiden Geschäftsleute mit ihren guten Nasen für Konjunkturen haben nicht schlecht zu tun. Enttäuscht worden sind dagegen die Wanderarbeiter, die schon am zweiten Tag nach der Ankündigung des bevorstehenden Unterganges von Ellenton auf ihren klapprigen Autos angefahren kamen und fragten, wo man sich eigentlich melden müsse, um die vier Dollar Stundenlohn für das Umsiedeln der Friedhöfe zu bekommen. Ihre Erwartungen erfüllten sich nicht. Es wurde bloß ein Dollar pro Stunde geboten, und zu diesem Preis wollten nur die schwarzen Tagelöhner arbeiten, die in der Umgebung von Ellenton wohnen.

Die aber sind dafür jetzt von fünf Uhr früh bis zum Anbruch der Dunkelheit beschäftigt. Die Regierung hat jedermann erlaubt, seine Toten wegzuschaffen, bevor noch die Mauer der Atomreservation sich um das ganze Gebiet schließt. Und da der Staat für diese Umsiedlung der Gebeine zahlt, will jeder, auch wenn er jahrelang nicht mehr auf einem der Friedhöfe war, von der Gratisgelegenheit profitieren, sei es auch nur, um die Staatskasse ein wenig zu schädigen. Niemand in und um Ellenton hatte sich vorgestellt, daß die toten Nachbarn zahlreicher seien als die lebendigen. «What a crowd!» rufen die Totengräber immer wieder voller Staunen aus. «Was für eine Menge! Tausende und Tausende.» Und rechnen wohl auch nach: «Wieviel Dollar bedeutet das für uns?»

Die über hundert Totenäcker von Ellenton, Dunbarton, Jackson und Umgebung werden so systematisch nacheinander, Generation nach Generation aufgepflügt. Jeden Tag fahren Armeelastwagen mit den in frischen Kiefernkisten verladenen Gebeinen nordwärts. Auf ihrem Wege begegnen sie immer öfter mechanischen Schaufeln, «Bulldozern», und anderen kombinierten «Erdbewegungsmaschinen». Diese Ungetüme sind oft so groß, daß sie nicht ausweichen können. Dann müssen die Toten am Straßenrand warten, bis sie endlich freie Weiterfahrt haben ...

3

Die Bürger von Augusta, der Ellenton am nächsten gelegenen größeren Stadt, begrüßen die Nachricht vom Bau des großen Atomprojektes von Anfang an mit kaum verhohlener Begeisterung. Wenn die Leute von Ellenton etwas in dem vierzig Kilometer entfernten Ort zu erledigen hatten, kehrten sie am Abend stets voller Ärger und Bitterkeit in ihr eigenes, zum Sterben verurteiltes Städtchen zurück. Die laute Zukunftsfreudigkeit ihrer Nachbarn verletzte die vom Evakuierungsbefehl Betroffenen tief. «Wenn einer von den ‹Augies› mich sieht», erzählt jemand zwischen zwei Kartenrunden in Ellenton, «so tut er zuerst, als bedaure er unser Schicksal. ‹Too bad about you folks›, sagt er scheinheilig. Aber kaum sprechen wir ein paar Minuten, da fängt er an, von dem ‹kommenden großen Geschäft› zu phantasieren, von ‹der einzigartigen Gelegenheit›, die sich Augusta bietet, und wenn wir Abschied nehmen, hat er schon ganz vergessen, daß der ‹Boom›, auf den sie alle hoffen, ohne unser Unglück gar nicht möglich wäre.»

Nun, so sprach man wohl am Anfang, als erst die Vorhuten der großen Fremdeninvasion Augusta erreicht hatten, die Handvoll Ingenieure, Architekten und Regierungsbeamten, die den Boden vorzubereiten hatten. Als ich die Stadt sechs Monate später besuchte, war die Stimmung schon ganz anders. Jetzt wußten die Einwohner von Augusta oft nicht mehr, ob sie die neue Entwicklung preisen oder verfluchen sollten.

«Das Leben war früher hier so angenehm», klagen die alteingesessenen «Augies». «Wir waren in einer ruhigen, freundlichen, vornehmen Stadt zu Hause. Es war für jeden Platz genug da. Wer einkaufen wollte, konnte überall ohne Schwierigkeiten parken. Entschloß man sich, einmal abends auswärts zu essen, so waren in jedem Restaurant genügend freie Tische zu finden. Natürlich wurden die Gäste freundlich begrüßt und anständig bedient. Jeder kannte hier jeden. Man blieb oft mitten auf der Straße stehen und schwatzte miteinander. Aber jetzt?» «Jetzt», antwortete Mister Lester S. Moody von der Handelskammer den Unzufriedenen, «jetzt verdient ihr mehr Geld als je zuvor in eurem Leben. Augusta ist auf dem besten Wege, eine Großstadt mit den höchsten Durchschnittseinkommen aller Ortschaften von Georgia zu werden. Jetzt bekommen wir frisches Blut aus anderen Staaten, junge lebensfreudige, unternehmungslustige Menschen aus allen Teilen des Landes. Der Bau der einen großen Atomfabrik im Gebiet von Ellenton bedeutet für uns so viel, als hätten wir auf einmal fünfzig normale Unternehmungen nach Augusta gebracht.»

Mister Moody ist mit Recht etwas verstimmt, wenn er bei seinen Mitbürgern so viele kritische Stimmen hört. Er fühlt sich nämlich mit Recht verantwortlich für den «Boom», der das Leben von Augusta so völlig verändert hat. Jahrelang hatte er durch Eingaben und Reisen nach Washington für den Bau eines Staudammes am Savannahfluß geworben und schließlich mit Hilfe der einflußreichen parlamentarischen Vertretung des Staates Georgia im Senat und im Repräsentantenhaus wirklich das «Clark Project» unweit von Augusta durchgedrückt. Und wiederum, weil dieses Kraftwerk schon einmal da war, hatte die Atomenergie-Kommission die große Anlage zur Herstellung von Tritium in dieser Region planen können.

Und jetzt erntet er nur Undank!

4

Wenn es Abend wird, ist die «Broad Street», Augustas Hauptverkehrsweg, viel zu eng für die Autos und Menschen. Es dauert gute zwanzig Minuten, um im Wagen von der Ecke der First Street bis zur Seventh Street zu gelangen. Die Gehsteige sind überfüllt mit jungen Rekruten aus einem nahe gelegenen «Army Camp», den billig und laut angezogenen Frauen der Zuzügler, die zum Ärger der Einheimischen in Hosen einkaufen gehen, und Bauarbeitern oder Dynamiteuren, die im Gebiet der künftigen Atomanlage sprengen oder Stahlgerüste errichten. Sie behalten ihre Schutzhelme aus Aluminium oder buntem Preßmaterial auch nach Arbeitsschluß auf und schauen den Frauen ebenso ungeniert ins Gesicht wie den jungen Mädchen, die, mit Lockenwicklern im feuchten Haar, noch schnell etwas besorgen wollen, bevor die Nacht mit ihren für die Provinzstadt noch so ungewohnt aufregenden Spektakeln und Ereignissen beginnt.

Denn die in mehr als einer Beziehung altmodische und eher prüde Stadt beginnt jetzt ihr reizloses Antlitz mit lautem Neonlicht zu schminken und sich in später Stunde höchst ausgelassen zu geben. Mit einem Male gibt es in Augusta so etwas wie ein «night life». Unscheinbare, kleine Kneipen verwandeln sich in Dancings und Bars, größere Etablissements engagieren Unterhaltungsnummern. Bis auf die Straßen hinaus hört man die durch Mikrophon und Lautsprecher weit über ihr natürliches Volumen hinaus vergrößerten Stimmen der Schlagersängerinnen.

Als Mister Moody in der Hauptstadt für den neuen Staudamm plädierte, hatte er so etwas wie eine soziale und wirtschaftliche «Kettenreaktion» auslösen wollen. Denn wo es elektrischen Strom und gute Wasserversorgung gibt, siedeln sich bald neue Fabrikunternehmen an, die sich aus der ländlichen Umgebung und von noch weiter her Arbeiter holen. Jeder neue Industriearbeiter aber, so hat die Erfahrung in Amerika bewiesen, zieht durchschnittlich etwa fünf bis sechs neue Menschen in die Stadt nach sich. Das ist außer seiner eigenen Familie noch ein ganzer Troß von Beamten, Geschäftsleuten, Handwerkern, die ihrerseits wieder Familie und eigene Bedürfnisse mitbringen.

So kann schon die Eröffnung einer neuen Fabrik mit 3000 Arbeitern den Zuzug von etwa 20 000 Menschen bedeuten. Nach Augusta sind aber nun nacheinander in wenigen Monaten 36 000 Arbeiter eingeströmt und es folgten ihnen Tausende und aber Tausende, so daß plötzlich zu der eigentlichen Einwohnerschaft von 70 000 mehr als doppelt soviel Fremde gestoßen sind. Augusta ist eine typische «boom town» geworden. Und Mister Moodys «Kettenreaktion» droht unter dem Ansturm kaum mehr zu kontrollierender sozialer Explosivkräfte außer Rand und Band zu geraten.

Wenn die auf ihre Evakuierung wartenden Bürger von Ellenton jetzt nach Augusta kommen, so klagen die «Augies» über ihr eigenes Schicksal: «Es ist, als hätte eine Bombe unsere Stadt getroffen», sagen sie. «Dieses Chaos, diese unselige Verwirrung, diese Friedlosigkeit...»

Da können die Leute von Ellenton dann nicht anders als schadenfroh schmunzeln...

5

In den Lokalen hängen Plakate: «Unbegleitete Damen haben den Platz auch wieder unbegleitet zu verlassen.» Aber niemand hat Zeit zu kontrollieren, ob diese Polizeianordnung befolgt wird. Ab und zu werden einzelne Girls verhaftet, die unter dem Verdacht stehen, Prostituierte zu sein. Sie werden untersucht und mit einem Billet in der Tasche auf den Bus gebracht. Ein paar Stunden später sind sie wieder zurück in Augusta.

Im Spital sind nicht einmal genug Betten für Geburten vorhanden. Es gibt zuwenig Ärzte im Ort, zuwenig Polizisten, zuwenig Straßenreiniger. Es gibt einfach zuwenig von jedem und allem. In gewissen Stunden kostet ein Platz an der überfüllten Cocktail-Bar des größten Hotels einen Dollar «Miete». Die Läden bleiben bis elf Uhr nachts offen und sind doch fast zu jeder Stunde bis zum Bersten überfüllt. Manche Geschäfte sperren plötzlich mitten am Tage und hängen dann eine Mitteilung heraus: «Unsere Angestellten müssen sich ein paar Minuten ausruhen.» Wer seine Wäsche waschen lassen will, hat zwei bis drei Wochen zu warten und muß noch dankbar sein, wenn man sie überhaupt annimmt. Die Kinos spielen Tag und Nacht ohne Unterbrechung. Selbst in den Stunden zwischen Mitternacht und sechs Uhr morgens sind sie gut besetzt. Das gleiche Einbettzimmer wird oft Tag und Nacht von je einem anderen Mieter bewohnt; sie schlafen und arbeiten nur zu verschiedenen Zeiten. Manche dieser «heißen Betten» sollen angeblich in drei Schichten benutzt werden.

Der Stadtrat von Augusta könnte die Lage entspannen, wenn er die Einrichtung neuer Hotels und neuer Geschäfte, den Zuzug neuer Menschen aus allen Metiers gestatten und legalisieren würde. Doch er gewährt nur ganz selten Lizenzen. Die wenigsten Zuzügler können damit rechnen, sich hier dauernd festzusetzen. «Wir wollen keine zweifelhaften Unternehmungen und Personen», heißt die Begründung. Ein alteingesessener Geschäftsmann meint ehrlicher: «Weshalb sollen wir den Goldregen mit Außenseitern teilen? Schließlich müssen wir ja genügend Unbequemlichkeiten in Kauf nehmen...»

6

Im düsteren Rathaus von Augusta verteidigen sich die Stadtväter, denen vorgeworfen wird, nichts zur Abdämmung und Kanalisierung dieser Menschenflut zu tun. Die vorgesehene Belegschaft der Atomfabrik werde höchstens sechstausend Mann betragen, machen sie geltend. Das bedeute unter Einrechnung der Familie und der wirklich notwendigen «Nachzügler» eine endgültige Bevölkerungszunahme von etwa 40 000 Menschen. All die anderen Arbeiter und ihre Anhängsel, die man jetzt noch in Augusta sehe, würden wieder abziehen, sobald einmal die neuen Straßen, die Zufahrtswege, die Verwaltungs- und Fabrikgebäude erstellt seien. Auf diese zeitweiligen Gäste könne daher bei der Zukunftsplanung nicht Rücksicht genommen werden. Man habe sich vorläufig so gut wie möglich zu behelfen. Die ständigen Bewohner von Augusta sollten sich sagen, daß diese unerfreulichen «Begleiterscheinungen» des «Boom» bald verschwinden würden.

Aber wo werden die Neuankömmlinge denn inzwischen unterkommen? Was soll mit ihnen geschehen? Da wird geantwortet, Augusta sei schließlich nicht die einzige Stadt in der Nähe des «Savannahprojekts» (so wird die neue Fabrik unter geflissentlicher Auslassung des bürgerschreckenden Wörtchens «atomic» offiziell genannt). Aiken zum Beispiel sei dem Bauareal viel näher und habe auch keine Verpflichtung...

In Aiken aber ist man den Zuwanderern, ja der ganzen durch das «damned project» heraufbeschworenen Entwicklung gegenüber noch feindlicher eingestellt. Dieses idyllische Städtchen mit seinen schattigen Straßen aus festgestampfter roter Erde, seinen Villenvierteln und Magnoliengärten, fürchtet sich geradezu vor «all diesen Leuten», die kürzlich in die Gegend eingeströmt sind. Nach Aiken pflegen die großen Rennställe des Ostens ihre Tiere auf winterliche Futterrast zu schicken. Aiken ist eine höchst exklusive «horseman's town», an deren «Whisky Road» elegante Klubhäuser auf jährliche Stelldichein der Turfleute ganz Amerikas warten. Nun droht mitten in diese südstaatliche Societyatmosphäre der Fuchsjagden, Jägerbälle und «garden parties» die «neueste Welt» mit all ihrem Lärm, ihren bizarren Absonderlichkeiten, ihrem brutalen Dynamismus einzubrechen. Das darf nicht geschehen. Aiken ist höchstens bereit, einigen Herren aus der obersten Hierarchie der neuen Fabrikverwaltung den Kauf oder Bau von Villen zu erlauben. Wenn die rauhen Straßen- und Fabrikbauer kommen, dann sagt man höflich zu ihnen: «So sorry.»

Wo hausen sie denn nun wirklich, die Tausende und Tausende Neuankömmlinge, die keine Unterkunft in Augusta oder Aiken gefunden haben? Ich fand sie dort, wo so vieles Neue, erst Werdende und Halbfertige in Amerika zu finden ist: am Stadtrand, im «Niemandsland» zwischen den Ortsgrenzen. Dort gibt es keine Stadtsteuern zu zahlen, aber meist auch keine Polizei. Und keine Müllabfuhr. Und selbstverständlich keine Schulen für die Kinder. Ich fand sie in den «trailer camps», der unvermeidlichen Begleiterscheinung fast jeder «boom town». Das sind die höchst provisorischen Siedlungen derjenigen, denen Entwurzelung schon nicht mehr Schmerz und Abschied bedeutet wie den Leuten von Ellenton, sondern bereits selbstverständliche Gewohnheit geworden ist. Menschen leben hier, die das Gesetz der Zeit begriffen haben, dieser Zeit der großen Massenschübe und Völkerwanderungen. Sie kauften sich gleich ein Heim, das in den großen Trecks mitziehen konnte, ein Haus auf Rädern, einen «trailer».

7

Seit seiner Gründung als Staat ist Amerika auf der Wanderung. Die von der amerikanischen Verfassung verheißene «Verfolgung des Glückes» wurde höchst wörtlich genommen. Man suchte das Glück weniger in sich selbst als in immer neuen Räumen, jenseits neuer Grenzen.

Seit 1940 hat diese seit Beginn des Jahrhunderts etwas abgeflaute innere Wanderung wieder mächtigen Auftrieb erhalten. Die neue Rüstungsindustrie wurde meist in Gegenden verlegt, die vorher nur dünn besiedelt worden waren. Von den großen Zentren des Ostens stieß diese Wanderungsbewegung immer weiter und stärker nach Süden und Westen vor. Von den großen Staaten und zivilisatorischen Verkehrsknoten, die wie ein lockeres Netz über den weiten Kontinent geworfen waren, zweigte sie nun in die weiten, oft gar nicht oder nur halb genutzten Territorien ab, die in den weiten Maschen dieses Netzes übriggeblieben waren.

Und der «trailer», das fahrbare Haus, ist nun einmal der Wohnungstyp, der dem entwurzelten Menschen auf der Wanderung am meisten entspricht. Man hängt ihn einfach an das Auto und fährt mit der ganzen Familie dorthin, wo es gerade lohnende Arbeit gibt. Das klingt sehr vergnügt und riecht nach lustigem Landstreicherleben. Die Wirklichkeit aber ist gar nicht so amüsant. Denn die «trailer» dürfen nicht irgendwo am Straßenrand, im Wald oder am Meer aufgestellt werden, sondern müssen sich gewissen Regeln fügen, die verlangen, daß sie für jede über eine kurze Rast hinausgehende Frist in sogenannte «trailer camps» eingestellt werden.

Solche Wohnwagenlager sind nun überall in der Umgebung des neuen Atomprojektes bei Ellenton entstanden. Sie wachsen rund um Parkplätze, für deren Benutzung Wochenmiete an den Grundstückbesitzer gezahlt werden muß. Oft, aber keineswegs immer, kann das fahrbare Haus sich auf diesen Rastplätzen vorübergehend wieder an das Kreislaufsystem der Zivilisation anschließen: an Wasser, elektrisches Licht, Kanalisation, alles hastig und ohne Anspruch auf Dauer installiert.

Vor dem zweiten Weltkrieg glaubten die Bewohner der fahrbaren Häuser noch etwas Besonderes zu sein. Ihre Existenz war umwittert von Abenteuerluft. Sie zogen jeweils der Sonne und dem Vergnügen nach. Nicht selten flohen sie auch einfach vor dem Steuereinnehmer oder der Polizei. Losgelöst von jeder bürgerlichen Regelmäßigkeit, Zigeuner mit Komfort, hielten sie sich vielfach für die einzigen wirklichen Enkel der Gründergenerationen, die im schwerfälligen Zeltwagen nach Westen gezogen waren.

Aber der zweite Weltkrieg mit seinen Massenverschiebungen von Soldaten und Arbeitskräften wandelte die Rolle des «trailer». Nun war er nicht mehr Luxusgegenstand, sondern Gebrauchsartikel, Notwendigkeit für Familien, die dem Vater in die Nähe der Garnison oder zu seinem neuen Arbeitsplatz, wo es keine Wohnungen gab, folgen wollten. Hatten die früheren freiwilligen «trailerites» die Enge ihrer Behausung noch als romantisch empfunden, so sehen die neuen Zwangsnomaden meist nur die Nachteile ihrer Lebensform.

Auch die «trailer camps» haben ihren ursprünglichen Charakter verloren. Früher waren sie einmal so etwas wie Rast- und Lagerplätze, in denen eine fröhliche Wanderer- und Vagabundengeselligkeit herrschte, jetzt gleichen sie mehr Elendsvierteln, improvisierten Industrieslums. Ein solches Camp, eines von den mindestens zweihundert, die rund um die im Bau befindliche «Wasserstoffbomben-Fabrik» von Ellenton entstanden, ist «Green View», gelegen am Ufer des Savannah, im dürftigen Schatten einiger weniger Föhren.

Die zufällig hier zusammengeworfenen hundertzwanzig «Einwohner» von «Green View» sind alle schon seit vielen Jahren auf der Reise. Die Männer haben als Arbeiter, Röhrenleger, Nietenschweißer, Zementmischer, Lastwagenfahrer so ziemlich in allen 48 Staaten gearbeitet. Sie legten in Oklahoma und Arkansas ein Stück der neuen großen Naturgasleitung, die Nordtexas mit Massachusetts verbinden wird. Sie bauten in Rekordzeit die neuen Kasernen des «Zentrums für chemische Kriegführung» im Staate Maryland und füllten die Drahtgerüste des Friant-Dammes in Kalifornien mit Beton. Ein paar der «trailerites» planen jetzt sogar einen Zug hinauf nach Alaska über die neue, im Krieg gebaute Straße, an der einer von ihnen damals selbst mitgearbeitet hat. Die lange Fahrt dürfte sich lohnen, denn dort oben, wo jetzt riesige neue Flugfelder gebaut werden, sind die Löhne mindestens doppelt so hoch wie in den Vereinigten Staaten.

Während die Männer drüben am Bau der neuen Atomfabrik arbeiten, waschen die Frauen von «Green View» ihre Wäsche, schließen mit ihren zeitweiligen Nachbarn ebenso zeitweilige Bekanntschaften und schimpften im Chor auf den Besitzer des «trailer camp», der sich immer nur zeigt, wenn er die Wochenmiete von fünf Dollar pro Standort abholt, aber immer noch nichts getan hat, um die lecke Duschenleitung reparieren zu lassen. Die Radioapparate sind den ganzen Tag lang laut aufgedreht und füllen die Einsamkeit von «Green View» mit den herzzerreißenden Dialogen der Fortsetzungsdramen («Seifenopern» nennt sie der Amerikaner), den neuesten Schlagern und den Reklamen für Waschmittel, Leberpillen und allen möglichen Haushaltspatenten, den in Amerika so beliebten «gadgets».

Die Wohnwagen der «trailerites» sind mit solchen «gadgets» vollgestopft. Die Männer verdienen schon seit Jahren sehr gut, und der Lebensstandard der mobilen Arbeitsgruppen steigt immer höher. Ziemlich alles, was «portable» ist und, ohne viel Platz wegzunehmen, leicht auf der endlosen Wanderung mitgetragen werden kann, findet sich in den «trailers», die ja selbst im Grunde «portable homes» sind. Da gibt es in fast jedem «tragbaren Heim» tragbare Grammophone und Nähmaschinen, da sind kleine Klappstühle und Klapptische, die zu Regenschirmformat schrumpfen können. Die Kleider hängen in einem durchsichtigen, faltbaren Schrankersatz, die Kinder spielen mit riesigen aufgeblasenen Gummitieren, die zur Nacht wieder zu lappigen, traurigen Fetzen zusammenfallen werden. Vor einem der langen, viereckigen Wagen steht sogar ein kleiner, tragbarer «radar-grill», der mit «atomischer Schnelligkeit» Steaks brät.

Als vor einigen Tagen eine Polizeistreife aus Augusta hier vorüberkam und beanstandete, daß zwei der in «Green View» parkenden Familien Neger seien, wurden die «cops» energisch abgewiesen. Sie sollten sich um andere Dinge kümmern, ließ man sie wissen. Wie wäre es, wenn sie erst einmal den Schuft erwischen würden, der vor drei Wochen die kleine Lynn Morgan im Wäldchen nebenan überfiel, oder den Dieb verhafteten, der Mrs. Mulligans Wäsche von der Leine stahl?

Die Polizisten sind dann schnell aus dem Niemandsland wieder abgezogen, haben die «trailerites» mit ihren um das Lager im Halbkreis stehenden Autos, ihren improvisierten Sitzbalkons und ihrem Blick ins magere Grün zurückgelassen, nicht ohne zu drohen, man werde schon dafür sorgen, daß die «northerners» sich an die Sitten des «gastfreundlichen Südens» anpaßten. Aber ehe sie etwas unternehmen, um die Achtung der in Georgia noch gesetzlich verankerten Rassentrennung durchzusetzen, wird wohl von dem Camp nicht mehr viel mehr als ein Haufen von Abfall, von altem Papier und rostigen Konservendosen übrig sein. Die Bewohner von «Green View» sind dann schon wieder in alle vier Winde zerstreut. Nach Florida und Oregon, nach North Dakota und Pennsylvania, überall dorthin, wo neue Fabriken, Staudämme und Militäranlagen gebaut werden.

DER ORT, ÜBER DEM «GEHEIM» STEHT

1

Santa Fé, New Mexico

Der Torhüter hatte scharfe Augen. Er muß den Fahrer, der mich in Santa Fé abgeholt hat, sicher schon hunderte Male gesehen haben, aber er tut doch so, als kenne er ihn gar nicht. Kein freundliches «Hello», wie es in Amerika schon zwischen Menschen gewechselt wird, die einander noch nie oder nur einmal zuvor begegneten, kein Lächeln, kein Begrüßungszeichen. Ein Blick auf den in Kunststoff eingesiegelten Ausweis, ein anderer Blick auf die besondere gestanzte Erlaubnismarke des Autos, die über dem allgemeinen Nummernschild angebracht ist, ein korrektes Kopfnicken und nun nimmt er den Brief, der mir den Eintritt nach Los Alamos erwirken soll. Er liest ihn ganz langsam, sehr aufmerksam, obwohl der Inhalt ein Standardtext ist, wie er in jeder Einladung von «Fremden» in die Atomstadt steht. Dann ein Nicken. Ohne mich anzuschauen, geht der Wärter in seinen kleinen, blitzenden Glaskäfig am Rand der Einfahrtspiste Nummer vier. Ich sehe, wie er den Telefonhörer nimmt, hineinspricht, dann wartet und mich dabei nun durch das Fenster scharf fixiert. Er steht ganz ruhig und ohne jede Spur von Ungeduld da. Ein riesiger Kerl mit einem Cowboyhut und einem hellblauen Hemd, auf dem ein Blitzzeichen und die Anfangsbuchstaben der «Atomic Energy Commission» A. E. C. zu lesen sind, seine Hosen sind peinlich genau gerollt, und ihre Enden stecken in schweren Lederstiefeln.

So sieht also ein Stadttor in der zweiten Hälfte des zwanzigsten Jahrhunderts aus. Die breite, in vielen Serpentinen aus dem Tal des Rio Grande aufsteigende Straße hat sich plötzlich zu einem runden Platz verbreitert, und quer darüber steht eine moderne rechtwinklige Granitstruktur, eine flachdachige Verkehrsschleuse, die den Strom der Autos in sechs schmale Kanäle leitet, flankiert von einem Wachtturm, wie man ihn am Rande von Gefängnissen und Konzentrationslagern schon gesehen hat. Rechts und links davon sehe ich durch das Wagenfenster die «Stadtmauer». Allerdings kein Wall aus Stein oder Erde, sondern ein hohes, weitmaschiges Drahtgeflecht, das einer guten Gartenschere kaum widerstehen könnte, aber sicher durch fotoelektrische Zellen an eine Alarmanlage angeschlossen ist. Darüber sehr lange, dünne Stromgalgen mit stecknadelkopfgroß wirkenden Lampenköpfen, die bei Anbruch der Dunkelheit eine Lichtflutbarriere aus grellen weißen Strahlen errichten.

Nie hat es in Amerika früher so etwas gegeben. Es ist, als hole das Land ohne Burgen, Zugbrücken und Stadtgräben jetzt sein Mittelalter nach: eine Stadt von zehntausend Einwohnern hinter einem von elektrischen Augen gesicherten Wall. Niemand, der ohne Einladung hierher kommen kann, niemand, der unabgemeldet wieder fortgehen darf.

Ich versuche auszusteigen, um mich etwas zu strecken. Einer der blauhemdigen Cowboys macht freundlich lächelnd eine Handbewegung, die bedeutet: drinnen bleiben. So lehne ich mich wenigstens aus dem heruntergedrehten Autofenster heraus. Hinter uns stehen jetzt schon sechs oder sieben andere Wagen. Auch an den benachbarten «lanes» staut sich der Verkehr. Aber niemand ist ungeduldig, niemand beschwert sich. Die Fahrer sitzen an ihren Lenkrädern und schauen wie im Halbschlaf ins Leere.

Wie oft ich diesen schicksalsergebenen Blick bei Amerikanern schon gesehen habe. Die Geduld, mit der Soldaten in der «chow line» stehen, mit der Männer und Frauen sich fast wortlos vor Kinokassen anstellen, oder New Yorker Autofahrer am Sonntagabend, vorn und hinten eingekeilt zwischen anderen Wagen, stundenlang darauf warten, weiterfahren zu können. Keinen Scherz, keinen Fluch, kaum einen Laut außer dem Surren der gezügelten Motoren hört man hier am Stadttor von Los Alamos. Es ist früher Vormittag, aber die Augustsonne brennt schon aus dem klaren Himmel auf die frischgeteerte Straße nieder. Auf der anderen Seite der trennenden Drahtmauer ist jetzt ein graugestrichener Bus vorgefahren. Männer und Frauen steigen eilig aus. Sie reden laut, rufen einander zu, drängen gegen die Ausgangsbarriere. Es sind Indianer aus einem der nahegelegenen Pueblos, die jetzt schon von der Arbeit in der «verbotenen Stadt» nach Hause zurückkehren. In ihren schäbigen Overalls, ihren großkarierten Hemden, mit Jägerkappen, Maschinistenmützen und Sonnenbrillen sind sie kaum als die Ureinwohner dieses Landes zu erkennen. Nur an der sorglosen Art, wie sie die Arbeitsuniformen unserer Zeit tragen, wie da plötzlich einer über seinem verschossenen Trikothemd einen Kranz von hellblauen und rosaroten Perlen hängen läßt, merkt man, daß sie noch nicht ganz erfolgreich in die standardisierte Folie der weißhäutigen Mehrheit gepreßt wurden.

Die Indios sind schnell abgefertigt. Wir aber warten immer noch. Das scheint meinen Fahrer zu ärgern. Als die Arbeiter auf unserer Seite wieder laut lachend in ihren vorgefahrenen Bus hineinklettern, drückt er ärgerlich auf die Autohupe.

Das wirkt zuerst, als hätte jemand in einem Salon ein unanständiges Wort fallenlassen. Aus allen Autofenstern schauen schockierte Gesichter. «Das macht man nicht», scheinen sie zu sagen. Aber da hat schon ein zweiter, ein dritter, ein vierter, es uns nachmachend, sein Signal gedrückt. Und das Echo rollt weiter. Sechs, acht, zwölf und noch mehr Hupen sagen, was die Münder nicht der Mühe wert fanden auszudrücken. Ist es nur ein Ausbruch zurückgehaltener Nervosität? Ist es Unwillen über diese Art der im «Lande der Freien» immer noch recht ungewohnten Wegkontrolle? Oder ist es einfach Freude am Radau? Sogar der bewaffnete Wärter auf dem Balkon des Wachtturmes schaut ziemlich überrascht hinunter in die zu ihm hinaufbrandende Lärmwoge. Aber er nimmt die kleine Revolte nicht tragisch, sondern lacht über das ganze Gesicht. Weniger Sinn für Humor hat unser Kontrollbeamter. Wortlos tritt er jetzt zu uns. Wortlos reicht er mir meinen Brief zurück und noch dazu eine kalte, zelluloidähnliche Brosche mit einer Serienzahl, die mich als «vorübergehenden Besucher» ausweist und stets offen am Rockaufschlag getragen werden muß. Mit einer ärgerlichen Handbewegung bedeutet er uns weiterzufahren.

«Möchte wissen, was sich die Kerle eigentlich einbilden», flucht mein Fahrer gutmütig. «Als ob wir nicht für sie Steuern zahlten.» Und damit rollen wir, vorbei an zwei schußbereiten Tanks, die das Stadttor bewachen, hinein nach Los Alamos.

2

Es gibt wenige Städte, die aus großer Entfernung so eindrucksvoll wirken wie Los Alamos. Ein riesiger flacher Felsklotz, der von weitem beinahe rechteckig erscheint, schiebt sich mit der Schmalseite in das Tal des Rio Grande vor. Auf diesem hohen Naturpodest, dessen Wände an vielen Stellen fast senkrecht in tiefe, schmale Canyons abfallen, erscheinen die wenigen Gebäude, die von unten überhaupt sichtbar sind, klein und beinahe zierlich. Europäische Wissenschaftler, die hier oben arbeiten, haben behauptet, so hätten sie sich etwa die Gralsburg vorgestellt. Man könnte, von Santa Fé herkommend, tatsächlich denken, auf diesem tischglatten Rücken dieser «mesa» befände sich eine Burg oder ein Kloster, wenn nicht die silbrigen Rauchfänge der Laboratoriumsgebäude diese Illusion bald zerstören würden.

Die Einfahrtstraße, die hinter der Stadtmauer von Los Alamos beginnt, versetzt den Besucher dann fast mit brutaler Gewalt in die Gegenwart zurück. «East Road» heißt sie und ist links wie rechts von der üblichen amerikanischen Vorstadtkulisse eingezäunt. Die blaßgrünen, vorfabrizierten Häuser stammen vermutlich aus dem gleichen Unternehmen, das ähnliche Massensiedlungen in der Gegend von Detroit, Gary und Pittsburgh erstellt hat. Es fehlen weder die «Trailer»-Kolonie noch die Haufen von Baumaterialien am Wegrand. Das Laboratoriumsgebäude, das man von weitem sieht, könnte genausogut zu einer Linoleum- oder Reißverschlußfabrik gehören. Es ist von außen so anspruchslos und unaufdringlich wie ein Pappkarton.

Wie viele solcher Laboratorien Los Alamos besitzt und wo sie genau liegen, wissen nur die Eingeweihten. Auf den Stadtplänen, die man Besuchern von auswärts gibt, fehlt mehr als die Hälfte: die ganze dicht bebaute «technische Region» ist einfach nur ein weißer Fleck. Natürlich wird diese «Tech Area», die zum Teil auch auf andere, durch tiefe schmale Canyons getrennte «mesas» hinübergreift, vom Rest der Siedlung abermals durch vielfach gesicherte Drahtzäune getrennt; und innerhalb dieses Reservates gibt es wiederum Regionen, die nur bestimmten Personen zugänglich sind. Ja, innerhalb gewisser Gebäude werden manchmal Stockwerke oder auch nur Zimmer und Kammern gesondert bewacht. Sie sind nur den Erlesensten der Erlesenen zugänglich. So schließt hier Gitter um Gitter, Trennungswand um Trennungswand, auf Kontrollposten folgt Kontrollposten. Jeder zehnte Eingeborene gehört der Sicherheitsbehörde an, ist einer von den beinahe tausend Personen, die ausschließlich mit der Überwachung und dem Schutze der Anlagen beschäftigt sind.

Wer nun mehr als eine der mit verschiedenen Ziffern bezeichneten, voneinander abgeschlossenen Abteilungen betreten darf, ist auch Besitzer ebenso vieler Kennkarten, von denen jede eine andere Nummer trägt. Eine Zeitlang wurden in der zu beruflicher Kastenbildung neigenden Gesellschaft der Atomstadt die «Vielnummrigen» als eine Art Elite angesehen. Es soll sogar einige Rangstolze gegeben haben, die ihre vielen «Nummern» wie Orden am Rockaufschlag zur Schau trugen. Diesem Nummernhochmut wurde allerdings ein böser Stoß versetzt, als es eines Tages aufkam, daß ein ganz gewöhnlicher Handwerker, der bald in jenem, bald in diesem Revier Reparaturarbeiten zu leisten hatte, die höchste Ziffernzahl auf seiner Brust spazierentrug, während der die Funktion eines Bürgermeisters versehende Stadtmanager nur ein armseliger «Dreinummernmann» war. Das setzte dann diesem Snobismus ein sehr plötzliches Ende.

3

Selbst in der «residential area» von Los Alamos mit ihren Wohnhäusern, Laden, Kirchen, Schulen und Spitälern, die es hier genau wie in einer gewöhnlichen Stadt gibt, darf ein von «unten» aus der Welt jenseits der Mauer kommender Passant sich nicht ohne Bewachung bewegen. Mein nahezu ständiger Begleiter, dem ich beim Verlassen des Autos in sichere Hände übergeben wurde, war von nun an Mister Snelling vom «Public Information Office», ein ausgesprochen lebenslustiger Herr mit einem rundlichen, rosigen, von Trinkeräderchen durchzogenen Gesicht. Aus Gründen, die er nicht näher erläuterte, hatte er von einem großen New Yorker Reklamebüro nach Los Alamos hinübergewechselt, das er, wie alle Bewohner der Atomstadt, selten beim richtigen Namen, sondern fast immer nur «the hill», der Hügel, nannte.

Mister Snelling tat wirklich sein Bestes, um in meinen Augen aus dem «Hügel» einen Höchstgipfel sozialer Errungenschaften zu machen. Nicht nur war das Klima hier oben das «gesundeste, verglichen mit irgendeiner anderen industriellen Siedlung von ähnlicher Größe», sondern es waren auch alle anderen Lebensbedingungen von beinahe utopischer Vollendung. Hier gab es weder arm noch reich, sondern nur gleichmäßig gut verdienende, pensionsberechtigte Bürger, die jeden Monat ihre Regierungsgehälter pünktlich bezogen. Da der Zuzug von einer Anstellung durch die Atomenergie-Kommission abhängig war, konnte es in Los Alamos keine Nichtstuer oder Arbeitslose geben. «Wir haben das höchste Durchschnittseinkommen von allen Gemeinden mit zehntausend und mehr Einwohnern in den USA und sind wohl die einzige größere Stadt ohne Verbrechen», betonte Mister Snelling. «Jeder, der hier hinaufzieht, wird vor und natürlich während seiner Anwesenheit von den Behörden auf seine Zuverlässigkeit und Charaktereigenschaften genauestens geprüft. Der moralische Standard der Einwohnerschaft ist daher ungewöhnlich hoch. Wir besitzen übrigens auch die Bevölkerung mit dem durchschnittlich höchsten Intelligenzquotienten Amerikas, weil die Laboratorien so viele Akademiker und hochqualifizierte Spezialarbeiter beschäftigen.»

Es hätte aller dieser Superlative kaum bedurft, um mir zu zeigen, was für ein ganz ungewöhnlicher Ort Los Alamos ist. Eigentlich sollte diese ummauerte Siedlung auf einem fast tausend Meter hohen Tafelberg gar nicht als Stadt bezeichnet werden. Denn jede Stadt muß ein gewisses Maß von Freiheit haben, um sich entwickeln und leben, ja sogar um sterben zu können. Die Ansammlung von Häusern und Werkstätten auf dem «Hügel» über der Ebene des Rio Grande ist aber ein völlig künstliches und willkürliches Produkt. Sie wird nie jemandes «Heimat» sein können, weil hier keiner dauerndes Wohnrecht erwirbt und stets nur als «vorübergehender Bewohner» angesehen wird. Gibt einer seine Stelle auf, wird er gekündigt oder pensioniert, so muß er damit auch seine dem Staat gehörende Wohnstätte räumen und Los Alamos verlassen. Deshalb sieht man fast keine alten Leute auf dem «hill», mit Ausnahme einiger ganz weniger wissenschaftlicher Kapazitäten, die unentbehrlich sind. Hat jemand aus Altersgründen seine Brauchbarkeit für den Arbeitgeber Staat verloren und soll durch eine jüngere Kraft ersetzt werden, so hat er einfach kein Recht mehr auf den ohnehin zu knappen «Lebensraum» der Atomstadt. Auch die vielen Kinder, die ich in den Straßen von Los Alamos sah, wie sie eine moderne Version von «Himmel, Erde und Hölle» spielten, in der die zu überspringenden Kreidequadrate mit «radioactive» oder «contaminated» («verseucht») überschrieben waren, werden, wenn sie einmal groß genug sind, um nach einem Beruf Ausschau zu halten, in Los Alamos selbst Beschäftigung suchen oder weggehen müssen. Sagt ihnen die Arbeit in den Laboratorien oder den anderen unter staatlicher Lizenzpflicht stehenden Unternehmungen auf dem «Hügel» nicht zu oder bestehen sie nur die Persönlichkeits- und Eignungstests der Sicherheitsbehörden nicht, so gibt es für sie in dem Ort, wo sie geboren und aufgezogen wurden, keine Bleibe mehr.

Die in Los Alamos Arbeitenden werden daher nie das Gefühl los, dort nur provisorisch zu leben. Ihr Unmut kommt am häufigsten in Kritik an der «Zia» zum Ausdruck, einer nach dem Namen der indianischen Sonnengöttin benannten Baugesellschaft, die gegen feste Bezahlung durch die Atomenergie-Kommission auf dem der Regierung gehörenden Land Wohnhäuser gebaut und eingerichtet hat und jetzt verwaltet. Lange hat man der «Zia» vorgeworfen, daß sie zu langsam und zuwenig baue. Kaum hatte sich dann die Wohnungsknappheit etwas gebessert, kamen Klagen über schlechte Instandhaltung und «Geschmacksdiktatur». Typisch ist der Fall des elektrischen Steckers. Mehrere Mieter wollten einen unschönen Anschluß, der genau über dem imitierten Kaminsims im Wohnzimmer angebracht war, entfernt haben. Unmöglich. Es stellte sich heraus, daß einer der Direktoren der «Zia», der auch in Los Alamos wohnte, eine solche Steckdose für seine auf dem Sims stehende elektrische Uhr haben wollte. Also mußte sie auch in allen anderen Wohnungen angebracht werden und hatte dort zu bleiben.

4

Zum Lunch führte mich Mister Snelling in das «älteste Gebäude» von Los Alamos, die «Fuller Lodge», ein aus soliden schweren Steinquadern gebautes ehemaliges Internatsgebäude. Denn bis 1942 befand sich auf der «mesa» nichts als die exklusive Erziehungsanstalt des Oberst Conell, der bis zu seinem Tode gegen die Besitznahme des «Hügels» durch die Regierung protestierte und nie mehr erfuhr, was dort eigentlich geschah. In den ersten zwei Jahren des Bestehens von Los Alamos durfte nämlich niemand auch nur andeutungsweise wissen, wer «dort oben» beschäftigt war und an was für einem Kriegsprojekt gearbeitet wurde.

Die Atomwissenschaftler gaben damals aus Sicherheitsgründen als ihre Adresse nur das Postfach 1593 in Santa Fé an. In allen offiziellen Memoranden wurde Los Alamos als «Terrain Y» geführt und der Nachrichtendienst half selbst mit, in der Umgebung des «Hügels» falsche Gerüchte über die Natur der Arbeiten in Los Alamos auszustreuen.

Heutzutage werden in den rustikal holzgetäfelten Zimmern der Internatsschüler Gäste – wie Kongreßabgeordnete und zur Konsultation gerufene Wissenschaftler – untergebracht, die auf ein paar Tage oder Wochen nach Los Alamos geladen werden. Im Eßsaal, der in seiner Behaglichkeit angenehm gegen die neugebaute Cafeteria im Stadtzentrum absticht, speisen die «oberen Zweihundert» von Los Alamos, soweit sie es nicht vorziehen, ihren Mittagsimbiß im eigenen Haus zu nehmen.

An unserem Tisch saß ein Chemiker, der, wie er mir erzählte, vor ein paar Tagen erst unter einem neueingeführten System erweiterter politischer Selbstverwaltung nebenbei die Funktionen eines «Öffentlichen Anklägers» übernommen hatte. «Ich werde hier oben kaum sehr viel zu tun haben», sagte er, mit einer Spur von Bedauern in der Stimme. «Wir sind alle zu brav. Höchstens, daß ich einmal einen Verkehrssünder wegen Schnellfahrens unter Anklage stellen kann.»

«Aber sonst sind wir hier oben ‹regular guys›», fiel ein anderer Tischnachbar ein. «Wenn die Leute ‹draußen› nur begreifen würden, daß wir Atomphysiker und -chemiker mindestens ebenso normale, gewöhnliche Sterbliche sind wie sie selbst. Nach den Briefen zu urteilen, die ich von manchen meiner Bekannten bekomme, hält man uns für eine Art Zauberer, oder schlimmer noch – eine Sorte von Robotern. Sagen Sie doch, wenn Sie je von Los Alamos erzählen, daß wir keine Magierhüte auf dem Kopf tragen, weder Elektronengehirne im Kopf noch Geigerzähler in der Brust. Wir sind keine Ungeheuer. No Sir!»

Der Chemiker, der sich gerade noch in menschlicher, allzu menschlicher Manier über die Zähigkeit des Roastbeefs auf seinem Teller beklagt hatte, stimmte zu: «Es ist unglaublich, was für eine dumme Legende um uns und unseren Ort entstanden ist. Wenn ich reise und im Hotel unter der Rubrik ‹Domizil› eintrage: LOS ALAMOS, sieht mich der Chef der Anmeldung von seinem Pult gleich ein wenig erschreckt oder voll ängstlicher Hochachtung an. Die Telefonistinnen hören, wie ich mit Bestimmtheit weiß, alle meine Gespräche ab, wohl in der lächerlichen Hoffnung, irgend etwas Geheimnisvolles zu erfahren, und mein Gepäck wird so mißtrauisch oder vorsichtig gehandhabt, als ob ich eine kleine Bombe mit mir führte. Neulich hat sich ein Hotelboy glatt geweigert, mir meine Koffer ins Zimmer zu tragen.»

Wie um diese Normalität um jeden Preis zu betonen und zugleich nicht in die Versuchung zu geraten, je etwas über ihre Tätigkeit vor Nichteingeweihten auszuplaudern, vermeiden die Bewohner schon das Wort «Atom» wie etwas Anstößiges. Über die Arbeit in den Laboratorien wird weder zu Hause noch unter Freunden gesprochen. Wer die vergitterte Arbeitswelt der «tech Area» einmal erwähnt, tut das außerhalb der Laboratorien nur in betont harmlosen, die Furchtbarkeit der Bemühung um immer vollkommenere atomische Waffen verschleiernden Ausdrücken. Ähnlich wie primitive Völker das Ungeheure niemals beim wirklichen Namen nennen, so werden hier Atomöfen in der Umgangssprache nur als «Wassertöpfe» und Atombomben als «Feuerfrösche» bezeichnet. Der schnelle Kernreaktor heißt «Clementine» nach der Heldin eines derben Liedchens, das die Goldgräber von 1849 sangen, und kam zu seinem Namen, weil das in ihm verarbeitete Plutonium während des Krieges unter der Codenummer 49 lief. Die gefürchtetste Krankheit in Los Alamos ist eine «Erkältung», die gefährlichste Unfallart, zu deren Verhütung zahlreiche Schutzmaßnahmen dienen, «eine kleine Brandwunde». Hinter diesen beiden alltäglichen Krankheitsbezeichnungen verbirgt sich aber in Wahrheit die neue, gefährliche Giftwelt radioaktiver Überdosierung.

Von der stillschweigenden Konvention, die solche Gesprächsgegenstände in der Öffentlichkeit verbietet, damals noch nichts ahnend, fragte ich, wie man eigentlich die fertigen Atombomben und anderen Atomwaffen aus Los Alamos fortschaffe. Eisiges Schweigen antwortete mir. Es werde hier nur Waffenforschung, keine Waffenherstellung betrieben, belehrte mich mein Mentor Mister Snelling, dem mein «faux pas» sichtlich peinlich war. Dann ging man schnell auf harmlosere Themata über. Das zähe Stück Rindfleisch des Chemikers, das immer noch allen seinen «Spaltungsversuchen» tapferen Widerstand leistete, bot willkommene Ablenkung...

Um sich selbst und der Welt zu beweisen, daß sie im Grunde genauso leben wie in irgendeiner anderen amerikanischen Stadt, haben die Bewohner des «Hügels» sich in einer Anzahl von Clubs zusammengefunden. Es bestehen hier neben den lokalen Filialen der im ganzen Lande verbreiteten Logen und Brüderschaften, wie den «Löwen», den «Elchen», den «Kiwanis», den «Optimisten», auch Vereinigungen für Briefmarkensammler, Binokelspieler und Skifahrer (denn im Winter soll es in den nahe gelegenen Jemezbergen gute Pisten geben). Die «Modelleisenbahnvereinigung», der «Duplicate Bridge Club», der «Amateur Radio Club» empfehlen sich dem neu Hinzugezogenen Seite an Seite mit Berufsverbindungen wie der «American Chemical Society» oder dem «Security Club».

Wem keiner der achtzig geselligen Verbände zusagt, braucht deshalb noch lange nicht seine Abende einsam zu verbringen. Man trifft sich bei jeder möglichen und unmöglichen Gelegenheit zu «parties». Die Tatsache, daß Los Alamos teilweise «trockengelegt» wurde und nur die Clubs oder Privatleute ausschenken dürfen, ist nicht allein für dieses hektische gesellschaftliche Leben verantwortlich. In Wahrheit trägt eben doch vor allem die Besonderheit dieser weltabgeschnittenen und überwachten Existenz zur Förderung reger «social activity» bei. In der Gesellschaft von anderen «Los Alamites» ist man sicher, daß niemand indiskrete Fragen stellt. Und sollte einmal jemand unter dem Einfluß von Alkohol über Dinge plaudern, die als «SECRET» besser ungesagt blieben, so ist der Schaden nicht so groß, wenn das im Kreise von mehr oder weniger Eingeweihten geschieht. Übrigens kommt es fast nie so weit. Wird jemand zu gesprächig, so springt bestimmt jemand rechtzeitig ein und bedeutet dem Fehlbaren mit einer zur Konvention gewordenen Andeutung des Schlüsseldrehens: «Shut up!» Worauf der Ermahnte sich auch meistens schnell wieder «zuschließt».

5

Als aber Mister Snelling nach dem dritten oder vierten Drink in dem um die vierte Nachmittagsstunde fast leeren «Army and Navy Club» plötzlich seine Beherrschung verlor, war außer dem vor sich hindösenden Barmann nur ich, sein Gast, da. Er hatte mir nun ziemlich alles gezeigt und angepriesen, was auf dem «Hügel» gezeigt werden darf. Ich hatte nacheinander den Supermarket mit seinen aseptischen Ladentischen, die «Community Center» mit dem großen Kino- und Vortragssaal, die Redaktion der Zeitung «Los Alamos Skyliner», die öffentliche Bibliothek, die Radiostation und das Spital gesehen.

Mister Snellings nie endender Lobgesang hatte von den vielen Babies, den Hunden, dem Skigelände und anderen freundlich nichtssagenden Einzelheiten gehandelt. Los Alamos, Geburtsstadt der Atombombe und ihrer noch gewalttätigeren Nachkommenschaft, mußte nach alledem eine Art gemütlicher Kurort sein. Dann aber schien diese Schönmalerei plötzlich dem guten Reklamechef doch selbst ein wenig zu toll geworden zu sein. Er unterbrach seinen gesprochenen Reiseprospekt mit einem lauten: «Oh nuts... Ehrlich gesagt, manchmal möchte man eine Fensterscheibe einschlagen.»

Der Barmann schaute auf und nickte gleich wieder ein, als keine Bestellung kam. Mister Snelling verzog sein Gesicht, erinnerte sich daran, daß keiner seiner Mitgefangenen des großen Glashauses vor ihm saß, und verstummte. Das Fenster war wieder fest geschlossen und ließ nur noch rosige Bilder durch...

Natürlich tat es ihm gleich leid, daß er sich so hatte gehenlassen. Wie um den Eindruck wieder auszuwischen, lud er mich in sein Heim ein. Ohne zu sprechen fuhren wir hinüber nach der «Western Area», wo auf künstlich bewässerten Wiesenflecken, die sauber, wie schmale, grüne Bettvorleger, vor den mit bunten Ostereierfarben bestrichenen Standardhäuschen angeordnet waren, Kinder Baseball spielten. Ein ziemlich beleibter Mann mit einer dickglasigen Brille auf der Nase schob eifrig seine elektrische Rasenmähmaschine vor sich her und grüßte freundlich. «Das ist George Gamow», sagte Snelling. «Sie haben vielleicht von seinem Buch über den ‹Tod des Sonnensystems› gehört. Einer unserer wichtigsten Leute hier. Seine Spezialität ist das Wasserstoffatom.»

Es wurde ein reizender Nachmittag. Mister Snellings Frau, die mit staatlicher Lizenz das einzige Reisebüro von Los Alamos eröffnet hat, erzählte aufgeregt vom Geschäftsgang des Tages. «Sie wissen gar nicht, wie reiseverrückt die Leute hier oben sind», sagte sie. «Ich glaube, manche geben ihren halben Verdienst für Wochenendausflüge bis nach New York und Chikago aus. Ist das nicht eigentlich ein Unsinn?»

«Um so besser für dich», meinte Mister Snelling.

6

Am Abend wollte sich Mister Snelling ein wenig seiner Familie widmen. Er müsse seiner Tochter bei einer Hausarbeit für die Geographiestunde helfen, sagte er. Da aber mein Bus erst zu später Stunde fuhr, ließ er mir die Wahl zwischen einem — natürlich diskret beaufsichtigten — Kinobesuch und der Visite bei einer österreichischen Familie, die sich bestimmt freuen werde, jemand aus dem «old country» bei sich zu sehen. Natürlich wählte ich das letztere. Mister Snelling gab mich gegen sieben Uhr in einem der bunten Reihenhäuschen ab und versprach, mich dann in zwei bis drei Stunden abzuholen.

Wir hörten wunderbare Langspielplatten. Aufnahmen der «Brandenburgischen Konzerte». Dann die Wiener Philharmoniker und Schubert-Lieder. Für Augenblicke vergaßen meine Gastgeber und ich, daß wir uns, über fünftausend Meilen von Wien entfernt, eben erst hier auf einem durch den ganzen Apparat moderner Technik und Geheimhaltung verwunschenen Felsen in der Wüste von New Mexico kennengelernt hatten. Auch das Abendessen, in dem gemütlich hergerichteten «living room» serviert, stammte aus jener Zeit kultivierter bürgerlicher Genüsse, die noch viel weiter von uns weg liegt als fünftausend Meilen.

Schließlich hatte ich beinahe widerwillig das Gespräch von Vergangenheit und Sehnsucht auf die Gegenwart und alltägliche Wirklichkeit zurückzuführen versucht. Meine Frage an den Hausherrn, einen bedeutenden Physiker, hatte etwa gelautet:

«Wie können Sie, der sein Geburtsland aus Sehnsucht nach einem freieren Leben verließ, diese Existenz in der Atomstadt mit ihren zahllosen ‹Sicherheitsregeln› und unvermeidlichen Freiheitsbeschränkungen ertragen?»

Die kurze, etwas müde Antwort hieß: «Man gewöhnt sich eben.»

«Ja, man gewöhnt sich», wiederholte seine Gattin mit einem deutlichen Seufzer der Resignation.

Gewohnheit, die wohltätig beruhigende, aber auch gefährlich einschläfernde Macht, zwiespältig wie die Atomenergie selbst, ist der Schlüssel für so vieles in Los Alamos.

«Habt ihr nicht Angst, einmal mitsamt euren Laboratorien in die Luft zu fliegen?» Das ist die Standardfrage, die fast jeder Besucher von «unten» früher oder später einmal stellt. Sie wird mit einem verzeihenden Lächeln beantwortet: «Im Anfang schon, aber bald vergißt man das. Wenn die Feuerwehr nicht ab und zu Übungsdrills veranstaltete, dächte kaum jemand mehr an diese Gefahr. Gewohnheit ... wissen Sie.»

Aber der aus der Welt der Gerüchte und Vermutungen Kommende dringt indiskret weiter: «Wie bringen Sie es fertig, so viel zu verschweigen? Wie halten Sie es aus, Ihrer Frau nicht ein Wort von Ihrer Arbeit zu erzählen?» Die Befragten lachen. «Ich kenne meinen ‹Lohengrin›», sagt die Gattin. Dann ernsthafter: «Selbst wenn mir Walter etwas erzählen wollte, würde ich es vermutlich doch kaum begreifen. Und begriffe ich es, dann wüßte ich immer noch nicht sehr viel über das, was dort drüben in der ‹Tech Area› geschieht. Es gibt nicht *das* Atomgeheimnis, sondern Dutzende, vermutlich sogar Tausende, und ich glaube, kein einzelner Mensch hat Übersicht über alle.»

Die Atomenergie-Kommission kann sich allerdings auf solche «Sicherung durch Nichtverständnis» nicht einlassen. In fast jedem Büro von Los Alamos hängt ein Warnungsplakat. Es zeigt einen von Radiowellen wie in ein Spinnetz eingefangenen Mann, der gerade einen mit der Aufschrift «classified» gekennzeichneten Bericht liest. Darunter steht: «Jetzt, da Du weißt, kontrolliere Deine Wellenlänge!» Das Plakat ist ein Eingeständnis der Tatsache, daß alle Wände, Gitter, Barrieren, alle Ausfragereien und Sicherheitsüberprüfungen nichts nützen, wenn der «Geheimnisträger» nicht selbst gewillt ist, sich auch innerhalb der Sicherheitsforderung gleichzuschalten.

Bei Kriegsende gab es zahlreiche der in Los Alamos arbeitenden Wissenschaftler, die sich diesem Gebot nicht mehr fügen zu können glaubten. Das war die Zeit der «Gewissenskrise», in der gerade die führenden Mitarbeiter an der ersten Entwicklung der Atombombe dem «Hügel» den Rücken kehrten, um sich wieder friedlicher, freierer Forschung zu widmen. Nicht alle, aber doch überraschend viele fanden in den folgenden Jahren den Weg zurück nach Los Alamos. Die Ablehnung des Atomkontrollplanes der Vereinten Nationen durch die Russen rechtfertigte in den Augen vieler amerikanischer Atomforscher die Weiterarbeit an der Entwicklung von Atomwaffen.

Dazu aber kam noch die Erkenntnis, daß nur die Laboratorien von Los Alamos über gewisse Forschungsinstrumente und Experimentiermöglichkeiten verfügten, die zum tieferen Eindringen in die Geheimnisse der Materie unentbehrlich waren. Keine der zahlreichen amerikanischen Universitäten ist laboratoriumtechnisch so gut ausgerüstet wie Los Alamos. Der Staat befindet sich in diesem Fall im Alleinbesitz gewisser unerläßlicher «Produktionsmittel» zur Gewinnung wissenschaftlicher Erkenntnis. Es sieht sich daher ein Großteil der Atomphysiker geradezu vor die Alternative gestellt, entweder auf eine fruchtbare Weiterarbeit in ihrem Spezialgebiet zu verzichten oder aber die besonderen Arbeitsbedingungen von Los Alamos und den anderen der Atomenergie-Kommission unterstehenden Instituten zu akzeptieren.

«Mehr als irgend etwas anderes hält mich hier das Spezialmikroskop, mit dem ich arbeite», meinte mein Gastgeber in Los Alamos.

«Trifft es zu, daß Sie, wenn Sie einmal Ihren Kontrakt mit der Atomkommission kündigen, fünf Jahre lang nicht ins Ausland fahren dürfen?» fragte ich.

«Es ist der Gedanke, mit dem wir uns am schwersten vertraut machen können», fiel die Frau ein.

«Aber glauben Sie mir ...» fuhr der Physiker dazwischen, «man ...»

«Weiß schon, weiß schon ... man gewöhnt sich.»*

7

Gegen zehn Uhr abends holte mich Mister Snelling bei den Gastgebern ab, um mich sicher zum Autobus zu führen, der so spät noch zum letzten Male vom Hauptplatz am «Community Center» hinunter nach Santa Fé fuhr. Ich bedankte mich bei ihm für seine Geduld mit mir und ließ seine Gattin recht herzlich grüßen, ehe ich erleichtert in den Bus stieg, der mich aus der verwunschenen Zukunftswelt von Los Alamos fortbringen sollte.

Als wir uns trennten, versprachen wir einander, uns in Washington wiederzutreffen.

P.S. Daraus wurde dann leider nichts. Kurz nachdem ich Los Alamos verlassen hatte, verschwand Mister Snelling nämlich, wie ich aus Zei-

* Die Reisevorschriften für viele — nicht alle! — bei Rushingvorhaben Beschäftigte sind seither gemildert worden. Los Alamos ist heute eine «offene Stadt», andere Zentren der geheimen militärischen Forschung weisen aber immer noch die hier geschilderten Charakteristiken auf.

tungen erfuhr, ohne sich abzumelden. Die Presse glaubte zuerst selbstverständlich, er habe sich mit Atomgeheimnissen davongemacht. Aber als sie ihn zehn Tage später von Mexiko her den amerikanischen Behörden auslieferten, gab es eine viel harmlosere Erklärung. Snelling hatte Gelder, die er bei einer wohltätigen Sammlung kassierte, mitgenommen und vertrunken oder einfach verlebt. Natürlich wurde der «Unwürdige» sofort entlassen.

EIN STÜCKCHEN HÖLLE

1

Richland, State of Washington

«Hebt nichts auf, was ihr auf der Straße oder auf dem Feld liegen seht», warnen die Eltern von Richland, der zu den Hanford Plutoniumwerken gehörenden Wohnstadt, ihre Kinder. «Nichts, aber gar nichts, habt ihr verstanden?»

Und dann erzählen sie zur Unterstreichung ihres Verbotes die Geschichte vom «weißen Mann».

«Es war einmal ein Wärter aus Richland, der fand ein Werkzeug auf seinem Rundgang und trug es mit sich nach Hause, obwohl es ihm nicht gehörte», heißt es da. «Erst am nächsten Morgen merkte er, daß seine Hände durch Alphastrahlen verseucht waren, und er lief erschrokken zur ‹D.I.-Division›. Da begannen die Ärzte und Vorgesetzten des Wärters zu zittern und zu zetern. Sie fuhren geradewegs zu dem Häuschen, wo er mit seiner Frau und seinen Kindern wohnte, um das Werkzeug schnellstens zurückzuholen. Aber die Ansteckung war von dem gefundenen Gegenstand schon überall hingedrungen: nicht nur der Wärter und seine Familie mußten ins Spital, sondern das ganze Haus war krank. So mußten die ‹weißen Männer› mit den schwarzen Gummimasken gerufen werden. Sie befahlen, daß Betten, Stühle, Tische, Kissen und alles, was beweglich war, zum Verbrennen fortgeschafft werde. Dann ließen sie die Farbe von den Wänden kratzen, die Fußböden auf- und die Ofenanlage herausreißen. Denn alles war vergiftet worden ... Und wenn ihr nicht folgt, wird der ‹weiße Mann› auch zu uns kommen und alle Spielsachen mitnehmen und das Schlafzimmer und das Eßzimmer und die Küche und vielleicht das ganze Haus ...»

Die Geschichte vom «weißen Mann» ist kein zu pädagogischen Zwekken erfundenes Gruselmärchen. Sie hat sich wirklich im Mai 1951 zugetragen. Es liegen darüber in den Archiven der Atomenergie-Kommission und der «General-Electric», die im Auftrage des Staates den größten Komplex der Atomfabriken in den USA verwaltet, Bündel von genauen Berichten. Der Vorfall selbst konnte der Öffentlichkeit nicht unterschlagen werden. Es wußten zu viele Personen in der nahen Nachbarschaft des «entgifteten» Hauses davon. Nur der Name des Wärters wurde geheimgehalten. Man wollte verhindern, daß seine Kinder in der Schule wie Aussätzige behandelt würden, daß die Läden seiner Frau nichts verkauften, weil sie kein Geld aus ihrer Hand annehmen wollten, daß er selbst in Zukunft von jedermann wie ein Pestkranker gemieden würde. Denn all das hatten ihm seine nächsten Nachbarn schon angetan. Erst als er aus Richland hinüber nach der Schwesternstadt Kennewick gezogen war, wo niemand von seinem Ungeschick wußte, konnte der Wärter wieder in Frieden leben.

Man darf den Nachbarn des Wärters ihre Ängstlichkeit nicht einmal übelnehmen. In Richland, der nagelneuen, peinlich sauberen Stadt von dreißigtausend Einwohnern, die nach Kriegsende von der amerikanischen Regierung für die Angestellten und Arbeiter der dreißig bis sechzig Kilometer weit entfernten Atomfabriken gebaut wurde, ist die Furcht vor der Ansteckung durch die unsichtbaren radioaktiven Teilchen und Strahlen fast zur Besessenheit geworden.

Jeder, der in Richland lebt, lernt zuallererst in den öffentlichen, immer neu wiederholten Aufklärungskursen das Schreckalphabet des Atomzeitalters:

Alpha-Strahlen: Positiv geladene Heliumkerne aus dem Atomkern. Können die Haut zwar nicht durchdringen, aber großen Schaden anrichten, wenn sie durch kleine offene Stellen ins Körperinnere geraten.

Beta-Strahlen: Elektronen. Geringe Durchschlagskraft. Dringen etwa ein Drittel Zoll weit in die Haut ein. Große Verbrennungsgefahr.

Gamma-Strahlen: Können von außen bis tief in den Körper eindringen. Mengenmäßig zwar schwächer als andere Arten der Strahlung, aber wegen ihrer starken Durchschlagskraft am schwersten durch Schutzvorrichtung abzuhalten.

Neutronen: Lebensgefahr! Im höchsten Grade schädlich. Je nach Geschwindigkeit dringen sie bis tief ins Gewebe ein. Bei starker Bestrahlung werden innere Organe lahmgelegt.

2

Der Größe der Bedrohung entspricht die Intensität ihrer Abwehr. Vor der Spezialkommission des amerikanischen Senats hat der Chef der wissenschaftlichen Rüstungsentwicklungen während des zweiten Weltkrieges, Dr. Compton, ausgesagt: «Das Atomenergie-Programm enthält den bei weitem gefährlichsten Herstellungsprozeß, den der Mensch je unternahm.» Im Jahre 1942 glaubten manche der amerikanischen Atomexperten noch, es werde praktisch unmöglich sein, die Arbeiter der damals erst auf dem Papier stehenden Atomindustrie gegen die bei der Kernzertrümmerung entstehenden Strahlungen zu schützen.

Bis dahin hatte es auf der ganzen Welt alles in allem nur rund drei Pfund Radium in menschlichem Besitz gegeben. Nun würden in den «Kernbrennern» durch Einwirkung der Atomzertrümmerer buchstäblich Millionen Pfunde von radioaktivem Material verschiedenster Art erzeugt werden. Die Wissenschaftler waren sich durchaus klar darüber, daß hier enorme Quantitäten lebenbedrohender Strahlungen als Neben- oder Abfallprodukt der Kernzertrümmerung erzeugt würden. Es mußten Schutz- und Sicherheitsmaßnahmen von nie gekanntem Ausmaß und peinlicher Strenge getroffen werden, wie sie im industriellen Gesundheitsschutz bisher auch noch nicht einmal annähernd notwendig geworden waren.

Schon die geographische Lage der sogenannten «Hanford Area», in der die verschiedenen Abteilungen der Plutoniumwerke untergebracht sind, trägt diesem Bedürfnis nach Sicherheit Rechnung. In der trockenen, unfruchtbaren «Inlandwüste» des Staates Washington, hoch oben im verkehrsentlegenen Nordwesten der USA, wurde ein Gebiet von beinahe tausend Quadratkilometer Flächeninhalt umzäunt. Die inzwischen zu einer Dreierstadt von 100 000 Menschen zusammengewachsenen Orte Pasco, Kennewick und Richland liegen dreizehn bis zwanzig Kilometer weit weg vom Eingang des Fabrikgeländes und sogar vierzig bis sechzig Kilometer von den fensterlosen, grauen, an Festungen erinnernden Betonklötzen entfernt, in denen der eigentliche Prozeß der Umformung von Uranerz in das künstliche Element Plutonium (U 239) vor sich geht.

Betritt man das abgesonderte Gebiet, so ist dort zuerst kilometerweise nichts anderes als auf der anderen Seite der trennenden Barriere zu sehen: dürrer Boden mit staubigen Salbeibüschen bewachsen, ein paar vor dem Auto davonhuschende, verängstigte Wüstenkaninchen, der von Soldaten der fünften Armeegruppe bewachte Schienenweg zu den Fabriken, und schließlich fern am Horizont die bleistiftdünnen, metallenen Kamine, ebenso mit stumpfen Tarnfarben bemalt wie die ersten jetzt auftauchenden Lagerhäuser. Die immer wieder auftauchenden Warnplakate, eine sinistre Abart jener lauten Reklametafeln, die man entlang gewöhnlicher amerikanischer Landstraßen sieht, erinnern schon bei der Anfahrt an die besondere Natur des Ortes. «SCHWEIGEN BEDEUTET SICHERHEIT», mahnen sie.

Aber das ist erst der Beginn. Im Inneren der Werke verfolgen dich die Warnungen auf Schritt und Tritt:

GEFAHR! BLEIB DRAUSSEN. FUSSBODEN STARK VERSEUCHT

oder

GEFAHR! RADIOAKTIVER STRAHL

oder

GEFAHR! HOHER NEUTRONENSTROM

Die Plakate beschwören:

GUMMISCHUHE ANLEGEN! JENSEITS DIESER SCHWELLE VERSEUCHT!

oder

HANDSCHUHE NICHT VERGESSEN! «HEISSE REGION»

oder

MASKE FESTSCHNÜREN! LUFT UNREIN

Die Plakate weisen an:

GUMMISCHUHE ANLEGEN! JENSEITS DIESER SCHWELLE VERSEUCHT!

oder

STRAHLUNGSGEFAHR! NACHSEHEN, OB SICHTGLAS VOLLER WASSER

oder

FALLS ETWAS VERSCHÜTTET WIRD:

1. HALTE DEN ATEM AN
2. VERLASSE DEN RAUM UND VERSCHLIESSE IHN
3. VERSTÄNDIGE SOFORT DIE GESUNDHEITSGRUPPE

Daneben ist stets das spezielle Symbol zu sehen, das Strahlungsgefahr anzeigt: drei violette Radialsektoren, die um einen dunklen Punkt angeordnet sind.

Diese Anschriften, die in allen Hallen, Gängen, Werkstätten, Beobachtungsräumen der Hanford-Werke hängen, sind nur einige Stimmen aus dem nie verstummenden Chor der Warnungen vor dem unsichtbaren Strahlungsgift.

Da sind die «Dosimeter», die aussehen wie Füllfederhalter und die Farbe wechseln, sobald der Träger zu lange dem unsichtbaren Strahlungsbeschuß ausgesetzt ist. Achtung, wenn sich Grün in Gelb verwandelt. Höchste Zeit, den Arbeitsplatz zu verlassen, wenn Gelb sich zu Orange verfärbt. Da sind die Broschen mit sich selbst entwickelndem Film, der dunkelt, die Fingerringe, deren Einsatz schwarz anläuft, Wasserhähne sagen schon durch ihre Bemalung, ob sie «kühl», «warm», «halb heiß» oder «heiß» sind. Mechanische «Schnüffler» geben kreischende Töne von sich, wenn sich die Luft zu stark mit schädlichen Strahlen sättigt. Wer in die wirklich gefährlichsten Regionen vordringt, steckt in phantastischen Vermummungen und muß sich mit einem langen Stab vorwärts tasten, an dessen Spitze eine Geigerröhre angebracht ist.

Zahllos sind die Abwehrmittel gegen die Radioaktivität. Scharfe chemische Seifen und Flüssigkeiten attackieren Strahlungsreste auf Wäsche und Haut. Das ist hier ein ständiges Reiben, Bürsten, Waschen. Wie in einem bösen Traum versucht man einen unsichtbaren Schmutzfleck wegzuscheuern, einen Makel, der sich trotzdem nicht mit völliger Bestimmtheit entfernen läßt. Denn niemand kann bisher mit Gewißheit sagen, ob nicht vielleicht nach Jahren doch noch schädliche Folgen der Arbeit mit den «strahlenden Elementen» auftreten werden. Monatliche, außerdem noch besondere halbjährliche und jährliche Blut- und Ausscheidungsproben müssen von der Gesundheitsabteilung für jeden gemacht werden, der in den Hanford-Werken arbeitet. Wie viele Partikelchen sind vielleicht in den Blutkreislauf, die Leber, die Galle, Niere oder Milz gelangt? Haben die Lymphdrüsen gelitten, ist das Rückenmark geschädigt? Wie hoch ist die Zahl der weißen Blutkörperchen? Gibt es Ablagerungen in den Knochengeweben? Diese Kontrolluntersuchungen sind obligatorisch und permanent.

Jemand, der unter solchen ungewöhnlichen Bedingungen arbeitet, muß furchtlos sein. Aber er darf weder zu den Phlegmatikern gehören, die sich in gefährlichen Situationen oft nur deshalb bewähren, weil sie temperamentlos sind, noch die beträchtlichen Risiken seiner Beschäftigung zu leicht nehmen. Auch hier wieder, wie bei den Jetpiloten, wird vor allem nach dem Menschen von ruhigem, gleichmäßigem Temperament Ausschau gehalten, dem «Mittelmaß», das weder über zuviel noch über zuwenig Initiative und Einbildungskraft verfügt.

Ein neuer Mann, der in die nach Tausenden zählende Arbeitsarmee der «Hanford Area» eintritt, wird, bevor er je eine der Fabriken gesehen hat, in einem vierwöchigen Kursus durch Vorträge und vor allem Unterrichtsfilme ausgebildet. Hier bringt man ihm bei, daß wegen der Strahlungsgefahr seine Arbeit oft umständlicher und langsamer vor sich gehen wird, wie er es bisher gewohnt war. Er lernt, daß er das gefährliche Material, welches er herstellt, vermutlich niemals mit eigenen Augen zu sehen bekommen wird, daß er, wenn überhaupt, sich nur mit meterlangen besonderen Werkzeugen den durch Radioaktivität verseuchten Kapseln, Schrauben, Fläschchen, Maschinenteilen nähern darf. Vor allem aber wird der neue Mann mit seinem Schutzengel bekanntgemacht, der ihm während der Arbeitszeit in den Plutoniumfabriken fast nie mehr für länger als zwei oder drei Stunden von der Seite weichen wird. Das ist der weißgekleidete «H.I. man», Angestellter der «Health Instrument Division» von Hanford, die für den Gesundheitsschutz der Arbeiter in der Fabrik verantwortlich ist. Auf vier in den «heißen Regionen» der Werke beschäftigte Personen kommt mindestens ein solcher Gesundheitswächter. Er prüft mehrmals am Tage nach, ob auch keiner seiner Schützlinge eine über die biologisch verträgliche Dosis hinausgehende Strahlungsmenge erhalten hat, und legt von jedem einzelnen ihm Anvertrauten ein peinlich genaues Dossier an, in dem Tag für Tag, Woche für Woche, laufende Daten über seinen Gesundheitszustand gebucht werden. Wenn der «H.I. man» der Ansicht ist, daß ein Arbeiter durch Beschäftigung bei einem besonders «heißen Job», etwa bei einer Reparatur oder Fortschaffung radioaktiver Abfallstoffe, eine zu hohe Dosis gefährlicher Strahlen bekommen hat, kann er ihn auf eigene Verantwortung für den Rest der Arbeitsschicht und unter Umständen sogar für mehrere Tage auf Erholung nach Hause schicken.

3

Wenn der Atomarbeiter John P. Bryant am Morgen in die Fabrik kommt, werden ihm am Eingang zwei Ionenkammern in Taschenformat, die sogenannten «Bleistifte», und seine persönliche Ansteckbrosche ausgehändigt, in der sich ein Stückchen strahlenempfindlicher Film befindet. Er geht ganz zuerst in die Kantine, um dort seinen aus Richland mitgebrachten Proviant bis zur Mahlzeit aufbewahren zu lassen. Es gibt hier keine Werkküchen, denn es ist aus Sicherheitsgründen verboten, innerhalb der «Hanford Area» irgendwelche Eßwaren anzubieten oder gekochte Speisen zu bereiten. Obwohl der Speisesaal weit von den Atomöfen in einer «reinen Region» liegt, werden die Tische vorsichtshalber halbstündlich mit Geigerzählern auf eventuell vorhandene Beta- oder Gammastrahlung oder mit dem tragbaren Alphastrahlenzähler, dem sogenannten «Poppy», untersucht; denn die gefährlichste, meistgefürchtete Vergiftungsart ist das Eindringen von Partikelchen in Magen und Darm bei der Nahrungsaufnahme.

Jetzt begibt sich Mister Bryant in den Umkleideraum, wo er seine eigenen Kleider zurücklassen muß und dafür in seinem Stahlschränkchen jeden Tag frische Unterwäsche, Strümpfe, gereinigte Overalls, an Spitzen wie Hacken gelb bemalte Arbeitsschuhe, eine festanliegende Kopfbedeckung, in Cellophan gepackte Handschuhe und eine Schutzbrille findet. Nun überschreitet er die weiße Linie, welche die «reine Zone» von der «Zwischenzone» trennt. Hier wird er am Ende seiner Arbeitszeit sich seiner seltsamen Arbeitsuniform wieder entledigen, um nackt hinüber in den von Aufsehern beobachteten, mit speziellen Desinfektionsseifen versehenen Duschenraum zu gehen. Jetzt aber hält der Arbeiter sich in der Zwischenzone gar nicht auf, sondern begibt sich gleich in die «heiße Region», deren foto-elektrisch sich öffnende Tür von selbst vor ihm aufgeht.

Nun steht er in einem sehr hohen, fast ganz kahlen und fensterlosen Raum, dem sogenannten «Canyon», und wartet auf seinen «H.I. man», der die erste Kontrollmessung des Morgens an ihm vornehmen wird. Kaum ist das erledigt, so kommt der Vorarbeiter auf ihn zu und führt ihn zu seinem Arbeitsplatz. Der Kollege, der die Nachtschicht besorgt hat, lächelt ihm durch die Schutzbrille zu. Die sich ablösenden Männer dürfen sich nicht einmal kameradschaftlich auf die Schulter schlagen. Der Vorgänger zeigt dem Neuangekommenen das «Logbuch» des Atomofens, in dem der genaue Stand der verschiedenen Meßgeräte in regelmäßigen Abständen aufgezeichnet ist.

Dann bleibt John P. Bryant allein vor einer hohen Wand ohne Tür und Ritze, aber voller Zifferblätter, Druckmesser, graphischer Skalen, auf deren feingezeichnetem Gitterpapier in verschiedenen farbigen Tinten Kurven gezeichnet werden. Der Arbeiter wird nun ein paar Stunden lang die Kontrollgeräte kontrollieren, die Überwachungsinstrumente überwachen, wird von Zeit zu Zeit auf Knöpfe drücken, Räder drehen oder Hebel stellen, durch die hinter der viele Meter dicken Mauer radioaktives Material gemischt, Behälter geleert, Uranpatronen eingesetzt und ausgestoßen werden.

Dort, hinter diesem mächtigen Schutzschild brodelt ein Inferno von radioaktiven Strahlen. Schon sekundenlange Begegnung mit ihnen würde fast sicheren, wenn auch nur schleichenden Tod bedeuten. Über einen Lautsprecher, der mit einem nach innen verbundenen Mikrophon verbunden ist, kann John P. Bryant hören, daß hinter der stummen kahlen Mauer wirklich etwas vorgeht. Es klingt manchmal wie das Summen von Grillen auf den jetzt unendlich fern erscheinenden Sommerwiesen.

4

Um zehn Uhr einundzwanzig während der Vormittagsschicht bemerkt John P. Bryant, daß in seinem Atomofen etwas nicht zu stimmen scheint. Der Instrumentengriffel am Vibrationsmesser hat die rote Gefahrenlinie überschritten, der Lautsprecher sendet jetzt aus dem Inneren des Brenners eine ganz neue Melodie. Es ist, als hätte sich den Grillen ein anderes Tier beigesellt, das seine kleine metallene Zunge böse gegen metallene Zähne wetzt.

Bryant benachrichtigt sofort den Aufseher, der nach kurzem Augenschein sich an die technische Abteilung «200» wendet. Der «Canyon 7» der Gruppe S beginnt sich mit Menschen zu füllen. Ingenieure sind herbeigeeilt. Mehrere «H. I. man» stehen bereit. Bryants weißer Schutzengel will sofort an ihm eine besondere Strahlenmessung vornehmen und führt ihn schnell hinaus. Inzwischen ist die ganze organisatorische Kettenreaktion in Gang gekommen. Auf alle Fälle wird die Notstation in Richland verständigt, die im Falle einer zwar unwahrscheinlichen, aber nie von vornherein auszuschaltenden Explosion die Rettungsaktionen zu leiten hätte. Zwölf Minuten später erklingt das Arbeitsschlußsignal durch die Zementschluchten der «Canyons»: die Tag und Nacht, wochentags, sonn- und feiertags ununterbrochen operierende Anlage muß zu Reparaturzwecken geschlossen werden.

Gelegentliche Ausbesserungen am Maschinenpark sind in den Plutoniumwerken von Hanford ebenso unvermeidlich wie in anderen Fabriken, obwohl hier schon beim Bau der Behälter, Zufuhrlinien und Mischapparaturen auf die Verwendung von besonders widerstandsfähigen Materialien geachtet wurde. Eine ganze Gruppe neuer, besonders resistenter Metalle und Metall-Legierungen, wie «Titan», «Germanium», «Zirkonium», ist in den Vereinigten Staaten hauptsächlich im Hinblick auf ihre Verwendung in den Atominstallationen entwickelt worden. Denn hier im radioaktiven Gefahrenfeld wird das Ersetzen eines fehlerhaft funktionierenden Teilchens zu einer unendlich umständlichen, zeitraubenden und lebensgefährlichen Operation.

Es ist völlig unmöglich, daß irgendein menschliches Wesen selbst in stärkster Schutzkleidung sich ins Innere des atomischen Feuerofens begibt. Das defekte Glied muß daher durch ein fernkontrolliertes Greifgerät losgeschraubt und dann in eine besonders für solche Zwecke bereitgemachte sogenannte «versiegelte Region» gebracht werden.

Die Vorbereitung dieses Reparaturplatzes, der möglichst nahe der Schadenstelle zu liegen hat, ist die erste Aufgabe einer kleinen Sondergruppe. Sie erstellt provisorische Mauern aus Bleiziegeln, sorgt für die Installation von starken Beleuchtungskörpern und breitet eine Schicht von später wieder ablösbarem Kunststoff über den Boden, der dadurch vor Verseuchung geschützt wird. Genau hier wird das ferngelenkte Greifgerät das fehlerhaft gewordene Maschinenteilchen niederlegen.

Dieses Greifgerät, verdammt, für immer hinter den dicken Schutzmauern der Brennanlagen zu bleiben, weil es bereits rettungslos radioaktiv verseucht wurde, ist eine Art Roboter, dem die Plutoniumarbeiter den Namen «Sweet Hot Dolly» gegeben haben. «Sie» sieht aber durchaus nicht so aus, wie der Laie sich einen Roboter vorzustellen pflegt. Roboter – und es gibt heute schon Tausende verschiedene Spielarten dieser stets mit untermenschlicher Intelligenz, aber oft mit übermenschlichen Sinnes- und Gedächtnisorganen ausgestatteten mechanischen Sklaven in den USA – treten selten in menschenähnlichen Körperformen auf. Ihre Schöpfer wollen sie nicht nach ihrem Ebenbild schaffen, höchstens nach dem Bild einzelner, für den besonderen Zweck überentwickelter Organe. So gibt es «Roboter», die ganz «Auge», und andere, die ganz «Ohr» sind, das heißt, ihre Seh- und Hörfähigkeit ist, ungehindert durch Rücksicht auf Ausgleich zu anderen Organen, überdimensional ausgebildet worden. «Dolly» nun ist ganz «Hand» und «Arm». Sie braucht nur ein kleines «Gehirn», das lediglich den ziemlich einfachen Richtungsbefehlen des Fernlenkers gehorchen muß, aber dafür ist ihre Fähigkeit, Dinge anzufassen, zu befühlen, festzuhalten und wegzutragen, überdurchschnittlich groß. Ältere Typen der «Dolly» konnten nur gradwinklige Bewegungen machen, die neueren Typen dagegen sind imstande, alle sieben Grundbewegungen der menschlichen Hand nachzuahmen und miteinander zu kombinieren.

Der «Meister» der «Sweet Hot Dolly», in seiner gegen Radioaktivität geschützten Kabine sitzend, beginnt seine Kreatur im Innern des

Atomofens zu lenken. Als er jetzt den Knopf der Fernsehanlage vor sich einschaltet und das Bild aufflammt, kann er im Dschungel der Röhren, Kessel, Ventile, Hebel hinter der viele Meter dicken Schutzwand aus Zement und Blei den massiven, weißgestrichenen Körper des Roboters sehen. Nun beginnt er, den links neben ihm angebrachten Hebel zu bewegen, und schon überträgt sich diese Bewegung über mehr als hundert Meter Distanz auf den linken «Arm» Dollys. Sie tastet im grauen Metallgewirr, sie zögert an einer Stelle. Ihr Zucken überträgt sich zurück auf den Hebel in der hermetisch verschlossenen Koje des «Meisters». Zweifellos hat ihr empfindliches elektronisches «Fühlsystem» eine Unregelmäßigkeit, eine Bruchstelle in den Organen des Ofens entdeckt. Der «Meister» schaltet einen zweiten Fernsehschirm an, setzt eine Spezialbrille auf und erhält jetzt in der Kombination beider Fernbilder ein einziges dreidimensional plastisch wirkendes Bild, auf dem nun ganz deutlich eine frische weiße Bruchstelle in einer Transmissionsbox zu erkennen ist.

Jetzt beginnt die «Roboterhand» zu arbeiten. Sie rollt in ihren Gelenken, sie faßt mit ihren unglaublich geschickten «Fingern» den Maschinenteil, lockert ihn, hat ihn gelöst, hält ihn fest. «Dolly» wird durch den langen Gang im Innern des Ofens zu einer ganz bestimmten Stelle gelenkt. Für den Bruchteil einer Sekunde öffnet sich die schwere Schutzwand lautlos um einen Spalt, läßt den von «Dolly» gebrachten Gegenstand hinaus und fällt sofort wieder zu. Der defekte Maschinenteil liegt jetzt auf dem Reparaturplatz in der «versiegelten Region».

5

Die Reparaturmannschaft steht schon bereit. Es sind vier Mechaniker, ein Vorarbeiter und selbstverständlich ein «H.I. man». Sie wurden nicht nur auf Grund ihrer Fähigkeiten, sondern vor allem unter Berücksichtigung ihrer Gesundheitsdossiers für diese Spezialarbeit ausgewählt. Nur Arbeiter, deren gesamte Bestrahlungsdosis seit dem Stellenantritt in Hanford denkbar gering ist, können zu seinem solchen «Job» herangezogen werden, der, wenn auch nur für kurze Zeit, eine Überbestrahlung unvermeidlich macht.

Zwei Leute der Reparaturmannschaft bleiben am Eingang der «versiegelten Region» zurück. Sie werden als Ersatzmänner bereitgehalten. Angetan mit doppelten weißen Overalls, mit je zwei Paaren von Handschuhen, mit hohen Gummistiefeln, anliegender Kopfbedeckung und Gasmasken, denen aus eigenem Behälter Sauerstoff zugeführt wird, stehen die vier Männer jetzt vor dem defekten, hoch radioaktiven Maschinenteil.

Es wäre angesichts der großen Gefahren, welche die Reparaturarbeit mit sich bringt, an und für sich einfacher, den ganzen schadhaften Teil wegzuschaffen und durch einen neuen zu ersetzen. Dies geschieht nur deshalb nicht, weil man so ein «Stückchen Hölle», wenn es sich einmal außerhalb des Ofens befindet, nicht so leicht wieder los wird. Sein Transport bis zu den radioaktiven Müllgruben würde viel größere Schwierigkeiten machen als die Ausbesserung. Ist ein defekt gewordener Maschinenteil wirklich nicht zu reparieren, so muß er sofort an Ort und Stelle eingemauert werden. Überall in den «heißen Zonen» der Hanford-Werke sieht man daher mitten im Raum, ohne jede regelmäßige Anordnung, kleine Maulwurfshügel aus Bleiziegeln, vorgeschichtlichen Grabmälern gleichend. Gegen ihre Wände pochen die noch allzu «lebendigen» Atompartikelchen und Strahlen; Tausende von Jahren wird es dauern, ehe sie ihre verhängnisvolle Kraft verlieren.

Im Falle der Transmissionsbox aus dem Atomofen 7 entwickelt sich die Operation normal. Mit Instrumenten, die an lange Zangenstäbe montiert sind, gelingt es den beiden Monteuren, den Bruch zu flicken. Aber halt! Als die Arbeit beinahe schon fertig ist und wahrscheinlich nicht mehr als ein oder zwei Minuten notwendig wären, um die Reparatur ganz zu beenden, gibt der «H.I. man» zwei von den drei vermummten Gestalten ein Zeichen, das bedeutet: Sofort aufhören! Beinahe widerwillig verlassen die beiden Arbeiter die «versiegelte Region». Es wehrt sich einfach etwas in ihnen dagegen, vor dem Unsichtbaren, Nichtfühlbaren die Flucht zu ergreifen. Aber sie sind doch schon erfahren genug, um zu wissen, daß ihr H.I.-Schutzengel sie in ihrem eigenen Interesse weggeschickt hat, daß gerade jene zusätzlichen Zeitbruchteile, die noch zur fertigen Leistung fehlten, genügen könnten, ihnen gesundheitlich schweren Schaden zuzufügen. Die beiden noch «strahlungsfrischen» Ersatzmänner rücken sofort ein und beenden das Werk ihrer Vorgänger.

Ein Pfeifsignal meldet die erfolgreiche Beendigung der Operation. Erst wenn sich jedermann wieder in Sicherheit gebracht hat, wird «Sweet Hot Dolly» aus dem Ofeninnern nach dem instandgesetzten Teil greifen und es ins atomische Fegefeuer zurückholen. Die Sirenen ertönen: Abteilung S, eine der sechs großen Einheiten der Hanford-Werke, beginnt wieder zu arbeiten.

6

Unweit von Richland wurde mir eine ruhig grasende Schafherde gezeigt. Das sind «Plutoniumschmecker» hieß es. Solange sie sich wohlbefinden, brauchen auch die Menschen nichts zu befürchten. Denn so, wie einst mißtrauische Despoten aus Furcht vor Vergiftung ihre Nahrung erst durch einen Sklaven kosten ließen, schicken die Gesundheitswächter der Atomfabriken Versuchstiere vor, um zu prüfen, ob die zwar gefilterten, aber unter gewissen atmosphärischen Bedingungen immer noch gefährlichen Abgase nicht doch vielleicht biologisch schädlich sein könnten. Beinahe täglich kontrolliert man mit dem Geigerzähler die Schilddrüsenfunktionen der Vierbeiner, prüft ihre Lungen, mißt den Stoffwechselumsatz. In regelmäßigen Abständen wird unter anderem auch festgestellt, ob die Zeugungs- und Gebärfähigkeit unvermindert blieb.

Am Tage, als ich die Tiere sah, tummelten sie sich zufrieden. Die A.E.C. konnte in ihr Logbuch einschreiben: «Die Menge radioaktiver Strahlung in der den Werken der Hanford-Area benachbarten Atmosphäre ist heute geringer als in der durch ihre größere Höhe über dem Meeresspiegel der radioaktiven Weltraumstrahlung ausgesetzten Stadt Denver.»

Das Sicherheitssystem erstreckt sich weit über die unmittelbare Nachbarschaft des Fabrikgeländes hinaus. Fahrbare Kontrollstationen mit «radiologischen Prüfern» machen täglich ihre Messung in einem Umkreis bis zu zweihundert Kilometern. Besonders beschäftigen sie sich mit der Verseuchungsgefahr, die dem mächtigen Columbiafluß droht, dessen Wasser zum Teil für die Kühlung der Atomöfen verwendet werden. Nicht nur wird dieses Wasser so lange in besonderen Bassins zurückgehalten und chemisch bearbeitet, bis es nur noch schwach radioaktiv ist, sondern darüber hinaus untersucht man systematisch die Algen, das Treibholz, die Fische des Stromgebietes, in denen sich Radioaktivität angesammelt haben könnte.

Aber am stärksten kontrolliert und überwacht sind doch die sogenannten «burial grounds», die «Friedhöfe», auf denen radioaktive Abfälle begraben werden. Das sind unheimliche, von rotgestrichenen Zementpfählen umstandene Vierecke im Wüstenareal. Jedes steht unter der Leitung eines «burial operator», eines atomischen Friedhofwächters, und wird von tief vermummten Grabarbeitern betreut.

Hier werden in langen tiefen Gräben alle aus festem Material bestehenden, radioaktiv verseuchten Gegenstände, wie Behälter, Kannen, Metallkapseln, unter meterhoher Erdschicht eingescharrt. Flüssige Abfälle gelangen von der Fabrik in unterirdischen Leitungen direkt in tiefgelegene Untergrundtanks. Diese atomischen Abfallgruben nehmen von Jahr zu Jahr an Ausdehnung zu. Sie bereiten der Atomenergie-Kommission mehr Kopfzerbrechen als irgendein anderer Teil ihrer Tätigkeit.

Denn die hoch radioaktiven Stoffe, die hier im Boden der nordwestlichen Inlandwüste begraben liegen, werden uns, die Generation, die sie durch ihre Kernspaltungsprozesse freigemacht hat, um Jahrtausende, zum Teil sogar um Jahrmillionen überleben, ehe sie ihre lebenzerstörende Kraft verlieren. Deshalb müssen diese Grabstätten so deutlich durch dauerhafte Warnungszeichen gekennzeichnet werden, daß jede kommende Generation sie ängstlich meiden lernt. Wehe, wenn das Wissen um die genaue Lage dieser radioaktiv vergifteten Zone je im Laufe der Zeiten verlorengehen sollte!

Darüber hinaus besteht aber die Gefahr, daß die im «burial ground» von Hanford «Begrabenen» sich nicht so still verhalten, wie die atomischen Friedhofswärter es sich wünschen. Es ist möglich, ja sogar wahrscheinlich, daß die radioaktiven «Gifte» sich durch das Grundwasser und vielleicht auch durch die Erdschichten ganz allmählich nach anderen noch «reinen» Gegenden durcharbeiten. Eine ständige Beobachtung der gesamten geologischen Unterstrukturen nicht nur während unserer Lebenszeit, sondern in verstärktem Maß noch während der Lebenszeit unserer Enkel, Urenkel und ferneren Nachkommen ist daher unerläßlich. Alle anderen Versuche der «Abfallbeseitigung» durch Einkapselung in Zementblöcke, die ins Meer versenkt wurden, Durchsetzung mit gewissen Bakterienarten und Algensorten, Vermischung mit Glas- und Lehmsorten, haben sich bisher als nicht sicher und wenig erfolgversprechend gezeigt. Man hat sogar erwogen, diese Abfälle vielleicht später einmal mit Raketen aus unserer Atmosphäre in den Weltraum zu schießen. Nur so, heißt es, werde man sie wirklich loswerden.

«Dieses Problem», sagte mir ein Atomforscher, der in einem der technischen Laboratorien der Hanford-Area arbeitet, «erscheint mir auf die lange Sicht gesehen fast noch schwerwiegender als die Frage der atomischen Waffenkontrolle. Denn selbst wenn die Großmächte sich schließlich einigen sollten und niemals ein Atomkrieg geführt werden würde, so bleibt doch immer die Tatsache bestehen, daß wir durch die Atomspaltung lebenzerstörende Kräfte in die Welt gesetzt haben, mit denen die Zukunft wird leben müssen. Mit jedem Jahrhundert aber wird es schwerer sein, die ansteigenden Mengen von Atomabfällen zu kontrollieren. Alles, was die Menschheit bisher geschaffen hat, verging, zerfiel, verfaulte in absehbarer Zeit. Zum ersten Male haben wir nun durch unsere Natureingriffe etwas hervorgebracht, das zwar nicht unsterblich, nach unserem Maß gemessen aber doch ‹kaum sterblich› ist. Ein gefährliches Erbe, das alle unsere anderen Schöpfungen lange überleben dürfte, ein Stückchen ‹Beinahe-Ewigkeit›, ein Stückchen Hölle.»

1

Las Vegas, Nevada

«DA LIESS DER HERR SCHWEFEL UND FEUER REGNEN VON DEM HERRN VOM HIMMEL HERAB AUF SODOM UND GOMORRA.»
I. BUCH MOSE 19, 24.

Mrs. Helen Chandler stand verloren in der menschenleeren Siedlungsstraße vor ihrem in einem undefinierbaren Graugrün gestrichenen Serienhaus Basic Road Nummer 294 und pfiff immer wieder die ersten drei Noten des Refrains von «Yankee Doodle Dandee». Wie lange sie da schon gewartet und gepfiffen hatte, als sie uns anhielt, weiß ich nicht. Aber ihr Gesicht war müde und verweint, als sie fragte, ob wir «Duke» gesehen hätten. Es sei ein kleiner schwarzer Hund von keiner besonderen Rasse mit großen Ohren, und er sei zum erstenmal von zu Hause weggelaufen. «Als die Bombe losging heute früh, wollte er zu meinem Mann ins Bett kriechen. Aber John war schon ärgerlich darüber, daß der Lärm ihn aufgeweckt hatte und jagte den Hund hinaus. Seitdem ist er nicht wiedergekommen. Er war so erschreckt und zitterte am ganzen Körper.» Sie drückte uns einen Zettel mit ihrem Namen und ihrer Adresse in die Hand. «Er hat weiße Pfoten und eine weiße Schwanzspitze», rief sie uns noch nach. Und begann wieder zu pfeifen...

Draußen auf dem Wüstengelände beim «Frenchman's Flat» machte die A.E.C. Versuche mit einem neuen Bombentyp.

Sieben Stunden zuvor hatte Las Vegas aus einer Entfernung von 160 Kilometern das ominöse Grollen der Atomexplosion gehört. In der Fremont Street war die Fensterscheibe von Rex Bells «Western Supply Headquarters» eingedrückt worden. Das Glas lag noch in unzähligen kleinen und großen Splittern verstreut über der Auslage von breiten Stetson-Hüten, karierten Cowboyhemden und breiten Ledergürteln mit bequemen Revolvertaschen. Bell, ein aus Hollywood nach Las Vegas zurückgekehrter Cowboystar, ist «showman» genug, um den Reklamewert eines solchen Ereignisses zu erfassen. Auf die wenigen noch im Rahmen hängenden Glasscherben hatte er malen lassen: «It's atomic.» Ein unnötiger Hinweis. Jeder, der am Fremont Building vorbeiging oder -fuhr, hielt ohnehin an, um sich die Fernwirkung der Bombe anzusehen.

Im übrigen war Las Vegas an diesem Samstagnachmittag durchaus normal. Das heißt, soweit eine Stadt, die ihr Geld in einer schnellen Reihe aufeinanderfolgender wilder Booms gemacht hat, überhaupt normal sein kann. Im Jahre 1905 noch gab es hier nichts als ein paar Zelte und Holzbaracken. Heute nennt sich Las Vegas (eigentlich ist es eine höchst phantasievolle Handelskammer, die der Stadt den Namen verlieh) «Die magische Stadt des Westens». Der Slogan hat eine gewisse Berechtigung, wenn man «Magie» in diesem Sonderfall mit «faulem Zauber» gleichsetzt. Denn die Stadt, die heute beinahe 30 000 Einwohner hat, im Jahre mehrere Millionen Touristen anzieht und stolz behauptet, «dreimal mehr Neonröhren pro Kopf der Bevölkerung als irgendeine andere Stadt der USA» zu haben, ist auf Illusionen gebaut und weitergewachsen.

Die erste Illusion – das war der Goldrush, einige vierzig oder fünfzig Kilometer östlich der Stadt. Dort hatten zwei Mineralienjäger namens Bull Marsh und Harry Stimler im Dezember 1902 eine Mine entdeckt. So stürmisch war der Andrang nach den neuen Goldfeldern, daß die «Union Pacific» drei Jahre später eine Eisenbahnlinie hierher anlegte. Aber die neue Station lag nicht in der eigentlichen Minenstadt Goldfield, sondern in Las Vegas. Goldfield mit seinen 52 Häuserblocks, dem im ganzen Westen für sein großes Lager von feinem französischen Champagner berühmten Hotel und der langen Bar mit achzig «barmen» ist heute eine pittoreske Geisterstadt. Die Goldfelder hielten nicht, was sie versprachen. Das um das Eisenbahndepot entstehende Las Vegas aber, das am Zwischenhandel mit Lebensmitteln und Ausrüstungen für Goldgräber schwer verdiente, hat das Verschwinden der Fata Morgana überlebt.

2

Die anderen Illusionen, denen Las Vegas seinen Aufstieg verdankt, sind dagegen «hausgemacht». Da ist zuerst natürlich die Spielbankindustrie, die jährlich Millionen abwirft. Sollte die Stadt, wie schon seit langem beabsichtigt, zur Verschönerung eines ihrer Plätze ein Denkmal errichten, so müßte es nicht dem Gründer Archibald Stewart, sondern dem tugendhaften Senator Kenneth Johnson gewidmet sein. Dieser wackere Mann, der selbst ein kleines illegales Kasino unterhielt, verspürte eines Tages Gewissensbisse und entwarf ein Gesetz, das alle Arten von Glücksspielen im Staate Nevada legalisieren sollte. Es wurde von dem an Steuerarmut leidenden Staat im Jahre 1931 angenommen. Damit wurde Nevada, das als einziger unter 48 Bundesstaaten alle Arten von Glücksspielen erlaubte, zum Mekka aller Spieler und solcher, die es werden wollen.

Im Zweifelsfalle käme auch noch die Gruppe von Staatsvätern – allen voran Gouverneur Fred Balzar – als Denkmalkandidaten in Betracht, die den Mut hatten, die Geschwindheiraten und Schnellscheidungen in Nevada zu legalisieren. Ursprünglich betrug die Wartezeit bis zur Scheidung für außerhalb des Staates residierende Personen sechs Monate. Als jedoch Staaten wie Florida, Arkansas, Arizona und Idaho die Frist auf drei Monate reduzierten, paßte sich Nevada unserer schnellebigen Zeit an und machte aus sechs Monaten großzügig gleich sechs Wochen.

Die Illusion, daß mit dem Ja-Wort in einer Schnellzeremonie — «keine Zeugen, keine Umstände, kein Warten» — das Recht auf Eheglück erkauft werden könne, zog und zieht jährlich über 20 000 Paare nach Las Vegas, die es sich vielleicht noch anders überlegen würden, wenn sie die in ihren Staaten vorgeschriebenen Gesundheitstests und Wartezeiten einhalten müßten. Rund 7000 Paare machen von der Möglichkeit der schmerzlosen Scheidung in Las Vegas Gebrauch und kaufen sich bei einem der 61 Anwälte gegen Summen von 200 bis 20 000 Dollar ihre illusorische «Freiheit».

Alle diese erbaulichen Tatsachen erfuhr ich auf der «Chamber of Commerce». Aber der sehr beredsame Herr, der sie vortrug, war entschieden nervös und besorgt. Sein Lächeln leuchtete auf und ab wie eine Lichtreklame in dem von Spielhäusern gesäumten «Glitter Gulch». Der gute Mann hatte Sorgen. «Dieses ganze Atom-Business wird uns schaden», meinte er im Vertrauen. «Es erschreckt die Leute. Wer möchte denn um sein Leben zittern, zumal wenn er gerade einige tausend Dollar gewonnen hat? Vor allem werden die Frauen wegbleiben. Sie sind die besten Kunden für die automatischen Spielmaschinen. Und wenn sie nicht kommen, bleibt das Familiengeschäft aus. Das ist ganz klar. Unsere meisten Kasinobesucher sind doch Ehepaare. Die Frau kommt mit, weil sie Angst hat, der Gatte könnte allein zuviel verspielen.» Andererseits wieder erwog mein Gesprächspartner, ob die Versuche auf dem neueingerichteten Testplatz der Atomenergie-Kommission nicht gerade eine «Bomben»-Reklame seien. «Und noch dazu gratis», tröstete er sich. Er spielte mit dem Plan, das kleine, von der Handelskammer unterhaltene Museum, in dem unweit von Las Vegas ausgegrabene steinzeitliche Pfeilspitzen gezeigt werden, zu einer Ausstellung «Waffen von prähistorischer Zeit bis zur atomischen Ära» auszubauen. Wenn es sich erweisen würde, daß die Versprechungen der Atomenergie-Kommission über die Gefahrlosigkeit der Tests für Las Vegas richtig wären, so würden vermutlich die Neugierigen aus aller Welt hierherkommen. «Und doch», fragte er sich und mich in einem neuen Zweifelsanfall, «möchten Sie in Ihrem Honigmond durch eine Atomexplosion in Herrgottsfrühe gestört werden? Es ist nicht romantisch, no Sir.»

3

«Ich lege es Ihnen zehn zu eins, daß die Bombentests Tausende neuer Besucher nach Las Vegas bringen werden», sagte mir der Manager des größten Spielkasinos der Stadt, «Golden Nugget». «Das ist eine noch größere Sache für uns als der Hooverdamm. Der hat seinerzeit Tausende von Touristen nach Las Vegas gebracht, die auf dem Weg schnell noch ein paar Dollar bei uns riskierten. Aber der Hooverdamm ist seit ein paar Jahren nicht mehr die größte Talsperre. Grand Coulee oben in Washington State ist größer und nimmt uns jedes Jahr mehr ‹sightseers› weg. Aber der ‹testing ground› da draußen – Boy, o boy, da wird Las Vegas das Monopol behalten. Ein Haupttreffer.»

Es war jetzt kurz nach drei Uhr nachts, aber im «Golden Nugget» ebenso wie bei der Konkurrenz «Pioneer's Club» waren alle Räume noch vollgesteckt mit Menschen, die sich die Wartezeit bis zum Beginn des für halb sechs Uhr früh erwarteten Atomtests mit Glücksspielen vertrieben. In dem großen Saal beim Eingang standen Reihe um Reihe die Spielautomaten, die laut mit einem metallischen Ton klicken, wenn das Geld in die Maschine fällt, der Hebel losgelassen wird und manchmal ein Haufen von Nickelstücken oder Silberdollars herauspurzelt. Hier und an den Roulett-Tischen wurde im Schein der Taglichtlampen sehr schwer «gearbeitet». An der dunklen, mahagonigebeizten Bar mit ihren nackten, vergoldeten Nymphen, ihrem Messingglanz und Kupferschein dagegen rastete man. Im Widerschein der Spiegel saßen hier Gäste, die tranken, träumten und vor sich hin sprachen.

Gesprächsfetzen, die ich erhaschen konnte, verrieten nichts von einer Beschäftigung mit der «A-bomb». Es waren die alten Spielermonologe; die gleichen Spekulationen mit «fast» und «wenn» und «aber beinahe», die man in Monte Carlo, Baden-Baden oder Campione hört, das ewig gleiche «wenn ich nur noch etwas gewartet hätte», oder «elfmal hintereinander Rouge, damit rechnet *kein* System», oder «wenn ich nur die ‹Pairs› konsequent gespielt hätte ...»

«Gestern konnte man genau sehen, wer ein wirklicher Spieler ist», erzählt der «barman». «Die Amateure liefen natürlich hinaus auf die Straße, als sie den lauten ‹Bang› hörten, aber die Professionals drehten sich nicht einmal um. Als einer der Croupiers einen Augenblick lang zögerte, rief man ihm ungeduldig zu: ‹Go on, go on ..., wir sind doch nicht wegen des Feuerwerkes hier›.»

4

Es war gegen vier Uhr morgens, als die große Autoparade auf dem Highway 95 begann. Wagen an Wagen fuhr man von Las Vegas hinauf nach Indian Springs, wo sich der Eingang zum Atomtestplatz befindet. Wie vor einem der großen Fußballmatches am Samstagnachmittag sah es aus. Nur, daß es jetzt stockdunkel war. Die Autos schalteten ihre großen Suchlichter ein. Die von jahrtausendelangem Wind, von Sand und längst versiegten Flüssen ausgewaschenen Felsen entlang der Straße glichen riesigen Tieren: hier eine Eidechse, da ein Kamel, ein Dinosaurus, ein Elefantenschädel. Die Wagenreihe kam ins Stocken. Hupsignale und Bremsen, dann Stille. Man kam nicht mehr weiter, mußte am Wegrand parken.

Es war sehr kalt da draußen. Scharfe, schneidende Wüstenluft. Als sich die Augen an die Dunkelheit gewöhnt hatten, begannen wir die Bergkämme etwa dreißig Kilometer vor uns genauer zu unterscheiden: «Spotted Range», «Sheep Mountains» und «Skull Range» — der «Bergzug der Totenschädel». Über ihnen, so erklärten diejenigen, die dem gestrigen Versuch von ferne beigewohnt hatten, werde bald die künstliche Atomsonne aufgehen. Die gegenüberliegende Straßenseite entlang fuhr ein weißgestrichener Jeep. Ein aufmontierter Lautsprecher verkündete: «Kaufen Sie Schutzbrillen, das ‹Handbuch für atomische Notfälle› empfiehlt gefärbte Brillen. Es ist gefährlich, ungeschützt in das Licht zu sehen. Gefährlich, gefährlich ...»

Um 5 Uhr 40 wurde es schon etwas hell um uns. Wir sahen ganz schwach und wie unwirklich den kahlen Rücken der Erde. Die Mondblumen, das Ocotilla, das «spanische Bajonett», die Sandlilien, all die Wüstenpflanzen, die selbst im Licht zu schlafen scheinen. Und dann, als neben uns jemand sagte: «Heut' wird nichts mehr draus», geschah das, worauf wir alle gewartet hatten. Lautlos brach aus dem Saphirblau des Morgenhimmels eine ungeheure, glühend weiße Flamme. Es war, als schmölze sie die Erde und alles Bewußtsein ein.

Unwillkürlich hatte ich die Augen geschlossen. Als ich sie öffnete, schien es zuerst, als sei über die ganze Landschaft Schnee gefallen, als seien Berge und Krater und die Straße mit einem weißen Tuch zugedeckt. Gleich darauf wallte ein wildes, unheimlich schönes Orangerot auf, exotisch und unwahrscheinlich wie aus dem Innersten eines Blumenkelches. Und jetzt erschien dort, wo wir zuerst den ungeheuerlichen Blitz gesehen hatten, langsam emporsteigend, ein bläulich-violetter Lichtkreis. Ihm folgte das zu einem Ball geformte Orange, an dessen Rändern sich schwarze, rote und dunkelgraue Fransen zeigten. Der weißviolette, überirdische Schein und das Flammengeschöpf flossen ineinander, wurden zu einer langgezogenen weißen Pilzwolke. All das spielte sich ab, ohne daß ein einziger Laut zu hören gewesen wäre. Später — es war eineinhalb Minuten nach dem Aufgang der künstlichen Riesensonne – sprang uns der dunkle Ton der Explosion an. Instinktiv bückten wir uns. Und jetzt kam warm, heftig wie ein Wüstenwind der Luftstoß. Wir richteten uns auf. Da kam es noch einmal. Diesmal schneller hintereinander. Erst das Grollen, dann der heiße Atem der Explosion.

Als wir nach Las Vegas zurückfuhren, sprach niemand. Die Autos gaben keine Signale. Wir schlichen zurück wie in einem Leichenzug. Die Explosionswolke war jetzt grau und schmutzig über uns. Ein riesiges, langsam zerfallendes «W», durch dessen Auf- und Abstrich ein silberglänzendes Kontrollflugzeug flog. Auf seinen Flügeln war der Abglanz der Sonne. Diesmal der wirklichen Sonne...

Griff nach der Natur

PARADIES VON MENSCHENHAND

1

El Centro, California

Zum erstenmal hörte ich vom Imperial Valley in einem jener gemütlichen «Truck-Line-Cafés» reden, die meist irgendwo zwischen zwei weit entfernten Orten an den einsamsten Stellen der westlichen Überlandstraßen liegen. Das sind die Plätze, wo die Fahrer der riesigen Expreßlastautos nach stundenlanger Reise vom hohen Sitz hinter dem Lenkrad herunterklettern: für einen Schluck heißen Kaffee, ein Steak-Sandwich und vor allem einen Schwatz mit den Kollegen, die aus der anderen Richtung kommen.

Ich habe es selten erlebt, daß diese «Highway Jockeys» sich untereinander über irgend etwas einig waren. Freundschaftlicher Streit ist ihr Lebenselement. Ihre Nerven sind ständig angespannt. Sie können im lauten Gebrumm der Motoren oft stundenlang kein Wort sprechen. Und müssen sogar die Flüche gegen ungeschickte Autofahrer hinunterschlucken. So wollen es ihre Arbeitgeber.

All das aufgestaute Mitteilungsbedürfnis und Ärgernis möchte dann auf einmal aus ihnen heraus, wenn sie für eine viertel bis halbe Stunde in «Rosie's Café», «Truckdrivers' Home» oder dem «Steak Heaven» halten. Um so erstaunlicher ist es, wenn diese streitlustigen Männer ausnahmsweise in einem Punkt übereinstimmen. Das war der Fall, als die Rede auf das Imperial Valley kam. Einer der Fahrer hatte erzählt, wie er unlängst für eine Ladung Tomaten, die er in Rekordzeit vom «Valley» nach San Francisco fuhr, eine Sonderprämie ausbezahlt bekommen hatte, und gleich wurden von allen Seiten andere Geschichten über diesen Landstrich berichtet, die jedermann nur mit Ausdrücken wie «phantastisch» und «unglaublich» etikettierte.

Mir selbst blieb aus diesem Lobgesang vor allem ein Vergleich im Ohr. Einer der Fernfahrer hatte von einem «man-made paradise», einem «Paradies von Menschenhand», gesprochen. Und ich nahm mir schon damals vor, diesen irdischen Garten Eden unbedingt zu besuchen.

Ein anderes Mal hörte ich wieder von dem sagenhaften kalifornischen Tal, als mir ein Kollege in New York etwa Mitte Februar frische Erdbeeren servierte. «Sie sind nicht tiefgefroren», machte er mich aufmerksam, «sondern kamen per Flugzeug vom Bruder meiner Frau in

El Centro. Wie wir hier in Manhattan unsere Morgenzeitungen schon am Abend vorher verkaufen, so werden dort unten im Imperial Valley die Ernten ‹vordatiert›. Im Dezember erntet mein Schwager Frühlingsgemüse, und im späten Frühjahr schickt er uns meist schon Herbsttrauben.»

Gewöhnlich schrumpfen solche Legenden immer mehr zusammen, je näher man dem Orte kommt, von dem sie berichtet werden. Aber mit dem Imperial Valley war das anders. In Los Angeles, das ja noch nicht einmal eine ganze Tagesreise von dem am südlichsten Zipfel Kaliforniens gelegenen Gebiet entfernt ist, wucherten die Wunderberichte eher noch üppiger als weiter östlich. «Dort unten finden Sie wirklich das Kalifornien, wie man es sich in anderen Ländern vorstellt», erzählte mir ein Orangenfarmer. «Das ist das fruchtbarste Stückchen Land der ganzen Erde. Wissen Sie, daß ich Trauben aus dem ‹Valley› gesehen habe, die so groß waren wie ... also sagen wir einmal fast wie Mandarinen?»

Als ich schließlich auf der Greyhound Station an der Sechsten Straße in Los Angeles ein Busbillett nach Brawley im Imperial Valley verlangte, sagte jemand hinter mir: «Aufpassen, mein Sohn, das ist doch der Ort, wo die Farmer schnell beiseite springen müssen, sobald sie einen Samen eingesetzt haben. Sonst schießt ihnen das schnellwachsende Ding ins Bein.»

2

Wie so manches Wunderland, das die Volksphantasie beschäftigt, liegt auch das Imperial Valley tief im Herzen einer Wüste, ja, in Wirklichkeit ist es selbst ehemaliges Wüstengebiet, das nur durch eine großartige menschliche Anstrengung in eine Insel der Fülle verwandelt wurde. Ich reiste Ende Dezember von Los Angeles nach El Centro. Selbst um diese Jahreszeit war es, sobald wir ins Wüstengebiet gekommen waren, sommerlich warm. In Palm Springs, dem von geschickten Grundstücksmaklern gegründeten und berühmt gemachten Erholungsort der Hollywooder Filmkolonie, saßen die Weihnachtskurgäste in weißen Kleidern und Shorts am palmenbestandenen Boulevard, und an den blaugrün leuchtenden «swimming pools» holte man sich Urlaubsbräune. Vier Monate später schon würde es hier bei Tage unerträglich heiß und nur in Häusern mit künstlichem Klima auszuhalten sein.

Auf einer kleinen Zwischenstation mitten im felsigen Ödland sah ich eidechsenähnliche Reptilien sich in der Mittagsglut sonnen. Von staubigen Steinklippen am Wegrand strahlte trockene Hitze zurück. Aber mitten auf der Landstraße vor uns kugelten ein Paar taufrische grüne Salatköpfe: Ein Lastauto auf dem Wege vom Imperial Valley her mußte sie verloren haben. Die große Oase konnte nicht mehr weit weg sein.

Dieser Landstrich war noch vor hundert Jahren ein Schrecken für alle, die ihn durchqueren wollten. Den Auswanderern stellte er sich in den

Weg als ein Hindernis wie die Sahara. «Als wir durch diese verödete Gegend voll trockenen, heißen Sandes zogen, war sie mit weggeworfenen Überbleibseln, die Emigranten zurückgelassen hatten, übersät wie der Rückzugsweg einer geschlagenen Armee», so schrieb Dr. Oliver Wozencroft in einem 1849 erschienenen Reisebericht. «Wir fanden auf Schritt und Tritt tote oder sterbende Tiere, Gewehre, Pistolen, Proviantpakete und was sonst noch das Gepäck der Unglücklichen ausmachte...»

Außer solchen Eindrücken trostloser Verzweiflung hatte der Doktor aber auch Bodenproben aus der Wüste mitgebracht, deren Analyse ihn davon überzeugte, daß dieses Dürrland durch Bewässerung besonders fruchtbar gemacht werden könnte. Reste von Austern- und Muschelschalen zeigten nämlich, daß dieses unter der Höhe des Meresspiegels gelegene Bassin in Vorzeiten von den Fluten des Pazifischen Ozeans bedeckt gewesen war. Der gewaltige, durch das Tal fließende Coloradostrom hatte aber auf seinem Rücken von den Bergen nach und nach so viel Schlamm und Erde herangeschleppt, daß er damit an seiner Mündung einen Dammriegel aufhäufte und den abgeschnittenen Meeresarm zum allmählichen Austrocknen verurteilte.

Es dauerte fünfzig Jahre, ehe die Idee des kalifornischen Arztes, dieses Land in Kulturboden zu verwandeln, verwirklicht wurde. Zu Beginn unseres Jahrhunderts war die Coloradowüste noch genauso öde und schrecklich, wie sie Wozencroft seinerzeit beschrieben hatte.

Im Juni 1900 jedoch wurden die ersten Kanäle nach Plänen des australischen Ingenieurs Rockwood gegraben. Vier Jahre später rebellierte der Fluß, trat aus seinem Bett und benutzte die neuen Wassergräben als Einbruchspforte. Von 1904 bis 1907 wiederholte der Strom in immer neuem Ansturm den Versuch, sich sein Tal wieder zu erobern. Man baute stärkere und höhere Dämme, die neuen Hochwasserkatastrophen besser widerstehen konnten, und schließlich in den Jahren von 1928 bis 1936 hoch oben im Gebirge die gewaltige Hoover-Talsperre, die sich mit ihrer riesigen Betonmauer dem Colorado tollkühn in den Weg stellte, ihn staute, auf ihre Turbinen lenkte und seinen Lauf nun mit seinen Schleusen beliebig weit «aufdrehen» konnte.

Seither braucht das Imperial Valley keine Colorado-Überschwemmungen mehr zu fürchten. Ein ausgedehntes System von künstlichen Kanälen, Abzweigungen, eingefaßten Bächlein ist gegraben worden, um das Flußwasser dem einstigen Wüstenboden zuzuführen. Kontrolleure regeln an ihren Schaltbrettern das Auf und Ab der Schleusen, das Niveau des Wasserstandes in Gräben und Seitengräben. Sie können auf Wunsch die genaue Menge Wasser in jedes gewünschte «Bewässerungsrechteck» des siebentausend Quadratkilometer großen Areals schicken. «Zu Hause müssen wir um Regen beten», sagen die mexikanischen Wanderarbeiter, die im «Valley» arbeiten. «Hier braucht man nur die Zentrale anzurufen, und schon strömt das Wasser!»

3

Den stärksten Eindruck macht das Imperial Valley von der Luft aus. Der Blick vom Flugzeug über all das mitten ins helle Weiß der großen Sanddünen hineingesetzte, von schmalen und breiteren Wasserstreifen durchzogene, grüne Gartenland ist großartig: Vision der Fülle, die der Natur abgerungen wurde. Die einzigen Erhebungen auf diesem Ackerflachland, in geometrisch gleichmäßigen Abständen voneinander angeordnet, sind hohe, rechteckige Haufen aufgestapelter Karottenbündel, Pyramiden von Zwiebeln, bunte Hügel von Grapefruits, Gurken und Avocados.

Ich war nicht vorbereitet darauf gewesen, daß man hier so selbstverständlich zu einem kleinen Rundflug eingeladen wird wie anderswo in Amerika zu einer Autofahrt. Aber die Genossenschaftler und Großfarmer im Imperial Valley sind flugbegeistert. Sie lassen ihre Felder aus der Luft mit Chemikalien gegen Schädlinge und Krankheiten bestäuben, schicken einen Teil ihrer Ernte während der Wintermonate per Luftfracht auf die Märkte in den großen amerikanischen Städten und richten nicht selten auf ihren Farmen eigene Flugplätze ein. So gibt es hier Grundbesitzer, die jeden Morgen aus Entfernungen von hundert bis zweihundert Kilometern zu ihrer Farm im heißen «Valley» oder auf die Lebensmittelbörse in El Centro fliegen und am frühen Nachmittag wieder im Flugzeug in ihr Heim am Pazifischen Ozean, nach Hollywood oder nach den Bergen über San Bernadino zurückkehren.

Noch häufiger aber sind die Besitzer, die sich so gut wie gar nicht mehr um ihr Stück Erde kümmern und es wochenlang oder monatelang gar nicht zu sehen bekommen. Sie haben das «management» ihrer Farm einer Genossenschaft übergeben, die mit ihrem Maschinenpark, ihren wissenschaftlich geschulten «Technikern» der Landwirtschaft, ihrem Packhaus und eigener Verkaufsorganisation mehr Dollar aus dem Boden herauswirtschaften kann, als der einzelne Besitzer es vermöchte.

So wird der Farmer zu einer Art «Aktionär», der sich jährlich von der Genossenschaft seine Dividende ausbezahlen läßt, in der Stadt lebt und dort unter Umständen einen ganz anderen Beruf ausübt. Er ist Vertreter für landwirtschaftliche Maschinen, Gemüsemakler, Grundstücksspekulant. Manchmal macht er auch ein Möbelgeschäft oder einen «supermarket» in der unmittelbaren Nachbarschaft seiner Äcker auf, in dem sich dann «seine» Manager und Arbeiter versorgen.

Das klingt «paradiesisch» genug, ist es aber, genau besehen, nicht. Die wenigsten dieser «absentee owners» sind nämlich wirklich freiwillig von ihrem Grund und Boden fortgegangen. Sie wurden erst durch die wachsende Mechanisierung und Bürokratisierung der Landwirtschaft dazu gezwungen. Es wäre für sie ganz aussichtslos gewesen, allein gegen diese Entwicklung zu kämpfen, die dem «Valley» durch die landwirtschaftlichen Großbetriebe aufgezwungen wurde. Ein paar hartnäkkige Individualisten, die versuchten auf eigene Faust durchzuhalten, sind bald bankrott gegangen. Sie konnten einfach mit der nach Prinzipien der Massenproduktion organisierten Konkurrenz nicht mithalten.

Das Fehlen von Frost- und Wetterschwankungen und das durch keinerlei abrupten Wechsel der Jahreszeit gestörte Klima haben hier eine Organisation der Bodenbearbeitung und Landauswertung möglich gemacht, die der Industrie abgeschaut wurde. Man hatte mir in Los Angeles das Imperial Valley als großes natürliches Glashaus beschrieben. Je näher ich nun dieses außerordentliche Stückchen Erde kennenlernte, um so mehr hatte ich den Eindruck, eigentlich in eine riesige Fabrik unter freiem Himmel geraten zu sein. Hier waren die vom Menschen erdachten Gesetze der Rationalisierung und Intensivierung den alten Naturgesetzen vorangestellt worden. So konnten oft drei- bis viermal die gleichen Früchte oder Gemüse im Laufe eines einzigen Jahres geerntet werden. Die Arbeit war wie an einem großen Fließband organisiert.

«Von der Aussaat bis zum Eßtisch in einem Monat», heißt der Slogan eines «Salatfabrikanten», den ich in El Centro las. Es nahm mich gar nicht wunder zu hören, daß, wenn die spekulative Lage auf der Produktenbörse solche Anstrengung lohnt, auch auf die von der Dunkelheit gesetzte Grenze nicht geachtet wird. Einige Firmen schickten dann aus überschüssigen Armeereserven angekaufte Scheinwerfer mit auf die Felder und lassen ihre Leute bei künstlichem Licht die ganze Nacht durch arbeiten.

Von den siebzigtausend Einwohnern, die in dem «Wunderland», wo vor einer Generation nur Wüstentiere vegetierten, jetzt ihren Unterhalt finden, sind neun Zehntel Arbeiter und Angestellte. Die unterste Schicht bilden die meist aus dem nahen Mexiko legal, häufiger aber noch illegal eingewanderten Saisonarbeiter. Sie werden aber nur dort eingesetzt, wo die neuen landwirtschaftlichen Maschinen noch nicht billiger als unter dem Tarif bezahlte Tagelöhner arbeiten können. Sozial eine Klasse über den Mexikanern stehen die amerikanischen Landarbeiter. Sie müssen in erster Linie geschulte Mechaniker sein und den mit jedem Jahr wachsenden Maschinenpark bedienen sowie instandhalten können. Viele von ihnen wissen weniger vom Ackerbau als ein Stadtarbeiter, der sich für den Feierabend ein kleines Schrebergärtchen hält. Aber dafür kennen sie den komplizierten Mechanismus der Zwiebelpflückapparate, Tomatenschüttler, Heubinder und großen Familie von Traktoren aller Art ganz genau. «Ich hasse den Geruch von Mist und liebe den Geruch von Öl», sagte mir einer von diesen auf das Land verschlagenen Motorenbastlern, der gerade dabei war, seinem mechanischen Pflug ein anderes, zum Einsammeln von Rüben bestimmtes Zusatzgerät aufzupfropfen.

Landwirtschaftliche Fachkenntnisse werden hier eigentlich nur von den über den Wanderarbeitern und Feldmechanikern eingesetzten «Experten» verlangt, die aber ebenfalls nicht Bauern, sondern höchstens – keineswegs immer – Söhne von Farmern sind. Diese Angestellten haben in den «Agricultural Colleges» promoviert und damit einen akademischen Grad errungen, der sie etwa den von der Industrie beschäftigten Ingenieuren gleichstellt. Sie bestimmen nach «wissenschaftlichen Grundsätzen» den «Produktionsgang» und sind gleichzeitig besorgt, sowohl die «Leistung» des Bodens wie die «efficiency» der Arbeiter zu steigern. Mit ihnen sind die Stoppuhr, das Metermaß, die Bewegungsstudien, die seit langem mit Erfolg zur Erzeugungssteigerung in den Fabriken erprobt wurden, nun auch in die Landwirtschaft eingedrungen.

Besonders weit fortgeschritten ist die Mechanisierung und Rationalisierung in den Packhäusern. Da laufen durch die ganze Länge des Baues mit reinigenden und färbenden Chemikalien durchsetzte «Bäche», in deren Strömung die mit Erdkrumen behangenen Karotten geradewegs vom mechanisch bedienten Kipplastwagen hineingeschüttet werden, um dann am anderen Ende sauber und um einige Grade kräftiger gefärbt wieder herauszukommen. Sofort greifen dann die Bündelmaschinen nach ihnen und transportieren sie in gleichmäßigen Bündeln über einen mechanischen Drehtisch zu den «Beschneidern», die am laufenden Band überflüssiges Grün abtrimmen. Dann rollen sie zu den Packern, die in vorbeiziehende Kisten je eine Lage Trockeneis und eine Lage Mohrrüben werfen. Die letzte Station ist ein Roboter, der die Kiste vernagelt und schließlich in das wartende Lastauto abschiebt. Noch schneller geht es bei den Salatköpfen, die nicht einmal gebündelt werden müssen. Hier hat sich das Arbeitstempo so sehr beschleunigt, daß ein einziges Packhaus heute allein so viel Salatköpfe versandbereit machen kann wie früher bei Handarbeit alle zwanzig Packhäuser des «Valley» zusammengenommen.

4

Der eigentliche «Engpaß» im ständig breiteren und schnelleren Produktionsstrom, der von den Äckern und aus den Packhäusern kommt, ist aber immer noch die «langweilige» und «umständliche» Natur. Sie zu größerer Leistungsfähigkeit und Tempo anzuspornen ist die Aufgabe der landwirtschaftlichen Versuchsanstalt des Tales in Meloland bei Brawley.

«Eines unserer Probleme war die Tomatenernte», erzählt der junge «researcher» der «University of California», der mich empfängt. «Tomaten reifen unregelmäßig. Am gleichen Stock hängt eine Frucht, deren rote Haut schon fast aufplatzt, eine andere, die noch grün ist, und eine dritte, die gerade erst begonnen hat, sich rötlich zu färben. Solange das so ist, müssen die Tomatenstauden mit der Hand in verschiedenen Zeitabständen abgeerntet werden. Nun haben wir aber mechanische Tomatenpflücker entwickelt, die den Ernteprozeß gewaltig abkürzen werden. Damit diese Maschinen überhaupt verwendet werden können, mußten wir aber erst eine Staude zu züchten suchen, deren Früchte möglichst alle zu gleicher Zeit reifen. Außerdem aber sollten sich diese Tomaten leichter als bisher von den Stauden lösen lassen, damit die Maschinen die Pflanze nicht zu stark schütteln müßten. Die Haut der Früchte hatte außerdem noch widerstandsfähiger zu sein als früher, damit sie beim Fall in den Sammelkorb des mechanischen Pflückers unversehrt blieben. Nun, mit Hilfe anderer Versuchsanstalten, die an ähnlichen Aufgaben arbeiten, haben wir jetzt eine solche Tomatenart hervorgebracht. Wenn die Natur nicht mit unseren neuen, zeitsparenden Maschinen zusammenarbeitet, so müssen und können wir sie dahin bringen.»

Die Versuchsstation von Meloland ist nur ein verhältnismäßig kleiner Vorposten jener «grünen Revolution», die aus den Laboratorien hinaus in die amerikanische Landwirtschaft getragen wird. Hinter den Forschern, die hier im Imperial Valley arbeiten, stehen andere, größere naturbiologische Laboratorien, in denen unter anderem der Wachstumsprozeß der Pflanzen durch radioaktives Spurenmaterial mit nie gekannter Genauigkeit untersucht wird, Tausende neuer Kreuzungen systematisch unternommen oder durch direkten Eingriff in die «Erbmasse» des Samens ganz neue Pflanzenarten hervorgebracht werden.

Diese paar einstöckigen weißen Häuser, diese kleinen Versuchsäcker und beinahe armselig wirkenden Glashäuser im Südwesten Kaliforniens sind Missionshäuser der Überzeugung, daß die Arbeit der Natur bis in die kleinste Pflanzenzelle hinein beobachtet, verändert und verbessert werden könne. Wenn man in Meloland neue Grasarten erfindet, die der großen Hitze widerstehen, wenn man eine Flachssorte hervorbringt, die nicht verwelkt, eine Melone, die gerade nur so dick wird, daß sie noch in den Standardeisschrank der Hausfrau paßt, und Datteln oder Mandeln, die genau die Größe haben, die von den Schokoladenfabrikanten verlangt wird, so sind das praktische und lokal angewandte Auswirkungen einer viel weiter und viel tiefer zu den eigentlichen Lebensprinzipien der Natur vordringenden Bemühung.

Diese grüne Revolution hat in Amerika keine Gegner mehr. Die vorige Generation von Farmern war noch mißtrauisch, wenn ihr die Vertreter der «wissenschaftlichen Landwirtschaft» Ratschläge erteilen wollten. Die neue Generation aber, besonders die agrarischen Experten, die «Ingenieure der Fruchtbarkeit», ist ganz anders eingestellt. «Früher dauerte es Jahrzehnte, ehe der Farmer seine Arbeitsweise änderte», meinte der junge Pflanzenforscher in der Versuchsanstalt Meloland. «Heute sind die Ackerbauer so eifrig hinter unseren neuesten Laboratoriumsresultaten her wie Fabrikanten hinter neuen Erfindungen und Patenten.»

Das trifft im Imperial Valley, wo die alten, ehrwürdigen Bräuche der Landbebauung überhaupt niemals richtig Wurzel gefaßt hatten, ganz besonders zu. Immer neue Methoden werden versucht, um die paradiesische Fruchtbarkeit dieses Landstriches «superparadiesisch» zu machen. Immer weiter wächst die große Oase in die Wüste hinein, immer größer werden die Erträge. Doch gibt es ein großes «Aber». Es hängt ein schwerer Schatten über der ganzen Region. Das ist allerdings etwas, wovon man in El Centro, Holtville, Brawley und Indio nicht gerne spricht. Es ist das uralte und in diesem besonderen Falle nur zu wirkliche Thema einer drohenden Flut, einer Sintflut, die in nicht allzu ferner Zukunft bevorsteht.

5

«Ein ‹man-made paradise›? Ich würde es eher ein ‹fool's paradise›, ein Narrenparadies, nennen», sagte mir der kauzige alte Lokalredakteur, der in einer kleinen Stadt am Rande des Imperial Valley lebt. «Ich darf darüber nur nicht schreiben. Die Leute hier wollen einfach die Wahrheit nicht wissen. Die Landbesitzer und Grundstücksmakler üben einen Druck aus, weil sie fürchten, der Wert ihres Besitzes könnte fallen. Man versucht, eine ernste Gefahr, die Tausende von Menschen und Millionen von Werten bedroht, zu ignorieren oder zu verkleinern. Es ist gut, wenigstens einmal davon sprechen zu können.»

Es scheint nämlich, als habe der Mensch, indem er den Colorado bändigte, nur einem viel gewaltigeren Gegner mit noch älteren Rechten auf die große Senke des Imperial Valley Vorarbeit geleistet: dem Pazifischen Ozean, der nun, unterstützt durch die Kurzsichtigkeit der Dammbauer und Bewässerungstechniker, in sein altes Bett zurückzukehren droht.

In jahrtausendelanger Arbeit hatte der große Fluß an seiner Meeresmündung, dem Golf von Kalifornien, einen natürlichen Deich von beträchtlicher Länge und Breite vor der Senke des späteren Imperial Valley aufgerichtet. In jedem Jahr verschlangen zwar die herankommenden Meeresfluten etwas von diesem Damm, aber der Fluß, der täglich etwa fünfhundert Tonnen an Sand, Schlamm, Erde und Schlick von seiner Reise durch die Rocky Mountains und sieben westliche Staaten mit heranschleppte, stopfte die Breschen immer wieder.

Als man nun dem Coloradostrom in den dreißiger Jahren dieses Jahrhunderts das Joch der großen neuen Stauwerke auferlegte, zwang man ihn, fast alle diese natürlichen Baumaterialien in den Bergen zurückzulassen. Sie begannen jetzt, den hinter dem Hoover-Damm geschaffenen künstlichen Stausee, «Lake Mead», zu füllen. Dafür fehlten sie nun aber dort, wo sie wirklich gebraucht wurden: einige hundert Kilometer weiter südlich, im Kampfe gegen die gierigen Wellen des Ozeans.

Mit außerordentlicher Schnelligkeit hat sich der Pazifik diese aus dem

Bruch des früheren Kräftegleichgewichts erwachsene Situation zunutze gemacht. Schon 1940, also nur fünf Jahre nach der Eröffnung des Hoover-Damms, war die Spitze des Golfes von Kalifornien 25 Kilometer weit ins Land vorgedrungen. Zehn Jahre später war die ganze frühere Uferregion, ein Gebiet von vielen Quadratkilometern, von einer von Tag zu Tag wachsenden Lagune, der «Lagune Salada», überflutet.

Viel gefährlicher noch als dieses langsame Landeinwärtsfluten der Salzwasser ist aber der Angriff der Flutwellen gegen die Fundamente der großen angeschwemmten Landbarriere. Zweimal jeden Tag reißt die Brandung, wie ich selbst sehen konnte, große Stücke Festland vom Ufer und zieht sie mit sich in die Tiefen des Golfes hinein. So ist die Höhe des natürlichen Deiches, die nie mehr als neun Meter erreichte, in etwa anderthalb Jahrzehnten um beinahe die Hälfte verringert worden. In absehbarer Zeit ist daher ein Verschwinden dieser natürlichen Schutzmauer zwischen dem Imperial Valley und dem Pazifischen Ozean zu erwarten.

Geschieht nichts, um diese Entwicklung aufzuhalten, so wird eine Überschwemmungskatastrophe unheimlichen Ausmaßes das «man-made paradise», seine 25 Siedlungen, seine überreichen Äcker, seine Straßen und öffentlichen Anlagen überwältigen.

Aber merkwürdig genug: die Perspektive eines solchen Naturereignisses scheint weder die Bundesbehörden in Washington noch die paar informierten Bewohner des Imperial Valley zu erschüttern. Obwohl ernsthafte Fachleute in Artikeln, die in New York erschienen, mehrfach vor dem Unheil gewarnt haben, begnügt man sich mit lahmen Dementis. Vermutlich wäre die Anteilnahme und der Druck der amerikanischen Öffentlichkeit größer, wenn die «Front», an der sich der Kampf zwischen Meer und Schutzwand abspielt, auf amerikanischem Boden liegen würde. Die Tatsache, daß der vom Colorado gebildete Deich, der das fruchtbarste Gebiet amerikanischen Bodens schützt, sich im mexikanischen Territorium befindet und noch dazu in einer besonders schwer zugänglichen Gegend, begünstigt die gefährliche Gleichgültigkeit gegenüber der drohenden «Sintflut».

«Wenn es überhaupt eine Gefahr für das Imperial Valley gibt», sagen die verantwortlichen Stellen im Innenministerium in Washington, «dann kommt sie von der anderen Seite. Nicht eine Sintflut, sondern viel eher eine Dürre fürchten wir für die Zukunft.» Die Wurzel für diese Befürchtung ist ebenfalls in dem Bau des Colorado-Staudammes zu suchen. Man hat nämlich ausgerechnet, daß Lake Mead hinter dem Hoover-Damm in absehbarer Zeit durch die vom Fluß herangebrachten, dort nutzlos aufgestauten Sedimente völlig verschlammen und dadurch schließlich auch eine allmähliche Verstopfung der Wasserzufuhr des Flusses unvermeidlich werden wird.

Es war zuerst behauptet worden, daß dies in spätestens hundert Jahren der Fall sein werde. Genauere Messungen haben dann eine optimistischere Prognose ermöglicht. Angeblich wird es doch noch mindestens 275 Jahre dauern, ehe diese Verschlammung des Stausees gefährlich werden kann. Dann allerdings muß das Imperial Valley mit einer kritischen Verringerung der Wassermenge rechnen, die seinen Aufstieg vom Wüstensand zur Gartenoase erst möglich machte. «Aber wer will denn so weit denken?» meinte ein Regierungsbeamter, mit dem ich über diese Fragen debattierte. «Laßt künftige Generationen dafür Lösungen finden.»

«Sie meinen also: Nach uns die Sintflut?» warf ich ein.

«Oder die Dürre», sagte er lachend. «Aber sorgen Sie sich nicht. Wir finden bis dahin schon noch eine Lösung. Es gibt immer neue Antworten auf immer neue Fragen.»

Und so bekundete er mit Festigkeit seinen Glauben an die Dauer des Paradieses von Menschenhand.

DIE WETTERMACHER

1

Denver, Colorado

Das olivgrüne Armeeflugzeug vor uns wurde von dem Wolkenungeheuer verschluckt. Wir hörten seinen Maschinendonner und sahen es gleich darauf an der anderen Seite des weißen Riesentieres hinausschießen. Aber es war immer noch kein Flöckchen Schnee gegen den blauen Himmelshintergrund zu sehen.

Aus der zweiten Maschine ließen sie uns wissen: «Wir versuchen es mit der Pistole.» Es war lächerlich, zu denken, daß ein paar Schüsse mit Silberjodid-Patronen diesem ruhig dahinschwindenden überdimensionalen Himmelswesen irgend etwas antun könnten. «Er muß mindestens zwei Meilen hoch und fünf Meilen lang sein», schrie mir mein Nachbar vom Nebensitz ins Ohr. Wir hatten uns beim Aufsteigen geeinigt, «unserer» Wolke den Namen des mythischen Riesenwales «Moby Dick» zu geben.

Jetzt hatte die zweite Maschine «Moby Dick» in zwei Teile zerschnitten, die mit großer Schnelligkeit zueinanderstrebten und sich in Minutenfrist wieder vereinigten. Der weiße Wolkenfisch im Himmelsmeer feixte uns spöttisch an. Seine Grimasse war herausfordernd. Auch der neue Angriff hatte ihn nicht zwingen können, die in seinem Bauch angesammelte Feuchtigkeit herauszugeben.

Der Pilot machte ein Zeichen. Nun waren wir dran. Wir schwammen einen Augenblick später in weißen Nebeln. Die Plexiglashaube über uns beschlug sich. Aber da waren wir schon wieder im Sonnenlicht. «Schnee», rief der Mann neben mir, der irgendwann, während wir uns im Bauch des Wolkenwals befunden hatten, seinen Behälter mit den Trockeneisteilchen ausgeworfen haben mußte. Tatsächlich. Die Flügel unserer Maschine waren mit einem leichten Flaum bedeckt, der sich sofort in hell glitzernde Wassertropfen verwandelte. Wir drehten uns um und sahen, wie «Moby» sich in einem Tanz von Flocken aufzulösen begann, die im Fallen schmolzen und zu Regen wurden. Unter uns auf dem dürren Land des Hochplateaus starrten zwei Männer mit hellen, breiten Strohhüten auf dem Kopf zu der sich entladenden Wolke hinauf und rannten dann aus ihrem Bereich schnell hinüber zum Rand des großen Schattens, wo die Sonne unvermindert stark schien.

2

Das alles geschah, als ich bei Albuquerque in New Mexico einen der offiziellen Versuchsflüge der amerikanischen Streitkräfte mitmachen durfte, die regelmäßig zum Studium der «Wetterkontrolle» stattfinden. Seither habe ich die verschiedensten anderen «Wettermacher» kennengelernt. Zum Beispiel die jungen Leute von der Minenschule in Socorro, New Mexico, die es sich vorgenommen haben, Donner und Blitz in ihre Gewalt zu bekommen. Sie machen mit Farbfilmkameras und Radargeräten auf Gewitterwolken Jagd. Wenn eine besonders dunkle Wolkenwand sich aufbaut, fliegen sie ihr entgegen und bombardieren sie mit den verschiedensten, mikroskopisch kleinsten Metallpartikelchen, über deren Natur sie nichts aussagen wollen. «Wir versuchen, die elektrischen Spannungsgrade des Gewitters vor der Entladung zu verändern. So können wir Blitzschläge verhindern und vermutlich Regengüsse provozieren», erklärte mir der Leiter der Schule.

In Schenectady sah ich dann in den Laboratorien der «General Electric» jenen simplen Versuchsapparat, mit dem der junge Vincent Schäfer im Juli 1946 zum erstenmal «Wetter gemacht» hatte. Bei Versuchen, die auf dem Mount Washington stattfanden, hatten Schäfer und sein Chef Irving Langmuir sich für die sogenannten «überkühlten Wolken» zu interessieren begonnen. Diese Wolken, die sich in eisigkalten Luftschichten bewegten, enthielten nämlich Wassertropfen, die entgegen aller Logik nicht frieren wollten. Es war schon seit einigen Jahren bekannt, daß es aus einer solchen Wolke nur dann zu schneien beginnt, wenn sich die Tropfen um einen von außen her eindringenden Kern kristallisieren. Diese Theorie hatte den Deutschen Walter Findeisen im Jahre 1938 zu der Voraussage veranlaßt, es werde bald möglich sein, durch willkürliche Einführung derartiger winziger Kerne Wolken zur Abgabe von Regen zu zwingen. Das wollte Schäfer nun im Laboratorium praktisch überprüfen.

Ein ganz gewöhnlicher, mit schwarzem Samt ausgeschlagener Eiskasten, in dem eine besonders helle Lampe brannte, wurde zu diesen Experimenten benützt. In ihn hinein blies Schäfer erstens seinen Atem, der die «überkühlte Wolke» darstellte, und zweitens verschiedene pulverisierte Substanzen, welche als Kristallisationskerne ausprobiert werden sollten. Nacheinander probierte er so über hundert verschiedene Materialien aus. Er stäubte unter anderem Graphit, Quarz, Schwefel, Kohlenstaub, verschiedene Sandarten, schließlich sogar Seifenpulver und Talkpuder in den Kasten. Alles vergebens.

Wie so häufig bei Experimenten, erwies sich wieder einmal der Zufall als wichtiger Helfer. Um die Temperatur in seinem Eiskasten zu senken, holte sich Schäfer eines Tages ein wenig im Laboratorium vorhandenes Trockeneis, und ehe er noch sein neuestes Versuchspräparat, echten Vulkanstaub, der «überkühlten Atemwolke» entgegenschicken konnte, schwebten mit einem Male die so lange vergeblich erwarteten Kristalle glitzernd vor dem schwarzen Samthintergrund. Die lange gesuchten Kristallisationskerne waren gefunden: winzige Partikelchen von Trockeneis. Sie verursachten nun in der «Atemwolke» Schäfers eine Kettenreaktion. Aus jeder seiner Schneeflocken wurden gleich zwei. Aus zwei wurden vier, aus vier wurden acht Flocken, bis der künstliche schwarze Samthimmel des Mister Schäfer voller gefrorener Sternchen hing.

Fast gleichzeitig mit Schäfer war seit langem einer seiner Laboratoriumskollegen namens Bernard Vonnegut auf der Suche nach den schneebildenden Kernchen, mit denen man die Schneewolken beschießen wollte. In einem Handbuch, das die Strukturen von beinahe zweitausend Kristallen aufzählte, fand er eines, das fast genau dem Trockeneiskristall glich. Das war das sonst vor allem in der Fotografiebranche verwendete Silberjodid. Nach erstmaligem Versagen, bei dem es sich zeigte, daß das im offenen Handel erhältliche Silberjodid nicht rein genug war, brachte ein zweites Experiment mit puren Silberjodidpartikelchen ausgezeichnete Resultate.

Weder Schäfer noch Vonnegut hielten mit ihrer Entdeckung hinter dem Berge, besonders nachdem Schäfer am 13. November 1946 sein Eiskastenexperiment an einer wirklichen überkühlten Wolke in der freien Natur erfolgreich wiederholt hatte. Sobald es bekanntgeworden war, daß man durch Ausstreuung von Trockeneis- oder Silberjodidteilchen Regenwolken «melken» könne, tauchten buchstäblich Dutzende von Zauberlehrlingen am Himmel Amerikas auf. Besonders in den immer nach Regen dürstenden Staaten des Südwestens erschienen Mengen dieser Amateur-Wettermacher. Einige wollten nur für ihren Eigenbedarf Regen aus dem Himmel holen, andere begannen aus der Regenzauberei ein gutgehendes Geschäft zu machen. Niemand aber war in dieser Hinsicht so erfolgreich wie Irving P. Krick, der sich in kaum drei Jahren durch das «Besäen» von Wolken mit Silberjodid ein Millionenvermögen erwarb.

3

Rein äußerlich sieht der Mann mit dem weichen, vollen Gesicht und der starken, grauen Haarmähne, der aus der Jagd nach fetten Regenwolken ein Großgeschäft gemacht hat, eher aus wie ein Orchesterchef. Als der Besucher ihm das sagt, greift Krick die Bemerkung erfreut auf und sagt: «Meine Arbeit hat vielleicht eine gewisse Ähnlichkeit mit der eines Dirigenten. Nur daß meine Noten die Zeichen der Wetterkarten und meine Instrumente Silberjodidzerstäuber sind.»

Er tritt vor die große Karte der fünfzehn westlichen Staaten Amerikas und zeigt auf die Positionsfähnchen, die seine Wetterinstrumente kennzeichnen sollen. «Zur Zeit haben wir 59 Zerstäuber an Stellen placiert, die mir als ‹Wetterwinkel› bekannt sind», sagt er. «Außerdem habe ich aber noch zwölf bewegliche ‹ground generators›, die auf Lastautos montiert sind, und fünf Wettermaschinen, die von Flugzeugen aus bedient werden können. Sie werden nur manchmal in entscheidenden Augenblicken zusätzlich an eine Wetterfront geworfen.»

Dr. Kricks Firma, die «Water Resources Development Corporation», ist in einem zweistöckigen Gebäude von Denver untergebracht. Hier laufen Tag und Nacht auf Fernschreibern Wetterberichte aus allen Teilen der Welt ein. 28 Meteorologen und ein «elektrisches Gehirn» versuchen die Daten in präzisen Wettervoraussagen auszuwerten. Im unteren Stockwerk befindet sich die Telefonzentrale. Sie steht in ständiger Verbindung mit den Bedienern der Regenmaschinen, die über ein Gebiet von der Größe ganz West- und Mitteleuropas verteilt sind.

Diese Maschinen sah ich in Arizona, Colorado und New Mexico an der Arbeit. Sie sind ganz unscheinbare, ein Meter hohe Öfchen aus gewöhnlichem grauem Metall, die auf den ersten Blick ein wenig an Kaffeemühlen erinnern. Nur daß in den Trichter, wo sonst die Bohnen hineinfallen, runde, mit Silberjodidpartikelchen durchsetzte Holzkohlenkügelchen wandern. Die Kügelchen gelangen langsam in geregelten Zeitabständen in ein mit Petroleum angefachtes Feuer. Ein feiner, mit dem bloßen Auge kaum sichtbarer Strom von Silberjodidteilchen wird in der Flamme frei und durch eine Blasvorrichtung in die Luft hineingeschickt.

Man würde kaum glauben, daß dieses armselige Ding wirklich tagelange schwere Schneefälle und Regengüsse verursachen kann. In einigen Fällen sollen die «generators» sogar Wirbelstürme abgelenkt haben.

Wieviel der erfolgreichste «Regenmacher», Krick, mit seinen Wettermaschinen verdient, läßt sich aus seinem Tarif errechnen. Er bekommt von den Ranchers und Farmern, die mit ihm Verträge abschließen, pro

Acre 2 bis 5 Cents bezahlt. Regnet es über dem Gebiet des Kontrahenten nicht mehr als sonst im Durchschnitt, so muß er nur eine verhältnismäßig geringe Pauschale zahlen, regnet es stärker und öfter, so steigen seine Zahlungen mit jedem zusätzlichen Zoll Wasser, der vom Himmel herunterträuft. Krick hat 1951 nicht weniger als 330 Millionen Acres, ein Gebiet so groß wie Frankreich, unter Kontrakt gehabt. Fast alle seine Kunden bekamen mehr Regen als durchschnittlich und bezahlten den Wasserüberschuß kontraktgemäß an Dr. Krick. Seine Einnahmen in diesem einen Jahr allein wurden auf mindestens zehn Millionen Dollar geschätzt, seine Ausgaben auf weniger als eine Million.

Von diesen Ausgaben geht ein beträchtlicher Teil auf Versicherungsprämien zum Schutz gegen eventuelle Schadensersatzansprüche. Eine Firma, die in den Rocky Mountains Molybdän schürft, hat Krick auf Zahlung der Mehrkosten für Schneeschaufeln verklagt, seit er es im Auftrage der Anrainer des Arkansas-Flusses im Quellgebiet dieses Stromes um fünfzig Prozent mehr schneien ließ. In anderen Gegenden haben Sportklubs, deren Veranstaltungen verregneten, und Ferienorte, deren Hotels sich leerten, als es zu ungewohnter Jahreszeit in Strömen goß, gegen Krick Klage eingereicht. Man hat ihm vorgeworfen, daß durch seine Silberjodiddämpfe das Wachstum von Tannenwäldern ungünstig beeinflußt worden sei, daß er Hagelstürme heraufbeschworen habe und an Verkehrsunglücken schuld sei, die durch nasse Straßen verursacht wurden. All der Ärger über das schlechte Wetter, und für jemanden ist das Wetter ja immer «schlecht», hat endlich einen Sündenbock gefunden.

Aber es gibt auch begeisterte Krick-Apostel. Sein wärmster Fürsprecher war der Viehzüchter Albert Mitchell, der auf seinem Weideland in New Mexico Tausende von Rindern und Schafen grasen läßt. Er eilte im Sommer 1950 zu Krick, als eine besonders ernste Dürreperiode sich katastrophal auszuwirken drohte. Der Wettermacher versprach Abhilfe, und schon ein paar Tage nachdem er seine «generators» eingesetzt hatte, regnete es wirklich über Mitchells Weideland, während die meisten Nachbarn Mitchells weiter über die Dürre klagten. Sie pilgerten in Scharen zu den grünen Rasengebieten ihres Konkurrenten, um das «Wunder» zu sehen. «Das war der überzeugendste Beweis für meine Behauptungen», erzählt Krick dem auswärtigen Besucher. «Von da an konnten wir uns kaum vor neuen Kontraktangeboten retten. Und wir lieferten dann so viel Regen, daß die Viehzüchter in New Mexico und Colorado schon im September baten, wir sollten doch den ‹Wasserhahn› wieder abdrehen.»

Dr. Krick hat bereits zahlreiche Nachahmer, von denen einige, besonders seine einstigen Mitarbeiter, ihr Geschäft zu verstehen scheinen, andere aber durch ihre Übertreibungen – sie schießen ihre Silberjodidteilchen in zu großen Mengen und zu oft in die Atmosphäre – einmal nicht die gewünschten Resultate erreichen, zweitens aber im gesamten Wetterhaushalt der USA eine heillose Verwirrung angerichtet haben.

«Die unkontrollierte Tätigkeit der Wettermacher in den westlichen Staaten wird sicherlich für die Oststaaten noch unabsehbare Folgen haben», sagte Bernard Vonnegut, einer der ursprünglichen Erfinder des «Wettermachens» in einem Verhör vor einer Kongreßkommission aus. «Denn es handelt sich um ein Spiel mit gewaltigen Kräften, das ohne Beaufsichtigung von kompetenter Seite nicht riskiert werden dürfte.»

Dr. Krick gehört zu denen, die eine Bewilligungspflicht für das «Wettermachen» verlangen. «Das ist um so notwendiger, als wir noch viel größere und einschneidendere Fortschritte in der Kunst der Wetterbeeinflussung machen werden», sagte er seinem Gast. Er begann sofort ausführlich über diese Möglichkeiten zu sprechen: von der «Gefangennahme» von Wirbelstürmen bis zur Ausnützung des Kräftepotentials der Stürme und Gewitter. Die Frist, die er dem Frager bewilligt hatte, war schon abgelaufen, aber er fand immer noch Zeit zu neuen Ausführungen.

Denn er wartete auf sein Flugzeug, das längst schon hätte starten sollen, aber den Abflug immer wieder verschob. Natürlich wegen schlechten Wetters ...

MASCHINE TIER

1

Des Moines, Iowa

«Holen Sie mich so gegen zehn Uhr ab», hatte Mister Coulton, der County Agent von der Zweigstelle des amerikanischen Landwirtschaftsministeriums, gesagt, «dann fahren wir ein wenig herum und schauen uns eine Farm an.»

«Also auf morgen», verabschiedete ich mich. Aber er rief mir, als ich schon fast bei der Tür war, nach:

«Sie irren sich, ich meine heute. Heute abend um zehn Uhr.» Er lachte, als er mein perplexes Gesicht sah. Gewiß hatte er den gleichen Überraschungseffekt schon an anderen ausprobiert.

«Glauben Sie denn, unsere Farmer arbeiten nur bei Tage? Das ist doch längst überholt.»

So saß ich denn zu vorgerückter Zeit neben ihm in seinem Dienstwagen und versuchte mir vorzustellen, wohin er mich wohl zu so später Stunde noch bringen könnte.

Vor uns im Lichte der Scheinwerfer bewegte sich eine staubige, hellrote Wand. Das war einer der riesigen Lastwagen, denen während der

Nacht die Landstraßen Amerikas fast alleine zu gehören scheinen. Unvergleichlich größer als in Europa, drängen sich diese Ungetüme mit ihren haushohen Anhängern in schnellem Tempo an allen anderen Gefährten vorbei. Sie zu überholen ist fast unmöglich, da ihre massigen Ladekasten den Blick auf die von der anderen Seite kommenden Wagen bis zum letzten Augenblick verdecken. Das klügste ist es, sich hinter einem solchen drei- oder vierachsigen Giganten zu halten, ihn als Schrittmacher zu benutzen und in seinem Fahrwasser zu reisen.

Der «Truck», hinter den wir uns rangiert hatten, schien schlecht geölt zu sein. Seine Räder kreischten, seine Federn schrien, sein hoher Aufbau schwankte und zerschnitt die Nachtluft mit einem pfeifenden Geräusch. Das Stopplicht am unteren Ende der roten Wand leuchtet auf: Das Monster fuhr langsamer, kam vor einer Kreuzung zum Stehen, aber das schreiende Geräusch verstummte nicht. Im Gegenteil, jetzt klang es eher noch eindringlicher, wie zusammengesetzt aus zahllosen höchsten Lauttupfen. Ich schaute den County Agent fragend an. Er sagte lächelnd: «Alles Küken!» Und wirklich hörte ich jetzt dieses wie erschreckt weinende Zwitschern und Piepsen und Tschirpen und Pfeifen von Hunderten, nein, von Tausenden von Vogelstimmchen aus dem Kasten dort vor uns, der wieder anruckte, um weiter hinaus in die Dunkelheit zu rasen: einer langen Nacht und einem späten Morgendämmern entgegen.

2

Nachdem wir auf eine weniger befahrene Seitenstraße abgebogen waren und im Licht unserer Scheinwerfer an schlafenden Maisfeldern, dunklen Häusern, Wassertürmen und Silos vorbeifuhren, erzählte Mister Coulton:

«Dieser Landstrich hier war berühmt für seinen Mais und seine Schweine. Aber seit ein paar Jahren sind wir vor allem stolz auf unsere Fabrikation von Hühnern. Sie haben ganz richtig verstanden: wir fabrizieren sie. Unsere Farmer überlassen die Hühnerzucht nicht mehr dem Zufall. Unsere Küken werden nach wissenschaftlichen Methoden entworfen und aufgezogen. Resultat: Von den laufenden Bändern der Hühnerfarmen kommt beinahe jedes Jahr ein neues, verbessertes Modell wie bei Ford oder General Motors.»

«Wahrscheinlich gehen Ihre Hühnerfabrikanten wie die Automobilhersteller auch auf Verbesserungsvorschläge aus dem Publikum ein?» versuchte ich zu spotten.

Mister Coulton blieb ganz ernst. «You got the idea», sagte er. «Genau so ist es. Früher kaufte die durchschnittliche amerikanische Familie zum Thanksgiving-Fest einen möglichst feisten, großen Truthahn. Heute aber sind die Familien nicht mehr so groß. Und die Geschmäcker wählerischer. Wer will denn eine Woche lang jeden Tag Truthahn essen, nur weil von dem Riesentier immer noch etwas übrigbleibt? Also verlangte das Publikum kleinere Truthähne für kleiner gewordene Familien, für kleinere Kochherde und kleinere Teller. Und unsere Farmer haben einen solchen Typ sozusagen auf Maß hergestellt.

Mit den Hühnern war es nicht anders. Die größte Filialenkette von Lebensmittelgeschäften ‹A and P› stellte vor einigen Jahren fest, daß ihre Kundschaft Geflügel mit mehr Fleisch, besonders weißem Brustfleisch, vorzog. Sie erließ ein Preisausschreiben, an dem sich alle Farmer beteiligen konnten. ‹Das Huhn von morgen› hieß es. Und das Ergebnis: Wir haben durch systematische Züchtung Hühner mit mehr Brustfleisch entwickelt, mit dickeren Beinen und schwächeren Knochen. Wir haben sogar ein Huhn ohne Flügel gezüchtet. Es kann in Gattern mit ganz niedrigen Zäunen gehalten werden. Keine Gefahr, daß es wegflattert, denn diese flügellosen Tiere sind so unsicher auf ihren Füßen, daß sie sich kaum vorwärtsbewegen können. Um so besser. Sie setzen mehr Fett an, ihr Fleisch bleibt zart, und sie widmen sich ganz dem Eierlegen.»

Er hielt vor einem hellerleuchteten Tor, das von zwei kleinen Scheinwerfern bestrahlt, aus dem friedlichen nächtlichen Hintergrund herausstach.

Wir stiegen aus und hörten schon von weitem ein merkwürdiges Geräusch. Es klang fast wie ein Regenschauer von großer Dichte. Tropfen und Tropfen und Tropfen, die scharf gegen einen Holzboden schlugen wie Hagelkörner. «Die Nachtfütterung hat gerade begonnen», erklärte mein Begleiter. «62 000 Hühner und ebenso viele Schnäbel, die das Futter aufpicken. Massenproduktion für einen Massenmarkt.»

«Tick, tick, tick, tick, tick, tick», prasselte es. Dazu ein Tschirpen und ein Glucksen aus tausend Kehlen und im Hintergrund sanfte Musik.

Wir näherten uns der Quelle, von der das merkwürdige Geräusch kam. Vor uns lagen mehrere eingezäunte, hellerleuchtete Hühnerhäuser, in denen zwei endlos lange Reihen von weißgefederten Tieren, ohne ihre Umgebung zu beachten, über einer schmalen Rinne gebeugt fraßen.

Ich habe es oft miterlebt, wie Hühner auf anderen Höfen sich um jedes Korn stritten und böse angackerten. Ich habe gesehen, wie sie einander wütend in die Federn gerieten und so lange mit ihren Schnäbeln aufeinander einschlugen, bis der Hahn sich aufplusternd Frieden gebot. Das war kein schönes Schauspiel, aber es schien mir in der Erinnerung idyllisch, verglichen mit diesem Spektakel der massengefütterten Hühner in Iowa. Die maschinelle Gleichmäßigkeit, mit der hier die kleinen roten Kämme sich hinunterbeugten, die Unbeweglichkeit dieser sonst eher nervösen, unruhigen Tiere, die, fast ohne sich nach seitwärts, vorwärts oder rückwärts rühren zu können, auf den ihnen zugewiesenen Plätzen ausharrten, stimmte mich unendlich traurig.

So also sieht der «siebente Himmel» der Hühner aus. Nicht mehr nach dem Körnchen suchen, es kommt von selbst auf einem laufenden Band zum wartenden Schnabel. Frisches Wasser in Hülle und Fülle. Ein anderes laufendes Band, das den Kot wegträgt. Das Stroh des Schlafplatzes immer sauber, die Temperatur des Stalles stets angenehm gleichmäßig. Ein mechanischer Ventilator sorgt für frische Luft, durch eine automatische Klappe fallen die Eier, kaum daß sie gelegt sind, auf einen weichen, sich langsam fortbewegenden Teppich, der sie zu einem fotoelektrischen Sortierapparat bringt. Und zu allem «legefördernde» Musik.

«Das sind glückliche Hennen, soweit wir das beurteilen können», meinte Mister Coulton. «Zufriedene Hennen. Und weil sie zufrieden sind, produzieren sie mehr, als je in der Geschichte von Hühnern hervorgebracht worden ist. Natürlich spielt es auch eine Rolle, daß die Hühner auf dieser Musterfarm länger ‹arbeiten› als ihre Vorfahren. Man hat herausgefunden, daß Leghühner durch künstliches Licht stimuliert werden. Der durch besonders starke Spiegel reflektierte Schein, den Sie hier bemerken, stimuliert die Zirbeldrüse, vermehrt die Hormonausschüttung. Da sich die Tiere am Tage nicht mehr durch Herumlaufen ermüden, macht es ihnen nichts aus, daß sie auch während eines Großteils der Nacht wachgehalten werden.» Er ging mit mir an den hellerleuchteten Legehäusern vorbei auf das Wohngebäude zu, damit ich mich mit dem Farmeigentümer unterhalten könnte. Aber da waren alle Fenster dunkel und die Haupttür geschlossen. «Er ist bestimmt noch wach», sagte Mister Coulton. «Die Farmer gehen zwar auch jetzt noch mit den Hühnern schlafen, das heißt aber unter dem neuen Stundenplan nicht vor Mitternacht. So lange bleiben die Lampen in den Ställen an. Der Landwirt steht nur nicht mehr mit den Hühnern auf. Eine automatische Anlage schaltet für ihn um vier Uhr früh den ganzen Betrieb an.» Wirklich, in einem neugebauten Nebenhaus brannte Licht. Der Chicken-Farmer saß noch über seiner Buchführung, als wir eintraten.

3

Der Besitzer der Q-Farm, Mister Earl Johnson, war ein großer, breitgebauter Mann. Freundlich, gutgelaunt und ungewöhnlich elegant für einen Farmer. In Wirklichkeit war er auch, wie sich bald herausstellte, erst seit ein paar Jahren in diesem «business». Vorher hatte er, wie er lachend sagte, alle möglichen Geschäfte gemacht, erlaubte und nicht ganz erlaubte. Die Idee, in die «Geflügel-Industrie» einzusteigen, war ihm gekommen, als er sich überlegte, wie er sein während des Krieges verdientes Geld wohl am besten anlegen könnte.

«Ich las einen Aufsatz über die Veränderung des Publikumsgeschmakkes in Ernährungsfragen. Wie der Krieg mehr Interesse an Eiern und Geflügelfleisch hervorgerufen habe als Ersatz für die teuren anderen Fleischarten. Da war ein Verwandter, der mit ein paar hundert Dollar eine Geflügelfarm begonnen hatte, und ich sah mir die Sache näher an», erzählte er bereitwillig.

Dieses «Näheransehen» hat sich als außerordentlich erfolgreich erwiesen. Mister Johnson gilt als einer der bestverdienenden und tüchtigsten «Chicken-Farmer» des Mittelwestens. Gerade weil er ursprünglich ein Außenseiter war, hatte er den Mut, in seiner Branche Methoden einzuführen, die bis dahin vor allem in der verarbeitenden Industrie benutzt worden waren. Sein Prinzip lautet: Produktionssteigerung um jeden Preis.

Die erreicht er aber nicht nur durch laufende Bänder und «Überstunden» für seine Hühner, sondern vor allem auch durch Züchtung widerstandsfähiger, ertragreicher Rassen und durch entschiedenen Einsatz neuester chemischer Hilfsmittel.

Johnson war einer der ersten, die das vom früheren amerikanischen Vizepräsidenten Wallace und dessen Sohn entwickelte «Hybrid-Chikken» auf seiner Farm ausprobierten. Das Ergebnis befriedigte ihn von Anfang an. Zwar sind diese durch konsequente Inzucht hervorgebrachten Hühner im Verkauf teurer, aber sie legen jedes durchschnittlich 215 Eier pro Jahr, während die «normalen Hühner» durchschnittlich nur 166 Eier «produzieren». Als in den Zeitungen erstmals gemeldet wurde, daß antibiotische Medizinen wie Penicillin, Aureomycin, Terramycin das Wachstum gewisser Tierarten beschleunigten, mischte Johnson die «Wundermedizinen» sofort dem Futter seiner Schlachthühner bei, noch bevor sich die Futtermittelfirmen dazu entschlossen. Das Resultat, das er stolz auf einer in seinem Büro hängenden statistischen Kurve zeigt: Brathühner können jetzt schon nach neun statt nach zwölf Wochen auf den Markt geschickt werden.

Natürlich gönnt Mister Johnson auch den Legehennen eine wissenschaftliche «Diät». Aus dem Mixkessel, von dem aus das Futter auf die laufenden Bänder und in die Ställe wandert, kommt ein Kornbrei, dem möglichst alle schwerverdaulichen Fasern fehlen. Dafür sind darin aufbauende Proteine und reichlich Vitamine enthalten. Nicht sehr gut ist Mister Johnson mit Hormonpräparaten gefahren. Er gehörte zu den ersten, die versuchten, Kapaune durch chemische Geschlechtsveränderung zu «erzeugen». Der Geflügelindustrielle ließ Stilböstrolpillen mit einer speziellen Nadel direkt hinter den stolzen Kamm seiner Hähne subcutan injizieren. Diese kurze, fast schmerzlose Operation wird in kaum mehr als zehn Sekunden erledigt, und die nur zwölf Milligramm schwere Pille bewirkt, daß der Hahn innerhalb von drei bis vier Wochen fast alle seine männlichen Merkmale verliert, der leuchtende Kamm beginnt zu schrumpfen, seine strahlende rote Farbe verblaßt, der Vogel hört auf zu wachsen und mit anderen Hähnen zu kämpfen. Dafür setzt er Fett an, seine Muskeln schwinden, seine Brust wird breiter, sein Fleisch saftiger und zarter.

«So konnte ich Kapaune für ein Drittel unter dem Marktpreis herstellen», erzählte Mister Johnson, «aber anscheinend hat das Fleisch dieser so behandelten Hähne bei manchen Essern ähnliche Wirkungen wie bei den Tieren selbst hervorgebracht. Wahrscheinlich haben die Schlächter trotz unserer Warnung auch den Hals mitverkauft, in dem sich noch Reste der Hormonpille befanden. So ein Leichtsinn! Jedenfalls ist der Markt für Kapaune dieser Art auf einige Zeit verdorben. Wer möchte auch als Mann schlafengehen und als Frau aufwachen? Ich nicht.»

Dabei schaute er mit vorgepreßter Brust und zurückgeworfenem Kopf stolz über die Hürden seiner brav pickenden Hühner, die es an Zahl mit der Bevölkerung einer kleineren Großstadt aufnehmen konnten.

4

Nicht alle amerikanischen Farmer sind so «smart» und «fortschrittlich» wie Mister Johnson. Aber ihm und seinen auf die Viehhaltung übertragenen Methoden der Massenproduktion scheint die Zukunft zu gehören. Wer da nicht mithalten will und nach alter Art wirtschaftet, hat es schwer. Das erfuhr ich von einem begüterten Landwirt H., den ich im Jahr zuvor in Europa während seiner Schweizer Studienreise kennengelernt hatte und nun bei der Durchfahrt durch seinen kalifornischen Heimatort Santa Maria anrief. Man sagte mir, er sei jetzt bei der Forstverwaltung, und ich erreichte ihn später in Sacramento.

«Ich habe nämlich das Farmen aufgegeben», sagte er, als wir bei einem Glas Wein saßen. «Natürlich meint jedermann, ich sei ein Narr, denn nie waren die Preise für Farmprodukte besser als gerade jetzt. Aber ich kam einfach mit den modernen Methoden nicht mehr mit. Besser gesagt: ich wollte nicht. Ich wurde Landwirt, weil ich die Natur liebe. Nicht um Gott ins Handwerk zu pfuschen und seine Geschöpfe ärger als der schlimmste Sklavenhalter auszubeuten.»

Seine Revolte hatte begonnen, als die Farmer seiner Region die Bienen auszuhungern begannen. Professoren der landwirtschaftlichen Abteilung an der «University of California» hatten nämlich herausgefunden, wie man die Bienen dazu antreiben könnte, «mehr Arbeit für weniger Honig» zu leisten. Ihre Methode war «sehr einfach», wie die landwirtschaftlichen Fachblätter, in denen sie propagiert wurde, sich äußerten. Man ließ sechs- bis zehnmal so viele Bienen über einem Kleefeld schwärmen wie zuvor. «Die Nachfrage an Nektar war plötzlich größer als das Angebot», erklärten die Spezialisten triumphierend. Der Erfolg erwies sich als durchschlagend. Auf ihrer verzweifelten Suche nach Nektar ließen die Bienen keine einzige Blüte ungeöffnet, es wurden also mehr Pflanzen befruchtet, und die Produktion von Futtergrün stieg pro Acre um das Fünffache. Natürlich erzeugten die derart ausgehungerten Bienen weniger Honig und manche, die sich dem neuen «Lebenskampf» nicht gewachsen zeigten, fielen einfach verhungert zu Boden, aber die Bienenhalter rechneten sich aus, daß sie durch die «Vermietung» ihrer Stöcke an die Futtermittelproduzenten mehr verdienten als durch einen Verkauf von Honig. So war für sie die Angelegenheit in Ordnung.

«Die Geschichte mit den Bienen ist nur eines von vielen Symptomen für die radikal neue Einstellung der Farmer ihren Tieren gegenüber», sagte H. «Wissen Sie, daß man jetzt den Sauen auf fortschrittlichen Farmen die Ferkel wegnimmt, damit die Muttertiere dreimal statt zweimal pro Jahr werfen? Ihre Brut wird mit synthetischer Milch aus einem künstlichen Euter aufgezogen, und damit sie den Betrug nicht merken, läßt man aus dem Lautsprecher ein Tonband mit dem Grunzen einer nährenden Sau erklingen ...»

Was H. unter dieser «neuen Einstellung» verstanden hatte, sah ich selbst, als ich in die etwa 50 Meilen außerhalb Los Angeles gelegene «Musterfarm» des aus Armenien eingewanderten «Fleisch- und Milchfabrikanten» Isaak Sharkarian geführt wurde.

«Wir betrachten unsere Kühe in erster Linie als Maschinen», erklärte der erfolgreiche Farmer. «Wir stecken Rohmaterial in Form von Nahrung in die ‹Maschine› hinein und bekommen dafür Milch und Butterfett heraus. Bei unserem scharfen Produktionstempo sind die Kühe nach zweieinhalb Jahren gewöhnlich ‹ausgebrannt›. Ließen wir sie dann wieder zehn oder zwölf Monate auf die Weide, so würden sie sich wohl erholen, aber ich habe ausgerechnet, daß solche zeitweise Nichtbenutzung der Kühe als ‹Milchmaschinen› unrentabel ist. So schicke ich sie lieber gleich ins Schlachthaus und kaufe für das Geld junge, unverbrauchte Milchkühe.»

Farmer Sharkarians Kühe standen in langen Reihen nebeneinander vor ihren Freßnäpfen, die automatisch nachgefüllt wurden. In Schulterhöhe über jeder Kuh befand sich ein merkwürdiger Bügel, dem die Tiere bei jeder Bewegung ängstlich auswichen. «Elektrisch geladen», erklärte mir der Stallmeister, der mich herumführte. «Die Tiere wissen das und bleiben daher genau in dem Raum stehen, den wir ihnen angewiesen haben. So ist es viel leichter, sie rein zu halten. Sie lassen ihren Kot genau auf die Stelle fallen, von wo wir ihn mit der mechanischen Stallreinigungsanlage am leichtesten abtransportieren können. Finden Sie nicht, daß diese Ställe fast so reinlich sind wie menschliche Wohnzimmer?»

Allerdings – alles hier war frischgescheuert und sauber. Es klang Musik aus den Lautsprechern, und die elektrischen Melkapparate surrten behaglich. Man pumpte die Milch direkt vom Euter in ein Röhrensystem, wo sie abgekühlt und sofort an die großen Tankwagen der Molkerei gepumpt wurde. «Keine Milchkübel, keine Verunreinigung, kein Verderben, kein Verschütten», triumphierte der Werkmeister. «Das hier ist die hygienischste Operation der Welt.»

5

Gewiß, es gibt in Amerika auch Viehherden, die wie in alten Zeiten verstreut über große eingezäunte Weiden grasen. Ich habe sie auf den Hochmatten von Wyoming, den weiten, flachen Landstrecken von Texas und der Umgebung von Elko in Nevada gesehen, einer typischen «cattle town», in der es mehr Stück Vieh gibt, als die Gesamtbevölkerung des ganzen Staates Nevada beträgt. Hier trifft man auch noch Cowboys, die, genau wie es im Buch steht, großrandige Hüte und hohe, mit Silbersporen versehene Stiefel tragen, mit denen sie allerdings öfter auf das Gaspedal des «Jeep» oder «pick-up truck» treten als in die Weichen eines Gauls. Es ist heute mindestens so wichtig, daß der Cowboy sich auf die Launen seines «Willys Overland» versteht, wie auf das Einreiten von Pferden. Wenn er ein davongelaufenes Tier einfängt, benutzt er wie früher das Lasso, aber es ist neuerdings aus Nylonfasern gewunden, und wenn ein paar Stück Vieh auf der weiten, oft die Größe eines ganzen Schweizer Kantons erreichenden «range» verlorengehen, so klettert mancher Cowboy in das auf vielen Großfarmen zum Maschinenpark gehörende kleine Einsitzer- oder Zweisitzerflugzeug, um sie wiederzufinden.

Der Cowboy von heute führt keine Gitarre mehr bei sich, sondern den tragbaren Radioapparat, er liest nicht mehr in Spuren und in den wetterkündenden Wolkenrändern, sondern beschäftigt sich in Ruhepausen mit der Lektüre von in New York oder Chicago hergestellten billigen «comic books», in denen das längst verschwundene abenteuerliche Leben seiner Vorgänger mit grellen Bildern geschildert wird. Seine traditionellen Gegner, die Viehdiebe, haben sich ebenfalls modernisiert. Sie fahren bei Nacht mit Lastwagen heran, betäuben die Tiere, die sie stehlen wollen, mit chemischen Präparaten und haben besondere Techniken erfunden, um die Brandzeichen der Eigentümer von der Haut der gestohlenen Tiere entfernen zu können. Der Cowboy, vielleicht die einzige überlebende Figur der alten westlichen Folklore, versinnbildlicht die erfolgreiche Anpassung der «frontier tradition» ans Heute. Typisch für die Gegenwart ist aber der Vertreter eines ganz anderen Berufes. Er spielt auf den Viehfarmen eine immer größer werdende Rolle.

Sie nennen ihn dort meist einfach den «Techniker» oder auch scherzhaft den «großen Bullen»; denn seine Aufgabe ist es, die «künstliche Befruchtung» der Kühe durchzuführen.

Künstliche Befruchtung wurde zum ersten Male in großem Stil von der Sowjetunion zur Beschleunigung des Fortpflanzungsprozesses und zur Rassenverbesserung bei Rindern, Schweinen, Schafen und Pferden durchgeführt. Im Jahre 1936 führte Eduard Sorensen die russische Technik in Dänemark ein, und von dort wurde sie nach den Vereinigten Staaten exportiert, wo bereits 1937 in der Landwirtschaftsschule des Staates Minnesota die ersten erfolgreichen Versuche stattfanden. Seither nimmt die Bewegung überall, besonders aber in den USA immer größere Ausdehnung an. Es sind Hunderte von Genossenschaften gegründet worden, denen die Zentralisierung der Bullenzucht und die Verteilung der Samen von rassisch besonders wertvollen Tieren an alle Mitglieder obliegt.

Der «Techniker» erscheint auf Telefonanruf in den zur Genossenschaft gehörenden Farmen. Er bringt in einer auf 4,5 Grad Celsius gehaltenen Thermosflasche die kleine Phiole mit, in der sich der frische Bullensamen befindet. Auf einer Flamme wird der Samen zu einer Temperatur von etwa 46 Grad Celsius erhitzt und den brünstigen Kühen mit einem Glasfilter eingespritzt. Mit dem Befruchtungstechniker ist ein ganz neuer Menschentyp auf den Viehranches aufgetaucht. Er ist nüchtern, gebildet, genau, ein typischer Laboratoriumsarbeiter mit Universitätsvorbildung, der weder fürs Trinken noch fürs Abenteuern sehr viel übrig hat. Kommt er auf der Ranch an, so richtet er sich gleich in einer Ecke des Viehstalls ein kleines Laboratorium ein, mißt die Temperatur der «in Frage kommenden» Kühe, immunisiert, sterilisiert und macht Notizen in der «Zeugungsstatistik».

Er führt mit sich die Kartothekkarten, auf denen alle früheren erfolgreichen und erfolglosen Befruchtungsversuche bei jeder einzelnen Kuh verzeichnet sind. Seine Arbeit geht schnell und präzise vor sich. Meist «bedient» er im Laufe eines Tages zwei Dutzend Kühe auf vier bis fünf verschiedenen Höfen. Die Knechte, die ihm die Tiere zuführen, mögen über seine Salben, seine Gummihandschuhe, seine Nadeln und Spritzen lachen. Er selbst verzieht selten die Miene, klappt wortlos ein viereckiges Kästchen mit seinem «Handwerkszeug» wieder zu, nimmt vom Besitzer der Farm Gutscheine für jede Befruchtung entgegen und fährt seinem nächsten Ziel entgegen.

Ich bat einen dieser Techniker namens Jerry Polk, mich doch vor seiner täglichen Rundfahrt mit in die «Breeding Station» zu nehmen, wo sich nicht nur die zentrale Buchführung der Genossenschaft befindet, sondern auch die «Samengeber» stationiert sind. Es war ein grauer Tag, als wir gegen acht Uhr morgens unweit von Ames im Staate Iowa in eine Seitenstraße bogen und vor einem noch frisch nach Mörtel riechenden zweistöckigen Flachhaus hielten. Eine offene Treppe führte zu dem großen Büroraum, der fast die ganze Breite und Länge des ersten Stokkes in Anspruch nahm.

Eine Sekretärin hatte für Polk bereits eine Liste seiner heutigen «Kunden» vorbereitet und schob sie ihm jetzt mit einer mürrischen Geste auf seinen Schreibtisch. Ihre verdrossene Stimmung schien auch auf die anderen beiden Anwesenden im Zimmer übergegriffen zu haben, von denen einer sich vor einer großen, dunkelgrün gestrichenen Kartothek zu schaffen machte und der zweite eine kleine Rechenmaschine bediente.

Wäre der Blick durch die großen Fenster nicht hinaus auf die weiten grünen Maisfelder von Iowa gegangen, man hätte glauben können, irgendein Stadtbüro betreten zu haben. An der Wand hing eine Karte der Region mit den üblichen bunten Fahnenreitern, zu denen die Sekretärin jetzt ein neues Fähnchen steckte, nachdem sie einen Anruf beantwortet hatte. «Herford K 731 positiv», sagte sie.

«Na endlich», sagte Polk, «ich hatte es schon ganz aufgegeben. Viermal ohne Erfolg. Aber ‹Atomic D. Lamplighter der Dritte› hat es wieder einmal geschafft. Ein Rekordtier.»

Er führte mich in sein kleines, nur durch eine Glastür von dem Rest des Büros abgetrenntes Laboratorium, in dessen Mitte sich ein Eisschrank befand. «Hier lagern wir den Samen», erklärte er. «Und hier», er zeigte auf eine Reihe von Glasgeräten, «verdünnen wir ihn. Die Natur geht viel zu verschwenderisch mit dem kostbaren Stoff um. Der Bulle vergeudet bei einer normalen Zeugung zweihundert Millionen Spermatozoen, wir haben mit dem hundertsten Teil von Samentierchen bereits ausgezeichnete Erfolge erzielt. Wir benutzen Hühnereiweiß zur «Verlängerung» des Samens. Er bleibt auch in dieser «Lösung» tagelang lebensfähig, falls er richtig konserviert wird. Wir hatten einen besonders wertvollen Bullen hier, dessen Samen wir bis nach Argentinien hinunter fliegen ließen, ein anderes unserer Tiere hat Töchter in Holland und Dänemark. Innerhalb der Staaten können wir den Samen, wenn er kunstgerecht eingefüllt und verpackt ist, mit der gewöhnlichen Post verschicken. Das gibt interessante Nebenverdienste.»

6

Eigentlich hatte ich dem sogenannten «Service» der Bullen nicht zuschauen wollen. Eine Scheu, für die der Befruchtungstechniker wohl kaum Verständnis gehabt hätte, hielt mich davon ab, ihn zu bitten, mir auch diesen Teil seiner Arbeit zu zeigen. Aber er war es selbst, der mir anbot, ihn hinunter in die Ställe zu begleiten und dem Akt der «Samensammlung» beizuwohnen. Ja, er drang geradezu darauf. Immer wieder habe ich gefunden, daß besonders Amerikaner, die in ganz spezialisierten oder merkwürdigen Berufen arbeiten, einem Gast mit geradezu rührend eindringlicher Bemühung jeden Aspekt ihrer kleinen

Welt zeigen und erklären wollen. Vielleicht gewinnen sie dadurch ihrer zur Routine gewordenen Arbeit noch einmal neues Interesse ab.

Ich wurde also ein Stockwerk tiefer geführt. Dort standen vier tiefgebaute, massige Bullen in dicht nebeneinander angeordneten Boxen. Sobald sie den Techniker sahen, begannen sie zu scharren und zu schnauben. Der Aufseher berichtete:

«‹Super Anxiety, der 65.› ist unruhig. Ich glaube, wir müssen ihm heute ‹Service› geben.»

Der Techniker antwortete kühl: «Weiß schon, weiß schon. Meinen Sie, daß ich mir den Plan nicht auch schon angesehen habe?»

Die Ställe waren aus dem gleichen, noch ganz frisch wirkenden Zement wie das ganze Gebäude. Sie gingen hinaus auf einen kleinen, betonierten Hof, der von einer hohen, grauen Mauer umgeben war. In der Ecke dieses Hofes war ein Joch an einer Art Radspeiche angebracht. Hier wurden die Bullen, wie man mir sagte, festgemacht und durften ein- oder zweimal pro Tag im Kreis zwischen Mauer und Hauswand und wieder Mauer und abermals Wand trotten, um nicht ganz den Gebrauch ihrer Muskeln zu verlieren.

Jetzt öffnete der Aufseher das Tor des Stalles und sprang beiseite. Der Bulle stürzte schwerfällig vorwärts. Es gab nur eine Richtung für ihn und nur eine Wahl. Denn er hing an einer Kette, die an einer Lenkschiene über seinem Haupte befestigt war. Die Schiene führte hinaus ins Freie, in einen langen, offenen Gang, bis zu etwas, das dunkel am Ende wartete. War das eine Kuh? Von weitem sah es so aus. Als der Bulle das dunkle Etwas besprang, wunderte ich mich, daß kein anderer Laut zu hören war als das brünstige Schnaufen des männlichen Tieres. Plötzlich ließ er ab, kehrte um und trottete wieder seinem Stall zu.

Zurück blieb ein merkwürdiges Ding, das ich nun erst von näher ansehen konnte. Es war ein fellbespanntes Drahtgestell, eine «künstliche Kuh» ohne Kopf, aber mit einem künstlichen weiblichen Geschlechtsorgan. Der Bulle hatte eine Attrappe besprungen, und, was das merkwürdigste war, es schien ihm gar keinen Unterschied zu machen.

«Früher haben wir noch richtige Kühe zu diesem Zweck benutzt, aber dabei ging zuviel Samen verloren, und außerdem riskierte der wertvolle Bulle krank zu werden», sagte Mr. Polk. «Inzwischen haben wir gesehen, daß es durchaus möglich ist, den Bullen ein wenig an der Nase herumzuführen. Nur ganz wenige Tiere weigern sich, unsere künstlichen Tiere zu bespringen.»

Er trug ein von dem Gestell abmontiertes, längliches schwarzes Gummigefäß hinauf in sein Laboratorium, schüttete den Samen in eine seiner Phiolen und machte einen Abstrich, den er unter das Mikroskop legte.

«Ausgezeichnet», sagte er, «hervorragende Qualität.» Er nahm das Haustelefon und sprach hinunter zu dem Wärter: «Klopfen Sie ‹Anxiety› für mich auf die Hinterschenkel.»

Nun ging er schnell an die Kartothek, holte die Karte des Bullen heraus, trug ein Zeichen darauf ein und wollte mit mir zu seinem Auto gehen, um die tägliche Arbeitsrunde anzutreten.

«Vergessen Sie doch Ihre Liste nicht!» rief ihm die schlechtgelaunte Sekretärin nach. Er drehte um, nahm den Papierbogen und würdigte niemand mehr eines Blickes.

Griff nach dem Menschen

ROBOTER IM BÜRO

1

Endicott (N. Y.)

Als der berühmte General, dem die Stadt New York einen öffentlichen Empfang bereiten wollte, den dunklen, zwischen hohen Bürohäusern sich durchwindenden Engpaß des unteren Broadway passiert hatte, lagen Fahrdamm und Bürgersteig unter einer fußhohen Schicht von Papierschnitzeln, die aus den obersten Stockwerken auf den Heimkehrer und seine Motoreskorte hinuntergeschneit waren. Ich besah mir ein paar von diesen Flocken, die in meinen Haaren, auf meinem Anzug und auf meinen Schuhen hängengeblieben waren: Fetzen von Rechnungen, Mahnbriefen, Geschäftsordern, Bilanzaufstellungen, Inventarstatistiken. Dort war ein Stückchen Bestellung auf Textilien aus Japan, da die letzten Sätze eines Kündigungsschreibens und immer wieder Zahlen. Vierstellige, fünfstellige, sechsstellige Ziffern – Schatten gestriger Geschäfte, vergangener Transaktionen.

In anderen Ländern werden heimkehrende Krieger mit Blumen beworfen. Mir schien diese Ovation der New Yorker City für den aus dem Fernen Osten zurückkehrenden Prokonsul amerikanischer Weltgeltung viel sinnreicher und zeitgemäßer. Denn diese auf weißes, blaues, grünes und rosa Papier getippten Zeichen waren ja die echten Symbole jener Macht, in deren Namen der General gekämpft, gesiegt und regiert hatte. Die Fragmente von Kontoauszügen und Lieferungsverträgen, die auf seine Militärkappe und Uniformschultern geflattert waren, hatten wirklichere Bedeutung als die goldenen Generalssterne, die seinen Rang verkündeten. Denn in Bürohäusern, nicht aber in Repräsentationsgebäuden, nicht einmal mehr in den Beratungssälen der Volksvertretungen wohnt heute die Macht. Vom Büro, vom Office aus wird das Leben und die Arbeit des Amerikaners in einem früher unbekannten Maße dirigiert. Aus den riesigen Steinwaben, in denen hundertmal Schreibtisch neben Schreibtisch und noch zwanzig- bis achtzigmal Schreibtisch über Schreibtisch steht, wird die Fülle der Produkte, die Millionenmenge von Erzeugern und Verbrauchern an langen Papierzügeln gelenkt. Treffend schreibt der amerikanische Soziologe C. W. Mills über den neuen Sitz der Macht im mehr und mehr bürokratisch zentralisierten Amerika: «Das Office ist die unsichtbare Hand ... die tausend Regeln, die

Du selbst nie gemacht hast, angewandt auf Dich von tausend Menschen, die Du selbst nie gesehen hast und niemals sehen wirst.»

Es wird oft angenommen, die «industrielle Revolution» gehe nur in den Laboratorien und Fabriken vor sich. Man vergißt zu leicht, daß der Generalstab dieser Revolution in den Büros residiert. Ohne die immer umfangreicher und komplizierter werdende Organisationstätigkeit der privatwirtschaftlichen und staatlichen Verwaltungen wäre die «industrielle Revolution» längst festgelaufen oder in den Trümmern ihrer eigenen zu hoch gesteckten Hoffnungen begraben worden. Wollte ein Gegner Amerikas diesen Giganten industrieller Produktion gefährlich treffen, so hätte er am schnellsten Erfolg, wenn er auf den Kopf, die großen Büroviertel Amerikas, zielen würde.

Bis zur Jahrhundertwende und sogar noch bis zum Eintritt in den ersten Weltkrieg spielten die private und die staatliche Bürokratie in den Vereinigten Staaten eine viel kleinere Rolle als in den europäischen Beamtenstaaten. Zwei Kriege, eine große Wirtschaftskrise und ein unabsehbar langer «kalter Krieg» von Weltausmaß haben das Verhältnis umgekehrt. Die USA sind bürokratischer als die meisten Länder Europas geworden. Daran ist nicht nur das vermehrte Eingreifen des Staates in die wirtschaftliche und private Existenz schuld, sondern mindestens ebensosehr das Bestreben der mächtigen Wirtschaftskonzerne, in ihrem Bereich so wenig wie möglich dem Zufall zu überlassen. Planung bis ins kleinste Detail, Kontrolle jedes Arbeitsprozesses, um jede mögliche Zeitverschwendung auszuscheiden, charakterisieren das amerikanische Erwerbsleben. Vom arbeitenden Menschen wird ebenso reibungsloses Funktionieren verlangt wie von der Maschine. «Efficiency» (unübersetzbarer Begriff und mit dem Wort «Leistungshöhe» nur ungenügend wiedergegeben) ist in der Welt der Arbeit wichtiger geworden als Freiheit.

Obwohl Industrie und Staat durch hunderterlei Vereinfachungsmaßnahmen die «Papierarbeit» zu reduzieren versucht haben, nimmt die Arbeitslast und damit die Zahl der Angestellten in den Büros von Jahr zu Jahr zu. Produktionsplanung, Inventarkontrollen, Fabrikorganisation, Marktforschung, kompliziertere Finanzierungsmethoden, verfeinerte Statistiken und dazu noch Steueranforderungen, Gewerkschaftsprobleme, Abrechnungen für Sozialversicherung, Anträge auf Rohstoffzuteilung und staatliche Subventionen — der Aufgabenkreis der Büros wuchs von Jahr zu Jahr. Von 1900 bis 1950 hat sich die Zahl der sogenannten «white collar workers», der Angestellten, deren sozialer Status durch den «weißen Kragen» gekennzeichnet ist, in den USA verachtfacht. Um die Jahrhundertmitte arbeiteten bereits acht Millionen Amerikaner und Amerikanerinnen in Büros. In Fabriken kam auf jeden vierten Arbeiter ein «office worker».

Etwa im Jahrzehnt von 1935 bis 1945 führte die überhandnehmende

Papierarbeit hier und dort zu Krisenerscheinungen. Die Buchhalter rechneten zu langsam und ungenau für die Bedürfnisse der Großindustrie, der Banken und der Regierungsstellen. Die großen Konzerne konnten mit ihrem stürmischen materiellen Wachstum geistig nicht mehr Schritt halten. Sie begannen die Kontrolle über ihre eigenen, zu ausgedehnten und komplizierten Operationen zu verlieren, die rechte Hand wußte oft nicht mehr, was die linke tat. Der größte Verwaltungsbetrieb von allen, der Staat, «verlegte» infolge falscher Buchung ganze Warenlager, «vergaß» ein ganzes Arsenal und kaufte Dinge ein, die er längst im Überfluß besaß. Alles nur, weil keine wirkliche Übersicht mehr da war.

Bis dahin hatte die Parole Amerikas geheißen: «Größer und größer!» Jetzt begann man einzusehen, daß «Größe» ein Fluch werden konnte, daß der Gigantismus in der Wirtschaft wie im Staatsleben kein Anlaß zum Stolz, sondern zur Selbstkritik war, kein Zeichen unbändigen Wachstums, sondern krankhafter Auswuchs. Zwischen 1930 und 1940 wurde oft gesagt, daß Regierung und Industrie ihre Funktionen wieder auf ein «menschlich faßbares Maß» zurückführen müßten. Große Konzerne begannen ihre Machtbereiche in kleinere Domänen aufzuteilen, der Zug zu immer größerer Konzentration sollte als «unpraktisch» freiwillig abgebremst werden.

Doch da kam die Technik den Verwaltungen der Mammutbetriebe zu Hilfe und bremste die geplante Dezentralisierung mit einem Schlage ab. Es erschienen während des zweiten Weltkrieges neue Büromaschinen — zuerst in den militärischen Verwaltungsstellen, dann auch auf dem offenen Markt —, die in einer Stunde Rechnungen durchführen konnten, mit denen Dutzende von Inventarkontrolleuren und Statistikern sonst Hunderte von Stunden hätten verbringen müssen. Sie schaufelten die Schreibtische frei von Papierlawinen, sie fraßen sich durch die vorher unüberwindlich hohen Zahlen- und Buchstabenberge so spielend wie große Baumaschinen durch Sand und Steine: die Straße zu immer stärkerer Kontrolle über immer mehr Menschen und mehr Besitz in weniger Händen war wieder freigelegt. Leviathan Staat und Leviathan Großkonzern waren durch ein übermenschliches neues Regierungsinstrument, das mechanische «Gehirn», noch mal gerettet worden.

2

Endicott — das ist der Name eines ruhigen Städtchens im grünen Susquehanna-Tal, einige hundert Kilometer nordwestlich von Manhattan gelegen und heute noch der weiteren Weltöffentlichkeit kaum bekannt. Wahrscheinlich wird Endicott aber in den nächsten Jahrzehnten fast so berühmt werden wie die Autostadt Detroit. Denn Endicott stellte zuerst im praktischen Geschäftsbetrieb verwendbare «mechanische Gehirne» in großen Mengen her und ist damit zum Ausgangspunkt einer

Entwicklung geworden, die mindestens so große Folgen wie die massenweise Autoherstellung haben dürfte. Von Endicott aus dringt die Maschine nämlich in die Gebiete des Denkens ein. Sie ist bereits imstande, beinahe jede Art von gradliniger logischer Denkoperation mit übermenschlicher Geschwindigkeit auszuführen. Dadurch vereinfacht sie einerseits viele zeitraubende Routine-Operationen, verführt aber auf der anderen Seite ihre menschlichen Meister dazu, sich mehr und mehr nur solche Probleme zu stellen, die mit Hilfe der phantasielosen, aber außerordentlich tüchtigen «mechanischen Gehirne» gelöst werden können. So wie der Autofahrer sich an die glatten, geraden Straßen hält, auf denen sein Gefährt am besten vorwärts kommt, und holprige Querfeldeinwege scheut, drängen die «Denkmaschinen» ihren Benutzer vom schwierigen Gelände ab und verweisen ihn auf die «berechenbaren» Hauptstraßen des Geistes.

Gleich Detroit, das in seinen Anfängen als «Stadt des Autos» durch die exzentrische, selbstherrliche Figur von Henry Ford dominiert wurde, steht auch Endicott, die «Stadt der Büromaschine», ganz im Schatten eines einzigen Mannes: Thomas J. Watson. Sein Bild, der Kopf eines freundlichen älteren Mannes mit einem priesterlichen Lächeln auf den dünnen Lippen, das von einem steifen weißen Kragen wie von einem heruntergefallenen Heiligenschein angestrahlt wird, hängt in Hunderten von Räumen innerhalb und außerhalb seiner Fabrik. Noch öfter aber als sein Porträt findet man hier in fünf monumentalen Hauptbuchstaben das Motto des Meisters eingeschrieben: THINK.

THINK leuchtet über jeder Tür, springt dich von jeder Wand an. Es ist ein Befehl ohne Ausrufungszeichen: DENKE. Der allgegenwärtige Imperativ ist mit roten Tulpen in grünen Rasen gepflanzt, in Stein oder Marmor gemeißelt, in Bronze gegossen, auf Stoff gestickt, in Leuchtschrift selbst der Nacht eingebrannt: THINK ... THINK ... DENKE ... DENKE ... Wer den Befehl zuerst als aufdringlich haßt, nimmt ihn schließlich gedankenlos hin. THINK wird so bedeutungsarm wie «Guten Tag».

Ehe ein Besucher noch wirklich zum Nachdenken kommt, werden ihm schon mit der Geschwindigkeit von Büromaschinen die fertigen Antworten gegeben. «ICH BIN DER ZUFRIEDENSTE MANAGER», schnurrt ein tadellos wie eine Schaufensterpuppe in die steifkragige, steifstoffige Geschäftsuniform seines Chefs eingekleideter «executive». «WIR SIND DIE GLÜCKLICHSTEN HANDELSVERTRETER», fällt es von den Lippen der «salesmen» so stereotyp und zuverlässig wie die Karten aus einer Sortiermaschine. «WIR SIND DIE GLÜCKLICHSTEN ARBEITER», sagen beim leisesten Antippen die frischrasierten Herren und freundlich lächelnden Girls, die bei sanfter Automatenmusik, von holden Farben umgeben, aus elektrischen Einzelteilen Büro-Roboter zusammenbauen.

Wem dieser Zustand der Glückseligkeit zu verdanken ist, verrät das Gesangbuch der Firma, das jeder «Helfer» — denn hier gibt es offiziell keine Chefs, keine Angestellten und Arbeiter — ebenso besitzt wie das Notizbuch mit dem goldgepreßten Motto THINK. «Du bist unser guter Führer» («You're our leader fine...») heißt es im «Company-Song No. 7». «Von ihm sind wir alle inspiriert...», versichert der Refrain von Song No. 5. «Wir singen unser Lob aus der Tiefe unserer Herzen...», heißt es in einem anderen Lied, das dem «Leader» gewidmet ist und jeden Montagabend bei den gottesdienstähnlichen Treffen zur inneren und äußeren Besserung erklingt. Mister Watson selbst nimmt diese Ehrungen mit der Bescheidenheit entgegen, die sich für eine Lesebuchfigur ziemt. Er wolle auch nur ein schlichter «salesman» sein, läßt er wissen, hat aber nichts dagegen, wenn man ihn in den Zeitschriften und Broschüren, die seine Gesellschaft zur Erbauung der eigenen «Helfer» und der heidnischen Umwelt herausbringt, wenigstens als den «größten SALESMAN des Universums» bezeichnet. Aus diesen Publikationen erfahren wir, daß auch Columbus im Grunde nur ein «salesman» war. Er «verkaufte» nämlich seiner Königin die Idee, Amerika zu entdecken, und öffnete so für die spanische Krone ein neues reiches Territorium, das Spanien nur deshalb nicht halten konnte, weil es ein anderes Gebot Mister Watsons noch nicht kannte, das lautet: «Wer nicht immer besser wird, hört auf gut zu sein.»

Thomas Watson begann seine Laufbahn als Verkäufer von Pianos, Hausorgeln und Nähmaschinen, arbeitete sich zum Verkaufschef der «National Cash Register Co.» hinauf, deren automatische Registrierkassen ihren Siegeszug begonnen hatten, und wurde 1914 an die Spitze des kleinen, ziemlich heruntergewirtschafteten Konzerns berufen, der sich vor allem mit der Herstellung von Zeitkontrolluhren beschäftigte. Das «heilige Buch» der «Helfer» des Mister Watson, seine Sammlung von Reden, Artikeln und Aussprüchen, die den Ehrfurcht inspirierenden Titel «MEN — MINUTES — MONEY» (MENSCHEN — MINUTEN — GELD) trägt, enthält den «pep-talk», mit dem der «Leader» damals im Jahre 1915 kurz nach der Geschäftsübernahme die tiefgesunkenen Hoffnungen seiner neuen Mitarbeiter aufrichtete. «Sie haben hier genügend Talent, um ein Geschäft zu entwickeln, das viele Male so groß ist wie dieses. Ich weiß noch nicht, wo dieses Talent ist, aber ich weiß schon: es ist vorhanden», proklamierte Mister Watson. Einer seiner nächsten Mitarbeiter pries einmal auf der New Yorker Weltausstellung diese Rede als «Wendepunkt menschlicher Entwicklung».

Mister Watson hat den Reingewinn der Firma, die 1914 einen Profit von einer halben Million Dollar pro Jahr bekanntgab, bis zum Jahr 1938 auf 8,6 Millionen Dollar und bis zum Jahre 1950 auf 28,1 Millionen Dollar gesteigert. Aber unter der Leitung seines moderner gesinnten Sohnes Thomas junior, der 1955 an die Spitze der IBM trat, entwickelte sich die Firma noch schneller. Ende 1962 betrug der Jahresumsatz schon über zweieinhalb Milliarden, der Reingewinn 241 Millionen

Dollar. Für 1973 wird heute schon ein weltweiter Umsatz von 12 Milliarden Dollar pro Jahr vorausberechnet! Diese erstaunliche Entwicklung einer Firma, die heute 125 000 Mitarbeiter in über achtzig Ländern hat, begann mit einer kleinen viereckigen Lochkarte ...

3

Unter den Maschinen des Konzerns, den Mister Watson übernahm, befand sich auch ein umständlicher Apparat, der von den anderen Mitgliedern der Direktion etwas spöttisch das «Statistikklavier» genannt wurde, weil es äußerlich einem mechanischen Piano glich. Sein Erfinder, ein Österreicher namens Dr. Hermann Hollerith, hatte im Jahre 1886 diese Maschine ursprünglich für die Volkszählungsbehörde der amerikanischen Regierung gebaut. Ihr Prinzip bestand darin, bestimmte einfache Informationen in Lochform auf Pappkarten zu stanzen. Liefen diese Karten durch eine Reihe von kleinen, elektrisch geladenen Metallbürsten, so wurde immer dort, wo die Bürsten durch ein Loch miteinander in Kontakt gerieten, ein elektrischer Stromkreis ausgelöst, der eine Rechenmaschine und einen Schreibautomaten in Bewegung setzte.

Es war Mister Watsons unbestreitbares Verdienst, in dieser stiefmütterlich behandelten Erfindung eben jenes «Talent» zu entdecken, das er zu finden gehofft hatte. Mit Hilfe von Wissenschaftlern und Ingenieuren hat er die «Lochkartensprache» so sehr bereichert und verfeinert, daß sie heute nicht nur Hunderte von verschiedenen Tatbeständen ausdrücken und kombinieren kann, sondern dies auch mit einer dem menschlichen Gehirn weit überlegenen Schnelligkeit tut. Eine seiner Maschinen ist imstande, im Laufe einer einzigen Sekunde 2174 Additionen oder Subtraktionen, 79 Multiplikationen und 65 Divisionen von fünfstelligen Nummern zu erledigen. Eine Sortiermaschine ordnet pro Stunde 27 000 gelochte Kartothekblätter nach alphabetischer, geographischer oder irgendwelcher anderen vorherbestimmten Reihenfolge. Was die aus der Fabrik des Mister Watson stammenden «Office Robots» alles tun können, las ich in einer Werbebroschüre, die von der Büromaschinenfirma gemeinsam mit einer großen Wochenzeitschrift herausgegeben worden war. Sie schildert das muntere Völkchen bei seiner Arbeit in der Abonnementsabteilung:

Punch
Sein Name ist Punch. Er hat einen menschlichen Bediener, der auf einer Klaviatur alle wichtigen Informationen über jeden Abonnenten nach einem vorher festgesetzten Nummerncode austippt. Für jede Zahl stößt Punch ein viereckiges Loch in einen ganz bestimmten Platz einer

Karte. Diese Karte wird mit Millionen anderen aufgehoben. Wenn alle Informationen über den Abonnenten in dieser Form aufgenommen sind, können andere Maschinen sie mechanisch finden, sortieren, weglegen, vervielfältigen und wieder herholen. Wenn der Bediener allerdings dem «Punch» die falschen Nummern gibt, wird er falsche Löcher stanzen. Und das könnte zu großer Verwirrung führen, wenn es nicht den folgenden Bruder von Punch gäbe...

Das Auge
«Das Auge» sieht Punch äußerlich sehr ähnlich, aber es hat eine ganz andere Aufgabe. Wenn ein Loch am falschen Platz gestanzt wurde, bemerkt «das Auge» es sofort. Es ist unheimlich genau. Es sieht sich jede neu gestanzte Karte durchdringend an, und wenn dort, wo ein Stanzloch sein sollte, keines vorhanden ist, gibt es ein dunkelrotes Stoppsignal. Sein Bediener sieht rot und entfernt die unkorrekte Karte.

Sorter
Dieser geniale Geograph kennt alle Staaten und Städte. Er hat einen großartigen Ordnungssinn. Nachdem die Karten der Abonnenten gestanzt und geprüft worden sind, liegen sie so durcheinander wie die Post, wenn der Bote sie abliefert. «Sorter» nimmt einen Haufen, blättert ihn durch, und indem er die Stanzlöcher fühlt, kann er die Karten in alphabetischer sowie geographischer Ordnung aussortieren.

Choosey
Choosey kann die Karte jedes Abonnenten mit der größten Schnelligkeit aus einem Haufen von Tausenden von Karten in kürzester Frist finden und auch wieder genau an den gleichen Platz zurücklegen.

Die Henne
Sie wäre nicht da, wenn man nur eine einzige «Stammkarte» brauchte. Aber wir benötigen für statistische und andere Zwecke noch Duplikate. Die brütet die Henne in ihrer stillen Art aus.

Tabby
Tabby ist eine der Maschinen, die eine der beiden von der Henne ausgebrüteten Karten braucht. Sie fühlt die Löcher in der Karte und rückverwandelt sie auf einer Art Schreibmaschine in Buchstaben und Zahlen, zum Beispiel in Namen und Adressen.

Machen diese freundlichen Roboter einmal einen Fehler, weil eine Schraube bei ihnen locker ist, so bewirkt das seltsame Erscheinungen, die geradewegs aus einem Märchenbuch des Maschinenzeitalters zu kommen scheinen. So türmten sich vor dem Haustor eines Farmers in einem entlegenen Teil Amerikas eines Tages Tausende von Exemplaren des gleichen Bildermagazins, weil ein Roboter beim Adressieren aus Versehen bei seiner Anschrift steckengeblieben war und sie immer, immer, immer nochmals wiederholte.

Aber das sind Ausnahmefälle. Im allgemeinen sind Mister Watsons gelehrige Maschinen höchst folgsam, zuverlässig und pünktlich. Sie machen Inventare, stellen Bilanzen auf, errechnen genauestens Gewinnspannen und Versicherungsrisiken, kompilieren Verkaufsstatistiken, kalkulieren Gewerkschaftsbeiträge und Lohnabzüge. Sie sind die unentbehrlichen Helfer von Steuer, Versicherung und Bank geworden. Dabei handelt es sich hier erst um die Primitiven unter den «Office Robots». In Watsons Laboratorium wurden schon ab 1944 Elektronengehirne entwickelt, die seine «Lochsprache» in Kombination mit den minimen Gitterschwankungen der Elektronenröhren zu weit größerer Geschwindigkeit entwickeln.

Es scheint nämlich, als sei die «Lochkartensprache» durch die Neuschöpfungen der sich stürmisch weiterentwickelnden Denkmaschinen-Industrie nun endgültig überholt und in den Rang einer «alten Maschinensprache» versetzt worden. Sie wird mehr und mehr durch andere, fortgeschrittenere Ausdrucksformen verdrängt. Ein Konkurrent Watsons benutzte als erster statt der Lochkarten das in Deutschland entwickelte magnetische Tonband, das auf einer nur fünfhundert Meter langen Spule in Form winziger magnetischer Pünktchen so viel Informationen aufnehmen kann wie eine in Endicott hergestellte Büromaschine alten Typs auf zwanzigtausend Lochkarten.

Die autokratische, neuerungsfeindliche Haltung des Firmengründers war schuld daran, daß IBM die Bedeutung der elektronischen «Computer» erst später begriff als die meisten rivalisierenden Firmen. Erst als der Juniorchef sich gegen den Vater durchsetzte, änderte sich das. Die Firma holte das verlorene Terrain schnell auf und hatte bis Ende 1962 14 000 «Elektronengehirne» in aller Welt installiert, zehnmal mehr als ihr nächster Konkurrent.

Die höchstgezüchteten Denkmaschinen sind bisher noch vom amerikanischen Staat und den Streitkräften mit Beschlag belegt, aber andere «mittelmäßig intelligente» Elektronengehirne (nebst angeschlossenen «Aufnahme»- und «Mitteilungsorganen», die zwischen 50 000 und 500 000 Dollar kosten) stehen nun überall für Bürogebrauch zur Verfügung. Sie sind imstande, nicht nur fast jede arithmetische Operation blitzschnell auszuführen, sondern auch Tausende von Informationen in ihrem «Gedächtnis» miteinander zu vergleichen, aufzubewahren und auf Abruf in Bruchteilen von Sekunden in der richtigen Reihenfolge wiederzufinden. Die «Mitteilungsorgane», die dann die Maschinensprache in unsere Gebrauchssprache rückübersetzen, sind zwar noch nicht so tüchtig wie die «Denk»- und «Gedächtnisorgane», haben sich aber sicher ebenfalls so gut weiterentwickelt, daß eine Firma bereits eine ultraschnelle «Mitteilungsmaschine» herstellt, die 24 000 Buchstaben- oder Zahlenzeichen pro Minute «druckt», und eine andere Firma kündigt sogar einen Apparat an, der tausend Zeilen in sechzig Sekunden «schreibt». Doch selbst diese Leistungen werden von dem «Charactron» der Flugzeugfirma «Convair» (sonst spezialisiert in der Herstellung von Langstreckenbombern) übertroffen, einer Art Fernsehröhre, die pro Sekunde zehntausend Elektronenimpulse empfängt, sie über eine eingebaute Nummern- und Buchstabenscheibe gehenläßt und dann in richtig verständlicher Reihenfolge auf dem Sehschirm der Röhre abbildet. Das Bild der Tausende von mikroskopisch kleinen Lettern auf dem Glasschirm wird von einem neuen ultraschnellen Photoprozeß, der Xerographie, sofort auf Papier gebannt und kann dann mit starken Vergrößerungsinstrumenten gelesen werden.

4

Mister Watson und die Weiterentwickler der Denkmaschinen behaupten: «Unsere Maschinen befreien den menschlichen Geist, indem sie ihm langweilige Routinearbeit abnehmen. Er gewinnt dadurch mehr Zeit für schöpferische Gedankenarbeit.» Ähnliche Versprechungen wurden bekanntlich auch gemacht, als die ersten großen Maschinen zur Bewältigung körperlicher Arbeit auftauchten. Es hieß damals, daß nunmehr der Mensch von den Fesseln der Arbeitsfron befreit sei. In Wirklichkeit aber hat sich nur die Art der Arbeit verändert. Der arbeitende Mensch braucht zwar heute seine Muskeln weniger anzustrengen, dafür werden aber seine Nerven und sein Gemüt bei der Kontrolle der mechanischen Sklaven neuen schweren Belastungsproben ausgesetzt. Gleichzeitig verlor die Arbeit ihren persönlichen und gestaltenden Charakter. An die Stelle des Handwerkers trat der Fabrikarbeiter, dessen Spezialkönnen einfacher und leichter zu erlernen ist.

Eine ähnliche Entwicklung hat jetzt in den amerikanischen Büros begonnen. Ein ganz anderer Angestelltentyp beginnt die «offices» zu bevölkern. Statt gelernter Buchhalter, Statistiker und Bilanztechniker, die noch bis vor wenigen Jahren Universitätsausbildung besitzen mußten, treten «Büromaschinen-Bediener» — die Amerikaner geben ihnen den Sammelnamen «operators» —, die eine ganz andere Vorbildung haben. Sie müssen vor allem technische Routine und mechanische Geschicklichkeit besitzen. Das bedeutet, daß die Grenzlinie zwischen Fabrik und Büroarbeit fließend zu werden beginnt. Es liegt nämlich kein Grund vor, weshalb nicht jemand, der eine Metallstanzmaschine in der Werkstatt bedient, mit gleicher Geschicklichkeit eine lochstanzende Büromaschine bedienen sollte.

Mit den Maschinen sind auch die «Efficiency-Experten» aus der Fabrik ins Büro übernommen worden. Sie haben mit viel Erfolg begonnen, das Prinzip des laufenden Bandes», bei dem die Arbeit in möglichst viele Einzelhandgriffe aufgeteilt wird und von Spezialist zu Spezialist «fließt», auf das Office zu übertragen.

So werden in Postversandhäusern und Versicherungsanstalten einkommende Briefe am Anfang der «Produktionslinie» von der automatischen Brieföffnungsmaschine aufgemacht, auf einem laufenden Band zu der Sortiererin gebracht, welche die passende gelochte Standardantwort und die bereits gestanzte Adressenkarte des Schreibers durch den «Sorter» mechanisch suchen läßt und dann die Karten dem Tabulator weitergibt, der die Routineantwort nach Anweisung der Karte fünfzehnmal schneller (nämlich durch Drucken ganzer Zeilenreihen mit einem einzigen Anschlag) «schreibt», als eine Schreibmaschine es könnte. Die automatische Unterschriftmaschine – zwanzig Federhalter, die geisterhaft immer die gleiche Signatur wiederholen –, der mechanische Kuvertierapparat, die Frankier- und die Briefstempelmaschine erledigen das Anliegen.

Ich sah mir verschiedene solcher Großbüros an, auf die eigentlich der Name «Buchstaben- und Zahlenfabriken» eher passen würde. Am eindrucksvollsten war das riesige «office building» einer großen Versicherungsgesellschaft in Newark (New Jersey), wo 4500 Angestellte in zwanzig durch vertikal laufende Bänder miteinander verbundenen Stockwerken die Policen von beinahe zehn Millionen Versicherten «bearbeiteten». Sie hatten bei dieser Aufgabe, wie mir der «office manager» erzählte, die Hilfe von nicht weniger als 4500 Büromaschinen der verschiedensten Art.

Ein Blick in die staatlichen Büroverwaltungen der Volkszählung und der Sozialversicherung gab mir eine noch deutlichere Vorahnung vom Büro der Zukunft. Die großen, äußerlich kaum mehr von einer Fabrikwerkstatt zu unterscheidenden Hallen waren erfüllt vom Surren und Klicken der verschiedenen Such-, Sortier- und Schreibmaschinen. An Wänden mit bis zur Decke gestapelten grünen Archivkästen glitten Leitern entlang, auf denen sich suchende Beamte von Schublade zu Schublade, von Dossier zu Dossier durcharbeiteten. So können die Volkszähler Informationen über 150 Millionen Amerikaner, deren individuelle Charakteristik zu diesem Zweck in Zahlenform gepreßt wurden, während weniger Monate zu Statistiken verarbeiten, und die Sozialversicherung kann 93 Millionen Dossiers verwalten, von denen pro Tag 750 000 durchgesehen werden.

Die «bête noire» dieser Großbüros ist der Kunde oder Bürger mit besonderen Wünschen. Denn für ihn liegt keine Standardantwort bereit, die von der Lochmaschine und dem Tabulator im Rekordtempo hervorgezaubert werden könnte, er verlangt persönliche Beurteilung durch ein Menschengehirn und individuelle Antwort durch eine Sekretärin aus

Fleisch und Blut. Im berühmten Postversandhaus von Sears & Roebuck in Chicago, das täglich allein so viel Postverkehr bewältigen muß wie eine Stadt mit mehreren hunderttausend Einwohnern, sagte mir eine Dame, die mich durch die «Korrespondenzfabrik» führte: «Wenn ein Kunde sich nicht einfach an die ‹Kennzahl› hält, die unser Katalog für jede abgebildete Ware aufführt, und statt dessen Sonderfragen stellt oder Sonderwünsche äußert, so ist er für uns schon unrentabel; denn er verlangt spezielle Aufmerksamkeit, die die Bezahlung spezieller Arbeitskräfte erfordert.»

Ich fragte, wie viele solcher «unbequemer Kunden» das Versandgeschäft denn zu befriedigen habe, und die Antwort, von einem Stoßseufzer begleitet: «Gott sei Dank weniger als ein Prozent.»

5

Natürlich können bisher nur einzelne Bürobetriebe, in denen eine besonders große Zahl von immer ähnlicher oder sogar gleichbleibender Routinearbeit geleistet wird, sich ganz der Mechanisierung verschreiben. Aber so, wie die Manufakturanstalten durch wachsende Vereinfachung und Standardisierung ihrer Arbeiten nach und nach immer mehr große Handwerksbetriebe zwangen, sich in Fabriken umzuwandeln, so muß nach und nach jeder amerikanische Bürobetrieb, um konkurrenzfähig zu bleiben, dem neuen «trend» folgen und seine Operationen zu vereinfachen suchen.

Ein Unternehmen nach dem anderen engagiert «Methoden-Analytiker», «System-Ingenieure», «wissenschaftliche Manager», um seine Büros rationalisieren zu lassen.

Zuerst einmal wird der Reorganisator, wenn möglich als solcher nur dem Spitzenmanagement bekannt und dem Personal gegenüber als Kollege getarnt, die bisherige «veraltete Arbeitsweise» studieren. Er kann ohne Schwierigkeit in fast allen Fällen konstatieren, daß es «Doppelspurigkeiten» und Kompetenzüberschreitungen gibt. Er wird notieren, daß zur Einholung und Ablieferung von Aufträgen «zu viel Bewegung von Schreibtisch zu Schreibtisch» stattfindet. Er stellt bald fest, wieviel Zeit im Büro mit «privatem Geschwätz vergeht», daß Sekretärinnen, die zum Diktat gerufen werden, durch Warten auf den noch beschäftigten Chef «Zeit vertun», daß Stenotypistinnen an Schreibmaschinen zu viel Zeit mit der Herstellung von Briefen «verschwenden». Er weiß, daß ein Teil dieser Briefe auf von Lochkarten dirigierten Maschinen automatisch getippt werden könnte, wenn man auf «unproduktive Besonderheiten» wie persönliche Grüße verzichten wollte und jedermann den gleichen Brief schickte, der dann nur durch die Einsetzung des individuellen Namens eine «private Note» erhält.

Zuerst wird der «methods analyst» das äußere Aussehen des Büros radikal verändern lassen. Etwa Dreiviertel der privaten Büroräume werden abgeschafft, Türen und Wände fallen und werden durch einen einzigen großen Arbeitsraum ersetzt, in dem es nur noch offene, höchstens durch halbhohe Teilungen abgetrennte «Kojen» gibt. Dadurch wird Büroraum gespart, ständige Beobachtung des Arbeitsganges durch die Aufseher und die Mitarbeiter untereinander ermöglicht, der «Fluß» der einzelnen Dokumente von Schreibtisch zu Schreibtisch beschleunigt.

Eine durchschnittlich hohe, mit der Stoppuhr nach jedem einzelnen Handgriff genau berechnete Standardarbeitsmenge wird nun festgesetzt, so daß in Zukunft für private Telephonate und Unterhaltungen, zu langes Wegbleiben vom Arbeitsplatz oder ähnliche «Verschwendung der dem Arbeitgeber gehörenden Minuten und Stunden» einfach keine Zeit mehr bleibt.

Vor allem sorgt eine gründliche Reorganisation dafür, daß jeder und jede Angestellte stets laufend mit genügend Arbeit versorgt ist. Briefe, die sich nicht im Vervielfältigungsverfahren erledigen lassen, werden der Stenotypistin jetzt, wenn immer möglich, nicht in Person diktiert, sondern kommen zu ihr über den Tonbandapparat, das Diktaphon oder aus der «Diktierzentrale», auf die man sich über das Haustelephon einschalten muß. Der «Chef» ist unsichtbar geworden: eine Stimme, die Memoranden diktiert, deren Bedeutung und Zusammenhang der jeweils gerade zur Verfügung stehenden Sekretärin meist ganz unbekannt bleibt. Es wird allerdings zur Erhöhung der Produktivität empfohlen, die Stenotypistin vor Beginn des Besprechens der Tonrolle durch ein freundliches «Good morning, Miss» und nach Briefende durch ein «Thank you, Miss» zu grüßen.

Lunchpausen werden nun möglichst so gelegt, daß keine wirkliche Arbeitsunterbrechung entsteht. Die Angestellten verlassen nicht alle auf einmal die Büros, sondern gestaffelt. Kaffeeautomaten und Snackbars im Hause beschleunigen den möglichst kurzen Prozeß der Nahrungsaufnahme.

«Diese Reform der Officearbeit war seit langem überfällig», meinte ein wissenschaftlicher Manager, der mich in die Welt der Officeroboter eingeführt hatte. «In den letzten hundert Jahren hat sich die Dollarproduktivität des Fabrikarbeiters um 1400 Prozent gesteigert, die Erzeugungsfähigkeit der Büroarbeiter dagegen höchstens um 40 Prozent. Wir stehen erst am Anfang einer weitgehenden Standardisierung, Mechanisierung und Beschleunigung der Büroarbeit. Heute hat jeder Arbeiter der chemischen Industrie zum Beispiel durchschnittlich Maschinen im Werte von zwanzigtausend Dollar zur Verfügung, der amerikanische ‹office worker› arbeitet aber erst mit Maschinen im Werte von tausend Dollar pro Person. Denken Sie einmal nach, wieviel Möglichkeiten es da noch gibt.» «Think...»

«THINK, THINK, THINK» klickte und klackte es. Ich versuchte zu denken, mein Gehirn surrte und ratterte, die Gehirnzellen wollten es den Elektronenröhren und Transistoren nachmachen; die Neuronen flickerten angestrengt. Aber es kam nicht das von den «Mister Watsons» gewünschte optimistische Resultat heraus. Nur immer wieder melancholische Visionen von blassen, stummen Menschen, die still und ergeben vor unerhört angeregt arbeitenden Metallkästen standen und angespannt in das Irrlichtern von Aggregaten starrten.

Nun – wahrscheinlich bin ich einfach falsch gelocht...

SEELENINGENIEURE

1

Chicago, Illinois

Schon wieder hält der Hochbahnzug. Er ist alt und klapprig, seine Bremsen kreischen, seine Sitzgelegenheiten sind abgewetzt. Jedesmal, wenn er anfährt, fallen die Köpfe meiner Mitreisenden, die vielen schon am Morgen müden Gesichter mit einem Ruck nach vorne und dann sofort wieder nach hinten. Das, was unter den Fenstern vorbeizieht, gleicht fast genau dem, was ich schon seit zwanzig Minuten gesehen habe: lange Reihen von kleinen Wohnhäusern aus schwarzgewordenen Holzlatten, offene, durch lose Bretterzäune eingefaßte Höfe, in denen Altmetall rostet, ab und zu ein niedriges Fabrikgebäude mit seinen langen Reihen staubiger Oberlichtfenster. Weshalb wohl die Wohnstätten und Werkstätten des industriellen Zeitalters so schnell altern? Kaum dreißig, höchstens vierzig Jahre muß es her sein, als diese Vororte von Chicago gebaut wurden, und schon sehen sie so mitgenommen aus wie die armseligsten Abruzzendörfer, trostloser als die polnischen oder tschechischen Kleinstädte, aus denen so viele ihrer Bewohner kamen.

«28th Street», sagt das Plakat auf dieser Station. Die Häuserreihen haben sich etwas gelichtet. Ab und zu ein armseliger Baum, ein wenig Grün zwischen Schiene, Telephonstange und Asphalt. Hier, in dieser Industrielandschaft, sehen sogar die Pflanzen aus, als kämen sie aus einer der umliegenden Fabriken. Allerdings handelt es sich wohl um Ausschußware. Dieses zerfranste Stückchen Rasen ist schon so verblichen und ausgetreten wie ein alter Teppich. Vielleicht bekommt es nach dem Anbruch der Dunkelheit von der grünen Lichtreklame nebenan ein wenig Farbe geliehen und lebt dann in diesem künstlichen, kalten Licht erst wirklich auf.

«32nd Street.» Der Himmel ist von den Drähten und Antennen zerschnitten: Telephonleitungen, Hochspannungsdrähte, ein weißer, quadratischer Mikrowellenturm mit seinen Richtstrahlern, die bald aussehen wie runde Klingelgehäuse, bald wie die Münder viereckiger Lautsprecher. Die mit Mennigrot bestrichenen und mit grauem Isolierband verpackten Röhren einer im Bau befindlichen Naturgasleitung, die von Texas her über Tausende von Kilometern bis nach Chicago geführt wurde. Die Zementkurve eines «highway» mit ihren krabbelnden Metallkäfern, Wassertürme, aus einem Wurzelwerk von Leitungen aufschießend. Und wie eingegarnt ist dieses Netz von Verbindungen aller Art Siedlungen von Menschen: Schlafkojen für die Angestellten, die in Chicago, in Cicero oder Hawthorne arbeiten; Unterschlupf für die wenigen Stunden der Nacht zwischen Arbeit und mechanisiertem Zeitvertreib.

«36th Street.» Der Nebenmann schaut hinter seiner «Chicago Tribune» hervor und sagt zu mir: «Hier müssen Sie aussteigen, dort drüben sind die Werke.»

Ich bin beim ersten Blick enttäuscht. Eigentlich habe ich eines jener neuen, supermodernen Fabrikgebäude erwartet, wie sie die Zeitschrift «Fortune» manchmal abbildet: elegante, cremefarbene oder nilgrüne «buildings», die den Besucher aus blitzenden Metallfassaden oder mit schimmernden Glaswürfelreihen anlachen. Statt dessen finde ich ein paar schwerfällige dreistöckige Gebäude aus efeuumranktem Backstein, wie sie um 1910 herum errichtet wurden.

Ich melde mich beim Fabrikeingang an, werde sofort an das «Visitors Department» geleitet, das, wie ein Plakat am Eingang sagt, pro Jahr durchschnittlich 4000 Besucher «behandelt», und von einem Herren mit festgefrorenem, herzlichem Lachen gefragt: «Was interessiert Sie am meisten? Unsere Telephone oder ... das andere?»

«Ich nehme an ... das andere», antworte ich zögernd.

«Nehmen Sie ihn hinüber zu ‹Industrial Relations›», sagt er zu einem der bereitstehenden «guides», der seinen Namen in einer Plastikhülle zusammen mit seiner Fabriknummer am Rockaufschlag trägt: Wondrasek 72 307. Während wir durch die Säle gehen, in denen abwechselnd Männer in weißen Mänteln zu zwanzig oder dreißig in einem Raum Blaupausen entwerfen oder kopieren, Mädchen von einem laufenden Band Spulen und Schrauben nehmen, um sie festzumachen, Monteure komplizierte Schaltungen, die ein wenig aussehen wie das Innere eines Pianos, verdrahten, versucht der Mister 72 307 ein paar Erklärungen: «Hier wird an ‹Crossbar 5› gearbeitet. Unser neuestes Produkt: eine automatische Telephonzentrale für die Ortschaften von nur 20 000 Einwohnern.» Oder:

«‹Crossbar 4› — das Spitzenprodukt des Hauses für Fernrufe über den ganzen Kontinent hinweg ...»

Er merkt schnell, daß ich nur mit halbem Ohr hinhöre. «Say», meint er mit einer ganz leichten Spur von Spott, als er mich schließlich im Vorraum der Personalabteilung zurückläßt, «Sie sind wohl auch nur an unseren Seelen interessiert, nicht wahr?»

2

Gewiß, es war nicht Interesse für Fernsprechzentralen, das mich veranlaßte nach Hawthorne zu fahren, sondern die Hoffnung, mehr über eine der einflußreichsten sozialen Bewegungen der amerikanischen Gegenwart zu erfahren. Die Telephonfabrik der «Western Electric» in diesem Vorort Chicagos ist durch den Versuch bekannt geworden, die in unserer Zeit oft unterbrochene Nahverbindung von Mensch zu Mensch wiederherzustellen. Sie wurde so der Ausgangspunkt einer Lehre, die in den Vereinigten Staaten immer weitere Kreise zieht: die Lehre von den «Human Relations».

Der Name verrät eigentlich schon die Grundidee des Programmes. «Menschliche Beziehungen» im Betrieb sollen das durch Arbeitsteilung, Mechanisierung, Rationalisierung und das Treiben übereifriger «efficiency experts» entstandene Unbehagen zwischen Arbeitern und Unternehmern beseitigen. Diese Vermenschlichung der Arbeit werde den sozialrevolutionären Bewegungen der Gegenwart schließlich den Boden abgraben, meinen die Anhänger der «Human Relations». Sie glauben nämlich, aus ihren wissenschaftlichen Versuchen einwandfrei festgestellt zu haben, daß die Behauptung, die Arbeiterschaft wehre sich aus wirtschaftlichen Motiven gegen die vorherrschende Ordnung, nicht zutreffe. Viel stärker sei bei dem durchschnittlichen modernen Industriearbeiter heute die seelische Unzufriedenheit. Anspruch auf guten Lohn komme erst hinter dem Verlangen nach Achtung seiner Würde, Anerkennung, Arbeitskameradschaft und einer Reihe anderer Erwartungen, die nicht durch ökonomische Veränderungen befriedigt werden könnten.

William J. Dickson, Leiter des «Department of Industrial Relations» in Hawthorne, ist einer der Gründer und Apostel dieser neuen Bewegung. Zusammen mit seinem Vorgänger auf diesem Posten, Roger Penno, sowie den beiden Harvardprofessoren Elton Mayo (einem gebürtigen Australier) und Fritz Roettlisberger (von Schweizer Abstammung) hat er die Anfänge, Entwicklung und Ausbreitung der Lehre von den «Human Relations» miterlebt.

Als ich ihm an seinem Schreibtisch gegenübersitze, geht er ohne große Umwege mit der Inbrunst des von einer großen Idee Besessenen medias in res:

«Unsere ganze Arbeit kommt aus der einen großen Erkenntnis, daß die moderne industrielle Organisation, Fabrik und Büro also, die beherrschende soziale Einrichtung unserer Zeit geworden ist. Der Arbeitsplatz hat besonders in den großen Städten eine alles überschattende Stellung im Leben des einzelnen eingenommen. Der heutige Mensch ist durch die großen Wandlungen der letzten Jahrzehnte meist aus dem festen Gefüge herausgelöst worden, das dem Leben seiner Vorfahren Halt und Wertmaße gab. Familie, Ortsgemeinschaft, Kirche, Schule haben ihren stabilisierenden Einfluß verloren. Früher war der Arbeitsplatz nur eine von mehreren festen sozialen Institutionen, heute ist er oft der einzige sichere Punkt der menschlichen Existenz. Dort sucht der Zeitgenosse all das, was er früher von Verwandten, Nachbarn, Lehrern und Priestern bekam: Sicherheit, Anerkennung seiner Leistung, Sympathie und Rat in schwierigen Lagen. Daraus entsteht für den Arbeitgeber die Verpflichtung, seinen Angestellten mehr zu geben als den wöchentlichen Scheck.»

Dickson hat selbst noch an jener Reihe von Experimenten mitgearbeitet, aus denen heraus sich die Lehre von den «Human Relations» entwickelte. Sie haben hier in Hawthorne in diesem Gebäude stattgefunden und sind heute schon von einer Art mythischem Schein verklärt. Immer wieder wollen die zahlreichen Besucher, die nach Hawthorne pilgern, den berühmt gewordenen «test room» sehen, in dem, wie es heißt, «die Seele des arbeitenden Menschen wiederentdeckt wurde».

«Ich muß wirklich der Direktion einmal vorschlagen, den ‹test room› zu rekonstruieren und als eine Art Museum einzurichten», sagte mir der Chef der Personalabteilung. «Wenn ich Gäste herumführe und ihnen zeige, was wir für unsere Arbeiter tun, kommt unweigerlich die Bitte: Und jetzt zeigen Sie uns den ‹test room›, wo das alles begann. Ich kann dann immer nur sagen, es tue mir leid, aber der Versuchsraum sei eben nur eine provisorisch abgeteilte Ecke eines der großen Arbeitssäle gewesen, und wir hätten den Platz wieder für unsere laufenden Bedürfnisse gebraucht.»

Er führte mich an einen grünen «file case» und fischte einige vergilbte Stenogrammblöcke und Lochstreifen heraus. «Das ist alles, was wir von den Bergen protokollierten Materials noch hier haben», sagte er. «Alles andere ist zur Ausarbeitung an die Universität Harvard gegangen. Es waren wirklich Berge von beschriebenem Papier. Vermutlich das ausführlichste Beobachtungsmaterial, das je während einer so langen Zeit mit solcher Genauigkeit über eine Gruppe von Menschen gesammelt wurde.»

3

Die «Hawthorne Experiments» fingen eigentlich recht harmlos als ein Versuch über den Einfluß guter Beleuchtung auf den Arbeitsprozeß an. Damals, im Jahre 1924, glaubte man, daß der Arbeitgeber, wenn er steigende Herstellungsquoten erwartete, in den Fabriken vor allem für ein gewisses Maß von körperlichem Wohlbefinden sorgen müsse. So begann man in fortschrittlichen Betrieben für bessere Lüftung, Verringerung des Lärms, genau festgelegte kleine Arbeitspausen, regelmäßige ärztliche Untersuchungen zu sorgen. Hier und dort wurde sogar schon der Einfluß von Farben und Musik auf die Arbeitsleistung erprobt.

Die Lichtexperimente der «Western Electric» in ihren Hawthorne-Werken fielen nun aber ganz anders als erwartet aus. Man hatte zwei Arbeitsgruppen bestellt. Eine «Normalgruppe», bei der die Lichtbedingungen stets die gleichen blieben, und eine «Versuchsgruppe», bei der Methoden für die bestmögliche Beleuchtung ausprobiert werden sollten. Es war natürlich angenommen worden, daß diese zweite Gruppe bald eine höhere Leistung erzielen würde als die erste Gruppe.

Und wirklich: mit jeder Lichtverbesserung stieg die Leistung der «Versuchsgruppe». Das war vorherzusehen. Nicht vorherzusehen war aber, daß auch die «Normalgruppe», die immer noch bei der gleichen mittelmäßigen Beleuchtung arbeitete, ebenfalls mehr hervorbringen würde. Die Versuchsleiter dachten nach und kamen auf den Einfall, daß die Angehörigen beider Gruppen vielleicht nur deshalb mehr herstellten, weil man mehr von ihnen erwartete. Diese Annahme fand ihre Bestätigung, als die menschlichen «Versuchskaninchen» durch einen kleinen Trick getäuscht wurden. Wie üblich wurden wieder einmal die elektrischen Birnen der «Versuchsgruppe» ausgetauscht und durch andere ersetzt. Die Arbeiter äußerten sich erfreut über die verbesserte Beleuchtung und reagierten prompt mit höheren Erzeugungsziffern. Tatsächlich aber hatten die Versuchsleiter ihnen Lampen von genau der gleichen Leuchtstärke wie zuvor eingeschraubt.

So begann es den Leitern des Experiments zu dämmern, daß etwas anderes als der körperlich-materielle Charakter der Lichtverbesserung bei der Leistungssteigerung mit im Spiele sein müsse. Sie nannten diese Unbekannte den «seelischen Faktor».

Was es aber war, das diesen «seelischen Faktor» ins Spiel brachte, wie und unter welchen Umständen er sich auswirkte, blieb zunächst nur Gegenstand der Vermutungen.

Um diesen produktionsfördernden «Seelenvirus X» herauszufinden, begannen die «Western Electric» in Hawthorne in Zusammenarbeit mit der «School of Business Administration» der Universität Harvard im April 1927 ein neues, viel ehrgeizigeres Projekt: Ein sozialer Prozeß sollte erstmals so genau beobachtet werden wie ein naturwissenschaftlicher Vorgang. Man wollte das Verhalten einer Gruppe von Personen unter das Vergrößerungsglas nehmen, als handle es sich um Bakterien in einem Wassertropfen.

Sechs durchschnittliche Arbeiterinnen, deren Leistungen schon vorher eine Weile lang besonders genau kontrolliert worden waren, erhielten eines Tages die Mitteilung, man wolle sie zu einem Versuch heranziehen, der schließlich zur Verbesserung der Arbeitsbedingungen ihrer Kollegen dienen werde. Sie stimmten zu, wurden aus ihren bisherigen Arbeitsgruppen, in denen sie mit etwa hundert Personen zusammen arbeiteten, herausgezogen und in den später so berühmt gewordenen «test room» gebracht.

Dieser Raum war vom Rest des Arbeitssaales durch eine zweieinhalb Meter hohe Holzwand getrennt. Die «Versuchspersonen» saßen nebeneinander auf einer langen Bank. Ihre Arbeit, die Zusammensetzung einer elektrischen Schaltung, bei der verschiedene Federn, eine Armatur, Kontaktdrähte und ein Isolator, alles in allem 40 Teile, durch Schrauben auf einer festen Unterlage befestigt werden mußten, blieb die gleiche wie vorher. Neu war nur, daß sich neben dem Sitz jedes Mädchens eine Öffnung befand, in die sie das Arbeitsstück nach der Fertigstellung hineinzuwerfen hatten. Das war nämlich der Eingang zu einer Rutschbahn, die durch eine Klapptür die fertige Schaltung zu einem Sammelbecken weiterleitete. Jedesmal, wenn die Klappe sich öffnete, um ein neues Stück durchzulassen, wurde dadurch ein Stromkreis geschlossen, der mit einer Lochkartenmaschine verbunden war. So konnte auf einem Lochband von Minute zu Minute ein genaues Arbeitsprotokoll notiert werden.

Außerdem aber wurde auch noch ein anderes Protokoll geführt. Ein menschlicher Beobachter, der sogenannte «test room observer», sollte alles aufschreiben, was ihn am Verhalten der Mädchen überraschte und interessierte. Er hatte nicht nur aufzuschreiben, wann die eine oder die andere Versuchsperson Müdigkeitserscheinungen zeigte, sondern auch, wie sich das Verhältnis der einzelnen Personen zueinander veränderte, und sogar welche Gespräche sie miteinander führten.

Dies waren aber keineswegs die einzigen Aufzeichnungen über die jeweiligen Versuchsbedingungen. Es wurde stündlich notiert, wie die Wetterbedingungen waren und wie sich die Raumtemperatur verhielt. Alle sechs Wochen mußte sich jede der sechs Versuchspersonen einer kompletten ärztlichen Untersuchung stellen, jeden Morgen hatte sie anzugeben, wie viele Stunden sie in der Nacht vorher geschlafen hatte, eine Zeitlang auch genau, was sie in der Freizeit gegessen hatte. In Einzelinterviews wurden intimste Fragen gestellt und, falls Antwort nicht verweigert wurde, die bei dieser Gelegenheit geführten Unterhaltungen genauestens unter Zusicherung strengster Diskretion protokolliert.

All das ging jahrelang so, Jahre, in denen die äußeren Arbeitsbedingungen elfmal verbessert wurden. Das Ergebnis dieser langen Versuchsreihe bestätigte schließlich, allerdings mit sehr viel größerem und genauerem Beweismaterial, was schon der allererste Gruppentest (zum Studium des Einflusses der Arbeitsbeleuchtung) vermuten ließ. Es waren nicht die äußeren Einflüsse, weder schlechte (wie feuchtes Wetter und körperliches Unbehagen) noch gute (wie vermehrte Ruhepausen, Gratismahlzeiten, früherer Arbeitsschluß, Fünftagewoche), die den Herstellungsprozeß günstig beeinflußten, sondern geistige und seelische Faktoren. Sie bewirkten, daß in der sogenannten «Periode XII», in der man alle in früheren Versuchsperioden zugestandenen Arbeitserleichterungen wieder rückgängig machte, trotzdem mehr Schaltungen pro Woche hergestellt wurden als in irgendeinem der vorhergehenden Zeitabschnitte.

Nur glaubte man jetzt auch genauer zu wissen, wie der «seelische Faktor x» beschaffen war, der die Mehrproduktion ermöglichte. Die Mädchen, die an dem Versuch teilgenommen hatten, sprachen sich selbst darüber aus. Sie waren sich besonders in einem einig: Die Arbeit im Testraum hatte ihnen Spaß gemacht, weil sie einem interessanten Ziel diente, während die gleiche Arbeit ihnen vorher, als sie zusammen mit den anderen Arbeitern geleistet wurde, nur langweiliger Broterwerb gewesen war. Der «Faktor x» war also vor allem anderen die Arbeitsfreude.

Weiterhin hatte es den Mädchen einen großen Eindruck gemacht, daß man sich so sehr um sie bemüht und sie stets um ihre Meinung gefragt hatte. Sie waren sich nicht mehr nur als bloße Rädchen in der großen Maschine der Massenproduktion vorgekommen, sondern zum erstenmal als wichtige Mitarbeiter, deren Person und Arbeit die größte Aufmerksamkeit fand. Der «Faktor x» war also auch: Arbeitsstolz. Schließlich aber kam als dritter Teilfaktor die Tatsache zum Vorschein, daß die sechs Mitarbeiterinnen im Testraum nicht mehr nur wie vorher beziehungslos nebeneinander gearbeitet hatten, sondern zu einem «Team» zusammengewachsen waren. An Geburtstagen beschenkten die Mädchen einander, sie begannen sich nach Arbeitsschluß zu besuchen und miteinander auszugehen. Der freundliche Spott oder Neid der anderen Arbeiter und Arbeiterinnen in der Fabrik trugen nur noch dazu bei, diesen «Gruppengeist» zu verstärken. Wenn irgendeines der sechs Mädchen sich einmal nicht wohl fühlte, übernahm jede von den anderen fünf ein wenig von ihrer Arbeit, so daß ihr Stücklohn nicht unter dem momentanen Versagen leiden mußte. Der «Faktor x» hieß endlich noch: Solidarität.

Als eines der wichtigsten Protokolle des Testes erwiesen sich die Aufzeichnungen, die über die Unterhaltung unter vier Augen zwischen dem Versuchsleiter und den einzelnen Mädchen abgehalten worden waren. In ihnen hatten die Versuchspersonen sich mit wachsendem Vertrauen in ungenierter Weise über ihre Arbeit und ihre Aufseher aus der Zeit vor der Übersiedlung in den Testraum geäußert. Es ging aus diesen Äußerungen ganz eindeutig hervor, daß Ungeschicklichkeiten der Vorarbeiter, persönliche Kränkungen, das Gefühl, nicht am richtigen Platz zu stehen oder nicht nach Verdienst gewürdigt zu werden, einen enormen, stets negativen Einfluß auf die Arbeitsleistung ausübten.

Noch einen Schritt weiter auf dem Pfade zur neuen Theorie der «Human Relations» kam man, als die Interviewer herausfanden, daß im

Zwiegespräch sehr häufig auch ganz persönliche Probleme der Befragten zur Sprache kamen. Eine schlechte oder schwierige Ehe, Sorgen wegen eines Kindes, das Gefühl im Leben gescheitert zu sein, und viele andere Probleme aus dem privaten Leben außerhalb der Fabrikmauern wurden aufgeworfen.

Zuerst hatten die Interviewer diese privaten Bemerkungen als nicht zum eigentlichen Thema gehörend angesehen. Das Leben und die Probleme des Arbeiters in seiner freien Zeit ging sie ja im Grunde auch nichts an. Sobald sie aber bemerkten, wie sehr solche «Beichten» den Gesprächspartner zu erleichtern schienen und wie dankbar das nunmehr in großem Maßstab aufgenommene Experiment vertraulicher Zwiegespräche vermerkt wurde, desto eifriger wurde jetzt die sich daraus entwickelnde Kunst des «counseling» (wörtlich: Beratens) betrieben. So wurden in Hawthorne während der Jahre 1928 bis 1930 21 126 Angestellte und Arbeiter auf solche Weise «interviewt». Statt der fünf Personen, die sich zuerst dieser neuen Art von «Seelsorge» gewidmet hatten, waren 1930 bereits 30 Personen mit der Aufnahme der «Beichten» und 6 Personen mit der Analyse ihres Inhalts beschäftigt.

Dann kam die Wirtschaftskrise, die das Programm zu einem vorläufigen Ende brachte. Auf dem Tiefpunkt der «Depression» wurde 1931 der erste Bericht über die psychologischen Experimente in Hawthorne veröffentlicht.

Der Widerhall war anfangs gering. Man hatte in Unternehmerkreisen jetzt andere, dringendere Sorgen. Aber sechs Jahre später begann die «Botschaft von Hawthorne» einen wahren Siegeslauf und trug dazu bei, das «soziale Klima» in Amerika entscheidend zu verändern.

4

Die Experimente von Hawthorne hätten kaum ein solch erstaunlich starkes Echo in den Fachkreisen der amerikanischen Konzernmanager gefunden, wenn nicht die Wirtschaftskrise, die vermehrten Arbeitskonflikte und die Anerkennung der Gewerkschaften im Jahre 1937 den Boden vorbereitet hätten. Um die Welle antikapitalistischer Stimmung abzufangen, die damals durch die USA ging, und zugleich einen positiven Beitrag zu dem neuen Verhältnis zwischen Arbeit und Management zu leisten, wurden besonders auf der Unternehmerseite die Ergebnisse des Versuches in der Telephonfabrik der «Western Electric» genau studiert und propagiert.

Oft beruhte die hastige Einführung von «Human Relations»-Programmen auf einer oberflächlichen Interpretierung der Hawthorne-Versuche. Sie wurden als beruhigende Botschaft mißverstanden, die besagte: «Gebt dem Arbeiter das Gefühl, er sei ein Mensch, und er wird aufhören, euch Schwierigkeiten zu machen.» In der manchmal zynisch offenen Sprache der einschlägigen Publizistik wurde dieses Mißverständnis gelegentlich im Slogan formuliert: «Hebt ihr Ichgefühl statt ihre Löhne.»

Viele Großkonzerne begannen kurz vor und besonders während des zweiten Weltkrieges ihre Personalabteilungen zur Einrichtung von «Human Relations»-Programmen mit größeren Mitteln und Vollmachten auszustatten. Betriebspsychologen dachten über Maßnahmen nach, wie der zum «Rädchen» gewordene Arbeiter der Massenproduktion mehr «Arbeitsstolz» und «Selbstbewußtsein» gewinnen könnte. Man begann, «Arbeitshelden» zu wählen, Wettbewerbe zwischen einzelnen «Arbeitsgruppen» einzurichten, man organisierte die Freizeit des Angestellten. Fast überall entstanden Betriebszeitungen, um einen neuen «Betriebsstolz» zu schaffen. Die Fabrik sollte jetzt das «Heim einer großen Familie» sein, in der die Vorarbeiter sich als gütige ältere Brüder und die höheren Ränge der Verwaltung als wohlwollende Onkel oder Väter gaben, wenn möglich jedes Mitglied der «Familie» beim Vornamen kannten und betonten, daß die Tür zu ihrem Büro jedermann offenstehe.

All das mag zuerst oft nur heuchlerische Taktik oder auch Ausdruck eines allzu naiven Besserungsdranges gewesen sein, der sich mit Phrasen von viel tieferen Verpflichtungen loskaufen wollte. Aber in dem Maße, wie mehr und mehr Wissenschaftler zum Studium der neuen Kunst menschlicher Arbeiter- und Angestelltenbehandlung herangezogen wurden, wie eine Universität nach der anderen eigene Abteilungen für «menschliche Beziehungen in der Industrie», für «angewandte Sozialpsychologie» oder «das Verhalten von Arbeitsgruppen» einrichtete, wurde aus dem Spiel Ernst: Der «Geist», der in einem Betrieb herrscht, erwies sich tatsächlich als Faktor von größter Bedeutung und trägt heute ebenso wie die Produkte der Firma oft dazu bei, ihren Ruf zu «machen» oder zu «brechen».

Mehr noch: die neue, menschlichere Haltung des Unternehmertums hat oft sehr greifbare materielle Früchte getragen. Betriebe, die ihre «menschlichen Beziehungen» pflegen, schneiden auch in geschäftlicher Hinsicht meist weit besser ab als Unternehmer, die ihren Leuten gegenüber gleichgültig bleiben oder gar noch nach der veralteten autoritären Methode «regieren». Wenige der vielen kleinen und größeren technischen Betriebsverbesserungen haben solche erstaunlichen Resultate von Produktionssteigerung erzielt wie ein wirklich kluges und vor allem ehrlich gemeintes «Human Relations»-Programm.

Ein paar Betriebspsychologen — sie werden in der treffenden Umgangssprache der Fabriken fast nur «Seeleningenieure» genannt —, die es verstehen, die Arbeitnehmer durch geschickte Hebung der «Stimmung» zu intensiverer Leistung anzuregen, können oft mehr zur Erhöhung der Produktivität beitragen als wirkliche Ingenieure, die mit dem gleichen Ziel im Auge erst kostspielige neue Maschinen bauen müssen. Schon eine durchschnittliche bessere Arbeitsleistung von wenigen Prozenten kann aber in amerikanischen Großbetrieben eine jährliche Ersparnis oder einen Mehrverdienst von Millionen bedeuten; ein verhinderter Streik ist oft ein Vermögen wert. Die Einstellung von «Seelen-ingenieuren» hat sich so als höchst rentable Ausgabe erwiesen. Und seither ist das Tor in Amerika für immer mehr Betriebspsychologie und zahlreiche «Human Relations»-Programme geöffnet.

5

Die meisten Kunstgriffe, welche die Hawthorne-Werke heute zur «Pflege der menschlichen Beziehungen» in ihrem Betrieb entwickelten, sind inzwischen schon in den meisten amerikanischen Großunternehmen selbstverständlich geworden. Da gibt es Angestelltenklubs, eigene Orchester, Geburtstagsehrungen für Jubilare, Vorträge, Filmabende, Gemeinschaftsfeiern. Es werden Jahres- statt Wochenverträge vergeben, um die Furcht vor plötzlicher Arbeitslosigkeit herabzusetzen, «kongeniale Arbeitsgruppen» gebildet und vor jeder Änderung in der Arbeitsroutine die Meinung der Angestellten über den neuen Schritt eingeholt.

Doch die meistbewunderte und wegen ihrer Kostspieligkeit vorläufig nur vereinzelt nachgeahmte Einrichtung der Personalabteilung von Hawthorne sind die «counselors». Einem der fähigsten von den 60 «Beichtvätern», die in Hawthorne beschäftigt werden, stellte mich Mister Dickson vor.

Larry Richards ist ein frischer, freundlicher Mensch mit einem offenen, beinahe naiven Blick. Während er mich durch die Arbeitssäle führt, nikken ihm im Vorbeigehen die Arbeiter zu. Man merkt zwar sofort, daß sie ihn gern mögen, aber ihre Freundlichkeit ist deutlich mit gutmütigem Spott gemischt. So etwa, als ihm ein schlaksiger Monteur zuruft: «Geh weg, Butch. Du erinnerst mich an meinen tyrannischen Großvater.»

Da zeigt es sich, daß der Counselor gar nicht der harmlose Träumer ist, der er zu sein scheint. Blitzschnell gibt er zurück: «Du machst aber gar nicht den Eindruck, als seist du von mir zu sehr unterdrückt worden.» Beide lachen, und der Monteur nimmt die Gelegenheit wahr, um ein «Interview» mit dem Counselor zu bitten, dessen Zeitpunkt sofort festgelegt wird. Ich hatte erwartet, in ein privates Büro geführt zu werden. Statt dessen bietet mir Richards in einem der «Interviewräume» Platz an, wo er gewöhnlich seine «Schäfchen» zu Aussprachen empfängt. Es ist ein beinah leeres, schmuckloses Zimmer: ein runder Tisch mit einem Aschenbecher, zwei bequeme Stühle — das ist alles.

Dreihundert bis vierhundert Angestellte gehören durchschnittlich zum «Sprengel» eines einzigen Counselor. Manche dieser Menschen kennt er nur von kurzen Besuchen, die er ihnen an ihrem Arbeitsplatz abstattet. Aber es ist sein Bestreben, sich mit jedem mindestens einmal länger auszusprechen.

Mister Richards ist nicht etwa berufsmäßiger Psychiater, er hat keinerlei ärztliche Vorbildung. Ursprünglich besuchte er eine technische Ausbildungsschule, um bald darauf einen Platz im großen Heer des industriellen Mittelstandes, der Armee der ausführenden Ingenieure, Aufseher oder Vorarbeiter einzunehmen. Während des Krieges hat man ihn dann wegen seiner Beliebtheit bei den Kollegen in einer anderen Fabrik zum Counselor gemacht. Das waren die Jahre, da die vertraulichen Berater nach dem in Hawthorne zuerst ausprobierten Muster vorübergehend auch in anderen Betrieben eingeführt wurden. Besonders die neueingestellten Frauen gewöhnten sich schnell an die Einrichtung und paßten sich den ungewöhnlichen Fabrikbedingungen viel schneller an, wenn sie von einem verständnisvollen Menschen angehört wurden.

Dabei haben sich mit der Zeit zwei völlig verschiedene «Counselor-Systeme» herausgebildet. Die «directive method of counseling» verlangt einen aktiven Berater, der bewußter Gewissenslenker für die zu ihm kommenden Personen ist. Die in Hawthorne ausschließlich gepflegte Methode des «non directive counseling» hält sich dagegen an die von der Psychoanalyse entwickelte Technik des mehr passiven Zuhörens. Der Berater enthält sich dabei jeden Werturteils, stellt keine Leitfragen, gibt fast nie dem zu ihm Gekommenen eine Deutung dessen, was ihm vorgebracht wird, und so gut wie gar keine klarformulierten Ratschläge. Er begnügt sich meist am Schluß des «Interviews» nur mit einer Zusammenfassung dessen, was er gehört hat.

«Ich habe es nicht immer leicht, mich hier zu behaupten», gestand mir der junge Counselor. «Man wirft mir zum Beispiel manchmal vor, ich verdiente mein Geld zu leicht, indem ich den ganzen Tag nur ‹Ja›, ‹Aha›, ‹Oder›, ‹Ist das so?› murmelte. ‹Du hast dich weich gebettet›, spottet man. Und das ist immer noch besser als das Mißtrauen, dem ich besonders bei neueingestellten Kräften begegne. Sie glauben nämlich, ich sei nur dazu da, sie auszuspionieren. Das ist einer der größten Widerstände, gegen die wir Counselors anzukämpfen haben. Vielleicht würde man uns mehr vertrauen, wenn wir wie die Priester und Ärzte ein Schweigegelübde ablegen müßten.»

Ich konnte natürlich keinem der «Interviews» von Mister Richards beiwohnen, aber er ließ mich einen Blick in seine Dossiers und Protokolle tun. Nach jeder vertraulichen Besprechung versucht er, die Gesprächsgegenstände in Stichworten und gelegentlich sogar noch ausführlicher zu notieren. Während des Interviews selbst tut er das nur in den seltensten Fällen, um den Gesprächspartner nicht stutzig zu machen. Manchmal erlauben Ratsuchende auch, daß der Counselor eine solche Besprechung auf Tonband aufnimmt.

All dieses Material ist bis heute weder wissenschaftlich noch literarisch ausgeschöpft. Sollte es Historikern späterer Tage in die Hände fallen, so werden sie eine einzigartige Übersicht über den Geisteszustand unserer Zeit erhalten. Mir fiel beim Durchschauen der Bündel von Aufzeichnungen vor allem auf, wie schnell die Gesprächspartner zur Resignation bereit zu sein schienen. Fast immer kam nach Ausbrüchen von Haß, Angst, Unsicherheit, Klagen über die fehlende Wärme der Mitmenschen der Ausdruck des Verzichtes und das Eingeständnis einer tiefen, ohnmächtigen Hilflosigkeit.

Als ich dem Counselor diesen Eindruck mitteilte, sagte er: «Ist das nicht das Beste, was wir erreichen können? Die Leute kommen zu mir und lassen Dampf ab. Manchmal möchte ich, statt nur zuzuhören, eingreifen und raten. Aber beinahe noch öfter bin ich froh, daß ich keine Ratschläge erteilen muß. Wenn ich dem Elend ganz auf den Grund gehen wollte, wo würde das denn hinführen? Ich frage Sie: WOHIN?»

Mit dieser Frage des ratlosen Ratgebers im Ohr verließ ich Hawthorne und fuhr wieder zurück nach Chicago, durch das struppige, trostlose Vorstadtdickicht, über dem sich der Himmel verdunkelte.

WELT OHNE WÄNDE

1

Detroit, Michigan

Ein Redakteur der Zeitschrift «Ammunition», die in Detroit von der internationalen Gewerkschaft der Autoarbeiter herausgegeben wird, übte die schärfste Kritik an gewissen Auswüchsen der Industriepsychologie, die ich in Amerika zu hören bekam. Er sagte mir:

«Im Kriege fragte einer der ‹Seeleningenieure› in einem Betrieb, dessen Arbeiter durch unsere Gewerkschaft organisiert sind, wer bei ihnen am verhaßtesten sei. Damals kamen natürlich unsere Kriegsgegner an erster Stelle. Wollte der Mann heute eine ähnliche Rundfrage anstellen, so würde er am ersten Platz eines solchen Unpopularitätswettbewerbs mit höchster Wahrscheinlichkeit — sich selbst finden; denn die ‹Tiefenpsychologie›, mit der uns die ‹Human Relations›-Programme beehren, ist denkbar unbeliebt geworden. Das ist meist einfach ein neuer Name für Spitzelei, ein neues Mittel zur Antreiberei und Unterdrückung.»

Diese Ablehnung darf nicht verallgemeinert werden. Es gibt viele Gewerkschaftler, die den Bestrebungen der immer zahlreicher in den Fabriken auftauchenden Industriepsychologen durchaus sympathisch gegenüberstehen. Aber auch sie wehren sich, wenn die neusten Techniken der Seelenforschung mißbraucht werden. Und das ist leider oft der Fall.

Eine vielleicht noch beredtere Klage vernahm ich aus dem Munde eines Mannes auf der Unternehmerseite. Das war Mister L., der Personalchef einer Fabrik für Motorenbestandteile. «Manches, was Sie hier in meiner Abteilung sehen werden, muß Sie erstaunen und vielleicht erschrecken. Mir geht es jedenfalls so.» Das war die überraschende Mitteilung, die ich erhielt, als ich ihm mein persönliches Empfehlungsschreiben von einem seiner nächsten Freunde überreicht hatte.

«Ich bin selbst nicht ganz unschuldig an diesen Dingen», gab er zu. «Ich war es ja, der die Herren ‹Seelenpfuscher› und ihre ‹Forschungsassistenten› überhaupt zuerst in den Betrieb rief. Mein Respekt vor der Wissenschaft war groß, und ich hoffte, wirklich etwas für das Wohl unserer Leute zu tun. Aber was wurde daraus? Eine einzige große Schnüffelei und Wühlerei, ein törichtes Herumgespiele mit Fragebogen, Statistiken und ein Dutzend Tests. Aber dafür gibt es keine Spur gesunden Menschenverstandes mehr. Angeblich soll die Produktivität in unserer Fabrik durch diese Methoden gestiegen sein. Ich bezweifle es trotz der vorliegenden Zahlen. Aber selbst wenn es so wäre, der Preis, den wir dafür zahlen, ist zu hoch. Unsere Fabrik ist eine Welt ohne Wände geworden, ohne Respekt vor dem Recht auf persönliche Eigenart, ohne Achtung vor dem Privatleben. Washalb ich nicht die Konsequenzen ziehe und gehe? Das werden Sie sich vielleicht ohne viel ‹Psychologie› ausrechnen können. Ich bin schließlich über fünfzig, my dear.» Mit diesen Worten wurde ich von Mister L. zu Mister H. weitergeschickt, der heute zwar nominell noch unter seinem von den neuen Methoden so entsetzten Chef arbeitet, aber in Wirklichkeit schon das entscheidende Wort in der Personalabteilung des Unternehmens spricht. H., ein Mann von etwa vierzig Jahren, hat das glatte Porzellangesicht und die höflichen Gesten des intelligenten mittleren Generalstäblers, ein Typ, wie man ihn oft in den Unterkommissionen der «Joint Chiefs of Staff» in Washington trifft.

Tatsächlich entdeckte H., wie er mir erzählte, seine Berufung zum Personalchef zuerst in der Armee. Mehr oder weniger durch Zufall in eine Abteilung verschlagen, die Rekruten mit Hilfe einer «Batterie» psychologischer Tests auf ihre besondere Eignung prüfte und danach dann bestimmte Dienstaufgaben zuteilte, wurde er nach dem Kriege Spezialist für «Menschenauswahl und Menschenführung».

Schon auf den ersten Blick gleicht sein Office mehr einer Art Laboratorium als einem Büro. Die Wände sind tapeziert mit farbigen Tabellen, komplizierten statistischen Darstellungen und graphischen Kurven, die wie Illustrationen zur Quantentheorie wirken. In diesen «psychographs», «productometers», «motive profiles», «sociograms», «communication charts» scheint jeder Arbeiter und Angestellte nur noch als ein Teil einer Summe, als Bruchzahl, als Dezimalzahl auf.

«Die große neue Entwicklung auf unserem Gebiet des Personalwesens», doziert Mister H., «ist die Einbeziehung der ganzen Persönlichkeit des Arbeitnehmers in unsere Beurteilung und Berechnungen. Theorie und Praxis des wissenschaftlichen Managements haben sich im Laufe der letzten fünfzehn Jahre stürmisch weiterentwickelt. Frühere Prüfungen von Stellenbewerbern und Lohnempfängern begnügten sich mit der Konstatierung recht äußerlicher Symptome, etwa der Sinnesreaktionen und Anzeichen körperlicher Geschicklichkeit. Heute wollen wir mit Hilfe von Persönlichkeitstests weiter ins Innere unserer Leute schauen. Wie ist es mit der emotionellen Stabilität bestellt? Sind sie ehrlich? Sind sie loyal? Vertragen sie sich mit ihren Mitarbeitern? Wie ist ihr Privatleben? Sind sie verheiratet? Haben sie sexuelle Probleme? Geben sie ihr Geld leicht aus? Wie ist die Beziehung zu ihren Eltern? Wie zu ihren Kindern? Haben sie Hemmungen? Sind sie aggressiv?

Jeder unserer Angestellten wird nach vierzig ‹Persönlichkeitszügen› gewertet, beginnend mit seiner ‹Erziehung› über seine ‹Fähigkeit, sich an Namen zu erinnern›, bis zu seiner ‹politischen Einstellung›. Wir wollen natürlich keinen direkten Einfluß auf seine politische Meinung nehmen, aber als Ausdruck seiner Persönlichkeit scheint uns auch dieses Faktum unbedingt wichtig und aufschlußreich.»

«Diese Prüfungen müssen doch enorm kostspielig und langwierig sein», warf ich ein.

Mister H. war nicht dieser Ansicht. Tatsächlich würden dem Unternehmen dadurch beträchtliche Summen erspart, betonte er. Den falschen Mann an den falschen Platz zu stellen, einem Unfähigen Verantwortung zu geben – nur das sei genau besehen wirklich teuer. Nach seinen eigenen Berechnungen, er hatte das entsprechende prächtig illustrierte Memorandum gleich bei der Hand, um es mir zu zeigen, habe die Firma allein an Reparaturen im vergangenen Jahre 14,3 Prozent erspart, weil sorgfältiger ausgewählte Leute die Maschinen bedienten. «Ein einziger Arbeiter kann uns durch einen Fehler, den er beim Bedienen einer wertvollen Maschine macht, Tausende von Dollar Schaden verursachen. In jeden neuen Vertreter investieren wir zweitausend Dollar an Ausbildungskosten, die nicht verlorengehen dürfen, nur weil wir den Charakter des Mannes zu oberflächlich geprüft haben, als wir ihn engagierten. Ein einziger Aufseher, der seine kindlichen Aggressionen an den ihm unterstellten Arbeitern abreagiert, kann Protestaktionen aller Art auslösen, die dann als fünfstellige Verlustziffern in der Produktionsstatistik auftauchen.»

H. führte mich voller Stolz durch die «Interviewräume», in denen Stellenanwärter ausgefragt wurden, Fragebogen ausfüllten oder unter dem Auge eines Prüfers erzählten, wie sie auf gewisse psychologische Testtafeln reagierten. Mit naivem Stolz ließ er mich die Dossiers ansehen, die über jeden Stellenanwärter und Stelleninhaber geführt wurden. Da war die Auskunft der lokalen Kreditbüros über seine finanziellen

Verhältnisse, Bericht seiner Lehrer und früheren Chefs, Rapporte einer Detektei über sein Privatleben.

«Wir überlassen nichts dem Zufall», sagte Mister H., «und es bewährt sich.»

Allerdings hatte dieses System «persönlichen Auswiegens», das unter seiner Leitung in der Firma eingeführt worden war, noch eine große Lücke, wie er bedauernd zugeben mußte. «Was nützen alle Tests für unsere unteren und mittleren Angestellten, wenn nicht auch die Spitzenleute, also wir Manager, uns ebenfalls strengen Persönlichkeitsprüfungen und Eignungstests unterwerfen?» fragte er mit rhetorischer Eindringlichkeit. «Hier muß und wird sich bald etwas ändern. Nur Eignung hat darüber zu entscheiden, wer führen darf. Nicht Beziehungen oder Seniorität. Es gibt zahlreiche andere Firmen, die bereits solche Tests ihrer führenden Leute durchführen und sehr viel ‹totes Holz› abgeschoben haben. Nun, man kann nicht alles sofort und auf einmal haben...» Er schaute mir voll aggressiven Selbstbewußtseins ins Gesicht, und ich ahnte sofort, was er vorhatte. Über dem Haupte seines Vorgesetzten Mister L. schwebte schon die Guillotine des «Persönlichkeitstests».

2

Verteidiger der Industriepsychologie können eine ganze Anzahl starker Argumente für die vermehrte «Seelendurchleuchtung» der Arbeitswelt vorbringen. Sie sind der Ansicht, daß die Vorteile, die durch tief ins Innere der Persönlichkeit und des Privatlebens eindringende Eignungsprüfungen erzielt werden, weitaus die Nachteile überwiegen. Die Geprüften selbst seien später meist dankbar, wenn sie durch die verschiedenen «Aussiebungstechniken» davor bewahrt worden seien, einen Posten anzunehmen, den sie nicht hätten ausfüllen können. Andererseits erlaube die ständige Beobachtung aller Angestellten manchen Begabten, die früher unbeachtet geblieben wären, schneller zu avancieren.

Die Praxis widerspricht aber in vielen Fällen diesem freundlichen Bild. Die Tests werden, da es sich meist um Massenauswahl handelt, fast immer zu schnell, oberflächlich und mechanisch angewandt. Es entstehen nur zu oft verzerrte Resultate, und das Schicksal manches fähigen Menschen wird durch Fehlschlüsse eines mit Arbeit überhäuften «Seeleningenieurs» gefährdet.

Trotz solcher verhängnisvoller Irrtümer, die nicht bestritten werden, hält die amerikanische Industrie an ihrem neuen System «psychologischer Menschenauswahl und Menschenführung» fest, weil sie, wie mir der Personalchef einer kalifornischen Flugzeugfabrik sagte, sonst überhaupt keinen Maßstab zur Beurteilung des sich um Stellen bewerbenden «Menschenmaterials» habe.

«Woran sollen wir uns denn sonst halten?» fragte er mich. «Es kommen im Laufe eines Monats Hunderte von Menschen in meine Abteilung, von denen wir nichts wissen, und wollen, daß wir sie anstellen. Als die Fabriken noch klein waren und die Arbeitsuchenden vor allem in der näheren Nachbarschaft des Ortes, an dem sie aufgewachsen waren, nach Beschäftigung suchten, war es leicht, ohne Tests auszukommen. Man kannte Nachbarn, Freunde, Lehrer, frühere Chefs des Stellungsuchenden. Aber heute? Da wandern die Leute Tausende von Kilometern weit, um Arbeit in einer Gegend zu finden, die ihnen paßt. Sehen Sie nur diese heutige Antragsliste: ein Mann aus Vermont, ein anderer aus Arkansas, ein dritter aus Chicago, ein vierter aus Portland. Wir können uns doch nicht einfach auf ihr Wort verlassen.»

Ein junger, strebsamer Betriebspsychologe bei der Firma «General Motors», die rund zweihunderttausend Leute beschäftigt, verteidigte die Beobachtung der Angestellten mit folgendem Argument:

«Unsere Unternehmen sind meist so groß geworden, daß die Verbindung von der Spitze und den mittleren Rängen zu der großen Masse der Arbeitenden denkbar unsicher geworden ist. Früher in einem kleinen Betrieb von etwa hundert Mann kannte der Chef noch jeden seiner Leute, und die Leute wußten übereinander gut Bescheid. Damals war es leicht, die richtigen Leute für Lohnerhöhung und Avancement herauszufinden. Der psychologische Test ist ein leider notwendiger Ersatz für Jahre naher Bekanntschaft. Jetzt müssen wir regelmäßig Massenbefragungen durchführen, um auch nur feststellen zu können, wie eigentlich die Stimmung im Betrieb ist.»

Eine der größten Schwierigkeiten, die einer fairen Anwendung psychologischer Eignungsprüfungen entgegenstehen, ist in Amerika vorläufig die Knappheit an geschulten Psychologen. Im Jahre 1960, als bereits Tausende amerikanischer Firmen die Hilfe von «Seeleningenieuren» beanspruchten, gab es nur etwa 450 wirklich qualifizierte Industriepsychologen. Nur ganz große Konzerne können sich daher eigene «Hauspsychologen» halten. Die anderen müssen sich an Spezialunternehmen wie die «Psychological Corporation» in New York wenden, eine der seriösesten Firmen unter den zahlreichen, oft höchst scharlatanhaften Büros, die den «trend» gewittert und sich in das lockende Geschäft der industriellen Seelenführung gestürzt haben.

Die Honorare, die von diesen psychologischen Beratungsfirmen verlangt werden, sind hoch. Man ruft sie meist erst, wenn sich in irgendeinem Teil eines Fabrikorganismus bereits starke Zeichen sozialen Unbehagens zeigen. Plötzliches, durch technische Mängel nicht zu erklärendes Absinken der Herstellungszahlen, auffällige Häufung von Ausschußprodukten, Streitigkeiten in einer oder mehreren Abteilungen und akute Streikdrohungen sind gewöhnlich der Anlaß.

Die «Psychological Corporation» rückt, wenn sie alarmiert wird, sofort mit ihren «Spezialisten» und dem ganzen Instrumentarium zur Erforschung seelischer Unruheherde an. Es werden die unvermeidlichen Fragebogen verteilt, persönliche Interviews mit Angehörigen der Firma «von oben bis unten» durchgeführt und unter Umständen, falls die einfachen Methoden nicht genügen, auch hier und dort im Betrieb Mikrophone versteckt, um «candid reactions», das heißt nicht für die Beobachter zurechtgemachte Äußerungen der Arbeitnehmer zu erhalten.

Die aus der Untersuchung geschlossene Diagnose wird, wenn es sich um sehr große Betriebe handelt, durch Verschlüsselung der Tatsachen nach einem bestimmten Schema, Stanzung auf Lochkarten und Berechnung der Durchschnittswerte in Büromaschinen erzielt. Die angebliche «Stimmung» kann dann in Prozenten genau angegeben werden. Einen solchen in Fachkreisen als musterhaft betrachteten «Stimmungsbericht» ließ sich zum Beispiel die Firma «General Motors» von ihren eigenen Betriebspsychologen in monatelanger Arbeit auf Grund von über hunderttausend Aussagen anfertigen. Um die wahre Absicht jedoch zu verschleiern, wurde die Befragung als Preisausschreiben getarnt, in dem für die besten Antworten auf die Frage «Weshalb ich meine Arbeit liebe?» wertvolle Autopreise ausgesetzt waren.

Hat eine psychologische Beratungsfirma einmal den Bericht über ihre Untersuchungen abgegeben und Wege zur «seelischen Gesundung» des Betriebes gewiesen, so verfehlt sie nicht, als wichtigstes Rezept ständige psychologische Führung zur Vorbeugung und Verhinderung neuer Schwierigkeiten zu empfehlen und sich für diese Rolle zu herabgesetzten Abonnementspreisen in Erinnerung zu bringen.

Zu einem solchen «kompletten Service» gehört ein Testprogramm, das von vornherein alle möglichen «troublemakers» (Aufrührer) und «failures» (Versager) unter den Stellenanwärtern ausschaltet. Zweitens ein «merit rating»-Programm, das die Fähigkeiten der Arbeitnehmer in regelmäßigen Abständen neu überprüft und festlegt, ob ein Mann unter- oder überbezahlt wird, ob er entlassen oder befördert werden soll. Endlich gehört dazu noch ein «morale building»-Programm, das für die Aufrechterhaltung der guten Stimmung und Arbeitslaune im Betrieb verantwortlich ist.

Haben nun die Berater bei ihrer ersten seelischen «Notbehandlung» sich bewährt, so ist die Chance groß, daß ein Betriebsleiter, der modern sein will, sich die ständige Mitarbeit der «Seeleningenieur-Firma» sichert, zumal diese unter Anwendung praktischer Psychologie in eigener Sache meist überzeugend nachweisen kann, daß ihre Dienste den Kunden praktisch nichts oder nur sehr wenig kosten würden, da sie von der Steuerleistung abgezogen werden könnten. Auf diese Weise hat die Firma Rohrer, Hibbler and Replogie, die erst 1945 von dem Gerichtspsychiater Perry L. Rohrer in Chicago gegründet wurde, im Laufe weniger Jahre Hunderte von ständigen Kunden gewonnen. Sie befaßt sich ganz besonders mit der «Entwicklung fähigen Managermaterials». Zuerst wird einer der achtzehn qualifizierten Psychologen, die der Firma angehören, beauftragt, eine Reihe von Schnellanalysen durchzuführen. Er nimmt in einigen Sitzungen eine genaue persönliche Entwicklungsgeschichte jedes Mannes in verantwortlicher Stellung auf, läßt den «Patienten» durch eine Reihe von tiefenpsychologischen Tests gehen und versucht, ihn dann auf Grund seiner gewonnenen Erfahrungen in einer Blitzbehandlung «umzubauen».

Fachpsychiater würden wahrscheinlich nicht viel von der Seriösität dieser Seelenbehandlung halten, wenn sie erführen, daß diese Besprechungen zwischen Manager und Industriepsychologen oft «während eines Golfspieles oder bei einem Glas Bier» stattfinden.

3

Eine solche individuelle Behandlung ist für die mittleren Ränge mit ihren Dutzenden von Abteilungs- und Unterabteilungsleitern schon etwas zu kostspielig. Hier wird daher mit viel Erfolg die Technik des «Gruppeninterviews» angewandt. Etwa acht bis zehn Kandidaten für Anstellung (oder Beförderung) werden in einem Raum zusammengebracht. Man gibt ihnen ein allgemeines Diskussionsthema, das in naher Beziehung zu ihrem Spezialfach steht (in einer Flugzeugfirma etwa: «Die Vorteile und Nachteile des Flugfrachtverkehrs»), und überläßt sie für eine vorher festgesetzte Zeit — meist von etwa einer Stunde — sich selbst. Aber nur zum Schein, denn mindestens drei Beobachter der mit der Durchführung der Prüfungen beauftragten Beratungsfirma hören sich nun die folgenden Redewettkämpfe an und bewerten jeden einzelnen Kandidaten nach einer Reihe von Gesichtspunkten: Ist er zu aggressiv? Ist er zu passiv? Ist er überzeugend? Liebenswürdig? Besitzt er persönlichen Magnetismus? Führerfähigkeiten? Hat er Geduld oder wird er leicht heftig?

«Das ideale Arrangement für ein solches Gruppeninterview», schreibt Harold Fields, ein bei der Stadt New York angestellter Prüfer, «ist ein Raum, in dem die Kandidaten um einen Tisch herum sitzen. Die Wände sind aus Glas, das nur von einer Seite aus durchsichtig ist und von innen wie ein Spiegel aussieht. Dahinter sitzt aber die den Teilnehmern unsichtbare Prüfungskommission. Öffnungen in der Wand machen es möglich, auch alles, was in dem Raum vorgeht, zu hören.»

Viel angewandt werden neuerdings auch die sogenannten «Selbstbewertungstechniken». Man versieht Arbeiter oder Angestellte, die in einer Gruppe zusammenarbeiten, mit Fragebogen, in denen sie gebeten werden, ihr Urteil über ihre nächsten Mitarbeiter dem «Seeleningenieur» vertraulich mitzuteilen. Dadurch erhält der psychologische Prüfer angeblich ein genaues Bild vom «sozialen Aufbau der Gruppe». Er kann dann zum Beispiel aus diesem sozialen Körper ein gewisses schädliches «Element» entfernen und dafür ein «aktives, optimistisches Element» injizieren.

Während die Teilnehmer an solchen Interviews wenigstens wissen, daß sie von prüfenden Augen betrachtet und auf ihren «Wert» abgeschätzt werden, trifft das bei einer ganzen Anzahl neuerer psychologischer «screenings» (Aussiebungstechniken), die in der Industrie verwandt werden, nicht zu. So werden zum Beispiel Verkäufer in Warenhäusern und Läden regelmäßig durch «Tester» der «Willmark Corporation», die sich als Kunden ausgeben, auf ihre Tüchtigkeit geprüft. Diese «Spione» erstehen sogar, um die Täuschung vollkommen zu machen, Waren, die dann später dem überprüften Geschäft zurückerstattet werden. Über jeden Verkäufer wird ein Bericht erstattet, in dem auf vorbereitetem Formular unter anderem angegeben wird, ob die Verkaufsperson freundlich oder mürrisch war, ob sie den Kunden durch «suggestive Verkaufstechnik» versuchte zu einem Mehrkauf zu ermuntern, ob sie sich an die disziplinarischen Regeln des Geschäftes hielt, wie sie sich von dem Kunden verabschiedete. Es ist ein besonderer Stolz des «Willmark Service System» und seiner dreiunddreißig Filialen in ganz Amerika, daß fast nie einer ihrer «Verkaufsanalytiker» von den Verkäuferinnen erkannt wird.

Es gibt auch amerikanische Firmen, die einen Stellensucher absichtlich lange in einem Vorzimmer warten lassen und ihn dabei durch Fernsehkameras oder einfach durch eine geschulte Sekretärin beobachten lassen. Bevor der Mann überhaupt die Chance gehabt hat, mit dem Personalchef zu sprechen, ist er, ohne zu ahnen, schon beurteilt und verurteilt. Denn man glaubt aus dem Grad der Freundlichkeit, mit dem er die Sekretärin begrüßt, der Sicherheit, mit der er seinen Wunsch äußert, die Ruhe oder Nervosität, mit der er wartet, die Tatsache, ob er die Zeit zum Lesen bereitgelegter Zeitschriften benutzt oder gelangweilt, ängstlich oder ärgerlich vor sich hinsieht, beurteilen zu können, ob er für den offenstehenden Posten geeignet sei.

4

Die amerikanische Vorliebe für mechanische Patentapparate hat die Einführung einer ganzen Reihe von Maschinen in diesen nie abreißenden Beobachtungs- und Wertungsprozeß mit sich gebracht. Tonbandapparate, Fernsehanlagen, Filmkameras, komplizierte Rechenmaschinen werden herangezogen. So soll der von dem Anthropologen Eliot Chaple erfundene «Chronograph» angeblich imstande sein, die «Initiative, Geschicklichkeit, Freundlichkeit und andere Eigenschaften, die den guten

Verkäufer charakterisieren», mit neunzig Prozent Exaktheit zu messen.

Aber die unheimlichste dieser Testmaschinen ist doch der von mindestens dreihundert amerikanischen Firmen verwendete «Polygraph», der im populären Sprachgebrauch den Namen «Lügendetektor» erhalten hat. Als es bekannt wurde, daß dieser Apparat von gewissen für die Landesverteidigung wichtigen Regierungsbüros bei der Auswahl ihrer Angestellten eingesetzt worden war, erhob sich in der amerikanischen Öffentlichkeit ein Sturm gegen diese Verletzung der persönlichen Freiheitsrechte. Daraufhin soll diese Praxis eingestellt worden sein. Nicht berührt von dieser Protestwelle wurde aber die Geschäftswelt. Hier ist der «Polygraph» seit langem in Gebrauch.

Zuerst wurde der «Lügendetektor» nur von den Polizeibehörden zur Erzielung von Geständnissen gebraucht. Dann legten sich die privaten Auskunfteien ein «Polygraph Department» zu, um ihrer Kundschaft den Dienst dieser neuen Abteilung anzubieten. Banken, Versicherungsfirmen und andere Unternehmen, in denen die Gefahr der Veruntreuung von seiten der Angestelltenschaft groß war, begannen mit viel Erfolg, den neuen Apparat bei ihrer Personalauswahl zu verwenden. Warenhäuser und Kettenläden folgten. Sie führten die Praxis ein, ihre Angestellten alle drei Monate durch einen «Polygraph-Test» zu schicken, in der richtigen Annahme, daß die Furcht vor einem solchen Verhör vorbeugend die in solchen Betrieben üblichen kleinen Diebstähle aus den Lagerräumen entweder ganz verhindern oder wesentlich reduzieren würde. Als die Rüstungsindustrie immer weitere Bezirke ihrer Arbeit absondern mußte, wurde die Probe am Lügendetektor – der übrigens ohne besondere Erlaubnis in verschiedenen Ausführungen von jedermann erworben werden kann – zu einer Vorbedingung für Anstellung aller jener Personen, die mit den «vertraulichen» Bestellungen der Streitkräfte zu tun hatten.

Wie genau der seit seinen Anfängen ständig verbesserte Lügendetektor arbeiten kann, erlebte ich selbst, als ich den «Polygraph»-Spezialisten der Polizei von Los Angeles bat, mich einem «Test» zu unterwerfen. Es wurde abgemacht, daß ich auf eine Reihe persönlicher Fragen manchmal wahrheitsgemäß, manchmal mit einer Lüge antworten sollte. Dabei waren die Fragen des Prüfers immer so formuliert, daß ich mit einem klaren Ja oder Nein ohne jeden Zusatz Rede stehen sollte. Ich log über mein Alter, meinen Geburtstag, meine Tätigkeit zu einer bestimmten Zeit des vergangenen Tages und die Höhe der Geldsumme, die ich in meiner Brieftasche bei mir trug. Obwohl es sich nur um ein Spiel handelte und nicht wie im Ernstfall Schuld- oder Angstgefühle die Entdeckung erleichterten, fand der Tester von vier Lügen drei mit Bestimmtheit und eine mit Beinahe-Bestimmtheit heraus. Das erstaunlichste war, daß er nicht nur Lüge, sondern sogar Zweifel zu entdecken vermochte. Ich hatte nämlich innerlich geschwankt, ob ich sechzehn oder achtzehn Dollar bei mir trug. Auch dieses Zögern wurde von dem Instrument deutlich vermerkt, obwohl ich natürlich keine Miene verzogen hatte.

5

Später hatte ich dann Gelegenheit, einen privaten «Polygraph»-Spezialisten zur Arbeit in die Personalabteilung einer Flugzeugfabrik unweit von Los Angeles zu begleiten. Er ließ mich, nachdem ich der zur Prüfung erschienenen Person als sein Assistent vorgestellt worden war — eine Notlüge, deren sich der Tester nicht schämte —, einer wirklichen Wahrheitsprobe beiwohnen.

Das ging in einem Raum ohne Fenster vor sich. Selbst bei Tag brannte hier künstliches Licht, aber die Beleuchtung war indirekt, ein gewolltes Halbdämmer, um jede Irritation auszuschalten und entspannend zu wirken. Kein Geräusch von außen. Laue, gleichmäßige Temperatur. Die Wände in einer freundlichen Cremefarbe gehalten.

Das zu prüfende Girl saß in einem bequemen Ledersessel mit einer hohen Lehne, der dem Schreibtisch den Rücken zukehrte. Routiniert wurde sie nun mit einer Reihe von Schnallen und Haken festgemacht. Der Tester unterhielt sich dabei mit ihr zwanglos über Allgemeinheiten.

«Wohnen Sie eigentlich noch im gleichen Autocourt wie bei Ihrer Anmeldung für das Interview?» fragte er mit Anteilnahme. «Das ist doch auf die Dauer nichts. Ich könnte es da nicht aushalten. Schon am frühen Morgen dieser Motorenlärm, wenn die Nachtgäste wieder weiterfahren...»

«Ach nein», schwatzte sie sehr schnell. «Wir hatten so ein Glück und fanden gleich einen kleinen Platz mit eingebauter Küchenecke. Überhaupt ging alles bisher so glatt. Als ich Ihr Inserat in unserer Lokalzeitung in Allentown las, sagte ich zu Bill, das ist mein Mann, da ist endlich unsere Chance, nach dem Westen zu gehen. Er willigte sofort ein, und nun sind wir hier...»

«Das ist tüchtig», sagte der Tester, «wenn man so ganz neu nach Kalifornien kommt, findet man oft nur schwer eine Wohnmöglichkeit.»

«Ja», sagte sie, «wir hatten eben ungewöhnlich viel Glück.»

«So, jetzt machen Sie es sich recht bequem», sagte der Prüfer. «Weshalb denn so aufgeregt? Ist doch gar kein Grund vorhanden.»

«Das Ganze ist ein bißchen ungewöhnlich. Ich komme mir ja wie auf dem elektrischen Stuhl vor, mit dem Zeug um den Arm und auf der Brust.»

«Ich werde Ihnen schon nicht weh tun», beruhigte der Mann, während er an zwei Kontaktknöpfen drehte. «Die Schlinge am rechten Oberarm mißt Ihren Blutdruck, die Gummispule über der Brust Ihre Atmung und die beiden Metallplatten an Ihrem Handgelenk die Hautfeuchtigkeit. Wenn Ihnen der Test unangenehm ist, können Sie natürlich freiwillig darauf verzichten.»

«Wenn das alles wirklich notwendig ist, um den Job zu bekommen...»

«Ich fürchte, es ist notwendig. Es handelt sich um eine Vertrauensstellung. Antworten Sie nur wahrheitsgemäß auf meine Fragen. Mehr verlange ich nicht von Ihnen.»

Vor ihm auf dem Schreibtisch lag der Fragebogen, den die Bewerberin ausgefüllt hatte.

«Ihr Name ist Erna Krazinsky?»

«Ja.»

«Sie sind in Troy (New Jersey) geboren?»

«Ja.»

«Ihre letzte Stellung war bei Johnson and Johnson?»

«Ja.»

«Sie verließen den Posten freiwillig.»

«Ja.»

«Oder wurden Sie entlassen?»

«Nein... ich sagte freiwillig.»

«Bitte nur mit ja oder nein antworten», wiederholte er mit der gleichen liebenswürdigen, erregungsfreien Stimme wie zuvor.

«Sie haben gestern abend Fleisch gegessen?»

«Ja.»

«Lebt Ihr Vater noch?»

«Nein.»

«Sie sind vor zehn Tagen nach Kalifornien gekommen?»

«Ja...»

«Sie waren niemals vorher in Kalifornien?»

«Nein.»

«Sie waren vier Jahre in der High School?»

«Ja.»

«Sie sind verheiratet?»

«Ja.»

«Sie haben Kinder?»

«Nein.»

«Sie sind 26 Jahre alt?»

«Ja.»

«Wurden Sie je geschieden?»

«Nein.»

«Gut, Frau Krazinsky», sagte der Tester. «Die Qual ist überstanden. War's wirklich so schlimm?» Er löste die verschiedenen Verbindungen, mit denen sie an den Stuhl gefesselt war, und klopfte ihr lächelnd auf die Schulter:

«Sie haben Ihre Sache brav gemacht», sagte er freundlich.

«Darf ich vielleicht wissen, was das Ergebnis ist?» fragte die Bewerberin und versuchte mit den Blicken zu kokettieren, während sie mit den Händen ihren Rock zurechtzog.

«Bedaure», sagte der Anfrager. «Das Resultat bleibt natürlich vertraulich. Aber wir werden Ihnen bald schreiben.»

Als sie aus der Tür war, schrieb er auf die obere linke Ecke des Fragebogens groß eine Zahl: 45.

«Das heißt», erklärte mir der Tester, «daß Mrs. Krazinsky nur 45 Prozent wahrheitsgetreu ist. Sie hat also nicht die leiseste Chance, den Job zu bekommen. Es werden für den ausgeschriebenen Posten nur hundertprozentig ehrliche Kandidatinnen in Betracht gezogen. Und sie weiß übrigens auch schon, daß sie fast keine Chancen mehr hat, sonst hätte sie nicht versucht, vor dem Abgang noch schnell zu flirten. Aber der Polygraph reagiert nun einmal nicht auf Flirt.»

Der rechteckige Kasten, der auf dem Schreibtisch des Prüfers stand, hatte also gewogen und zu leicht befunden. Mit seinen Drehknöpfen, seinem Spannungsmesser und der von Kontrollgriffeln mit Kurvenzeichen beschriebenen Papiertrommel ähnelte er in vieler Hinsicht den Kontrollinstrumenten, die ich auf den Armaturbrettern elektrischer Zentralen, Stahlschmelzen und Atomfabriken gesehen hatte. Dort verrieten sie den Druck eines Kessels, die Spannungshöhe einer Leitung. Hier maßen sie Herzklopfen, Atmung, Angstschweiß, Blutdruck, und man folgerte daraus, was in den innersten Gedanken eines Menschen vorgegangen war.

«Mrs. Krazinsky hat mindestens zweimal, wahrscheinlich aber sogar dreimal gelogen», dozierte der Tester. «Bestimmt ist sie nicht vor zehn Tagen zum erstenmal nach Kalifornien gekommen. Das ist einmal ganz sicher. Jedesmal, wenn das Gespräch das Thema streifte, schlugen die Nadeln des Polygraph aus. Hier ganz am Anfang, als wir noch über die gleichgültigen Dinge plauderten, laufen die Kurven gerade. Aber als ich, übrigens noch ganz harmlos und ohne Absicht, eine Testfrage zu stellen, von der Wohnungsknappheit für Neuankömmlinge sprach, reagierte der Apparat so deutlich, daß ich mich entschloß, die Frage später noch einmal und präziser zu stellen. Und diesmal war der Ausschlag noch größer. Dazwischen kamen gleichgültige Fragen, von denen ich wußte, daß sie wahrheitsgemäß beantwortet werden mußten. Fast niemand lügt, wenn man von ihm wissen will, was er gegessen hat. Durch solche Fragen stelle ich das ‹normale Erregungsniveau› fest. Alles, was darüber hinausgeht, ist verdächtig.»

«Weshalb glauben Sie denn, daß sie gerade in diesem Punkte gelogen hat?» fragte ich.

«Oh, da gibt es viele Gründe. Vielleicht wollte sie nur die Sympathie des Interviewers erwecken, indem sie es so darstellte, als sei sie, nur um diesen einen Job zu bekommen, den ganzen weiten Weg von Pennsylvanien bis hierher gereist. Kann auch sein, daß sie schon früher in einer oder mehreren Firmen um Los Angeles herum gearbeitet hat und überall wieder entlassen wurde. Das glaube ich am ehesten. Denn, sehen Sie, die Frage nach der letzten Stellung bringt wieder eine starke Zacke in allen vier Meßkurven. Nun, und sehen Sie hier den Sprung bei der Frage, ob sie verheiratet sei? Der Blutdruckmesser und der Hautkontaktmesser zeigen, daß da etwas nicht in Ordnung ist. Der Atemmesser und die Herzkurve sind unklar. Ganz stimmt auch diese Sache nicht. Vermutlich lebt sie mit jemandem zusammen und ist gar nicht mit ihm verheiratet.»

6

Gewiß, die Benutzung des Lügendetektors zur Personalauswahl stellt ein vorläufiges Extrem des psychotechnischen Einbruches in die Persönlichkeit dar, und es wäre ungerecht, alle Leistungen der Industriepsychologie nach den allerdings zahlreichen Übertreibungen zu beurteilen, die sie sich als Werkzeug privater Wirtschaftsmacht zuschulden kommen läßt.

Aber selbst die viel harmloseren und ethisch als «einwandfrei» betrachteten Techniken des «counseling», der Meinungsforschung und Stimmungsförderung im Betrieb haben indirekte Wirkungen, die nur zu sehr an ähnliche Erscheinungen in totalitären Staaten erinnern. Wissend, daß sie vor der Stellenannahme und während ihrer Anstellung von Personen, die über ihr wirtschaftliches Schicksal entscheiden können, beobachtet werden, haben viele amerikanische Angestellte und Arbeiter, nur um ihren Job zu behalten, begonnen, sich anders zu geben, als sie wirklich fühlen.

Millionen arbeitender Amerikaner spielen zum Teil bewußt, zum Teil schon fast unbewußt, sobald sie die Schwelle des Arbeitsplatzes überschritten haben, die Rollen, die ungefähr dem entsprechen, was die «Seeleningenieure» von ihnen erwarten. Sie sind fröhlich und praktizieren das «keep smiling», auch wenn ihnen im Grunde gar nicht zum Lächeln ist. Sie tun so, als seien sie «gut ausgeglichen» und «ganz normal», selbst wenn sie noch so sehr Lust haben, einmal über die Stränge zu hauen. Sie bemühen sich angestrengt und unter Aufgabe ihrer natürlichen Aggressionen, «gute Kameraden» zu sein, mit denen jedermann leicht auskommen kann, obwohl sie den Mann am Nebenschreibtisch manchmal am liebsten laut verwünschen würden. Und vor allem tun sie so, als seien sie dem Betrieb gegenüber durch dick und dünn loyal, auch wenn sie mehr zu kritisieren als zu loben haben.

Diese Standardmaske des «jolly good fellow», des «easy going guy», des «sweet girl» wächst manchem als zweites Gesicht an. Da wird nicht mehr nach eigenem innerem Gewissen, nach echtem seelischem Impuls gehandelt, sondern nach Verhaltungsvorschriften, die von außen kommen. Zu wittern, wie der Wind von den Höhen der Direktionsbüros herunterweht, wie der mögliche Auftraggeber möchte, daß der «Verkäufer» sich gebe, zu ahnen, wie ein Vorgesetzter sich den Mann vorstellt, den er avancieren lassen will, das wird die wichtigste Eigenschaft im Kampf um die Behauptung im Leben. An Stelle der Vorschriften und Regeln der Obrigkeit tritt nun die noch viel strengere innere Selbstzensur. Nur nichts tun, was auffallend und außergewöhnlich wäre, was als «neurotisch», als «egoistisch», als «maladjusted» (schlecht angepaßt) oder gar «umstürzlerisch» angesehen werden könnte.

So wird in der «Welt ohne Wände», zu der die amerikanische Berufswelt mehr und mehr wird, gerade jener Menschentyp seltener und immer seltener, auf dem die Größe Amerikas beruhte: der Freie, Starke, von seinem eigenen Gewissen Gelenkte, immer nach Neuem Suchende. Da heute vier von fünf Amerikanern in einem Angestelltenverhältnis leben (gegen einen von fünf vor hundert Jahren), vollzieht sich hier eine tiefe Wandlung des Volkscharakters, die den demokratischen Traditionen widerspricht und jeden Freund Amerikas mit Sorge erfüllt.

MÄRCHENERZÄHLER VON HEUTE

Springbrunnen von Licht

New York City (N. Y.)

Die Märchenerzähler von heute sitzen auf dem Marktplatz genau wie ihre orientalischen Vorgänger. Aber dieser Markt ist etwa einen Quadratkilometer groß, und auf ihm wachsen statt der Palmen meist nur Wolkenkratzer. Er liegt auf der Felseninsel Manhattan zwischen der 42. und 59. Straße, zwischen der Park- und der Madison-Avenue. Dort haben die modernen Fabeldichter, die Symbolschöpfer, die Weber synthetischen Wundergarns ihre Zelte aufgeschlagen, und wenn sie nicht gerade dabei sind, zu ihrer Zuhörerschaft von 150 Millionen zu sprechen, so hecken sie miteinander neue Märchen aus.

«Wie wäre es mit einem fliegenden Pferd?» schlägt einer vor. «Unvergeßlich. Hoher Grad an seelischer Identifizierung. Mal etwas anderes.»

«Wen interessieren fliegende Pferde?» zweifelt ein anderer. «Das geht über ‹ihren› Verstand. ‹Sie› wollen etwas, das ‹ihnen› näher ist. Ich schlage einen Storch vor. Jeder weiß, was der Storch treibt. ‹Sie› lieben Störche.»

«Unsinn», ärgert sich der erste. «Ein Storch hat keine Klasse. So ein gewöhnliches Tier. Das riecht gleich nach niederem Einkommen und Windeln. Aber ein rubinrotes Pferd, das die Flügel schlägt. Das hat Rasse. Das ist ‹something entirely different›.»

Ja, die heutigen Märchenerzähler, die sich wie Harun al Raschid verkleiden und glauben, niemand erkenne sie, wenn sie sich hochseriös «Reklameberater» nennen, haben es nicht leicht. Ihre Millionen Zuhörer sind schon blasiert. Es gibt einfach zu viele Märchenerzähler, und sie überschütten ihre Zuhörer mit immer neuen Stories von lebenden Feen und greifbar nahen Töpfen voller Gold. Doch die Augen sehen schon nicht mehr hin, die Ohren wollen schon nicht mehr hören. Der Glaube an das Mirakel ist längst erschüttert, seit das neue Mundwasser nicht, wie versprochen, dem Mauerblümchen einen Prinzen zuführte, seit der brave Handelsreisende merkt, daß er Handelsreisender blieb, obwohl er schon lange «Wunderbrot» ißt, sich mit der «magnetischen Klinge» rasiert, das Auto kaufte, das ihn «wie auf Flügeln» trägt, und die Zigarette raucht, die ihn «erhebt». Ja, wie gut hatten es die Märchenerzähler, die nur von Wundergegenständen sprachen, die man nicht im Kettenladen kaufen konnte. Wer hielte noch viel von «Aladins Lampe», wenn er sie wirklich (mit achttägiger Rückgabegarantie, aber wer nimmt sich die Mühe?) kaufen könnte und ausprobieren würde? Wahrscheinlich läge sie unbeachtet wie all die anderen märchenhaften «gadgets» vergessen in einer Ecke, lange bevor Tausendundeine Nacht verstrichen ist.

Aber die Märchenerzähler lassen sich nicht durch solche erwachenden Zweifel stören. Sie werden schon die Hornhaut des Zynismus durchstechen, sie werden den Ring des Unglaubens durchbrechen, sie werden schließlich doch in die hinter Mauern der Vorsicht verschanzte Burg der Käuferseele eindringen.

Man muß es nur etwas raffinierter anfangen und neue Überraschungstaktiken ausdenken, man muß die Abwehr der Enttäuschten ausspionieren, in den Schlachtplan einbeziehen und durch geschickte Manöver überlisten. Die Psychologen und die Ergründer der öffentlichen Meinung, die Marktforscher und Soziologen, Anthropologen und Ethnologen werden von den Reklamebüros gegen gute Bezahlung engagiert, um an der Ausarbeitung neuer «Feldzüge» teilzunehmen: Die Wissenschaft soll auch im Kampf um den Kunden Dienst tun und neue Waffen erfinden.

Aber manchmal gelingt es auch einem einfachen, naiven Gemüt, ganz ohne die gelehrten Hilfsmittel neuester «wissenschaftlicher Massenüberredung» die trotz aller Desillusionierung im Grunde ja doch immer märchenhungrigen Mitbürger zu begeistern. Da war einmal ein junger Mann aus dem Staate Alabama, der ausgezogen war, den New Yorkern das Staunen beizubringen. Nichts schwerer als das. Eher wird ein Stein sich kneten lassen, eher ein tausendjähriger Dornenbusch sich öffnen, eher die Nacht zum Tage werde. Und doch gelang es dem Wagemutigen.

Denn er gab New York die großen Lichtreklamen, die «spectaculars». Er malte auf das Antlitz der Wolkenkratzer Lichtbuchstaben, die sechs oder sieben Stockwerke hoch waren, er ließ aus Riesentassen leuchtende Kaffeetropfen fallen, er machte es regnen oder schneien, er pflanzte im Herzen von Manhattan Rosen, die höher waren als Kirchtürme. Clowns und Hunde tollten als Schatten über seine Lichtbeete von zehntausend Lampen, lächelnde enorme Reklamemünder pufften echte Rauchringe oder schimmernde Seifenblasen über den Köpfen der Menge, die in nichts zergingen, und ein strahlend beschienener Wasserfall brauste hoch über dem Times Square, ein Stückchen verlorene Natur, gefangengenommen und im Gratiszirkus der New Yorker Straßen gebändigt vorgeführt.

Und als «sie» alle diese Lichtwunder schon als selbstverständlich hinzunehmen begannen, da ließ der junge Mann einen Flamingo über den Himmel der Stadt fliegen, der ab und zu eine große tropfende Orange aus dem Schnabel fallen ließ. Nein, niemand fing sie auf, niemand fand sie später. Denn sie war ja nur aus Glasröhren, montiert auf einem kleinen Luftschiff.

Der junge Mann, er heißt Donald Leigh, ist reich geworden, weil er den so blasierten und dort so märchenhungrigen New Yorkern ein wenig Traum und Phantasie schenkte.

Als ich ihm in seinem Office gegenübersaß, meinte er: «Was hat man dem ‹Mann von der Straße› nicht während des letzten Krieges alles versprochen? Wie wenig davon bekam er. Ich gebe den Leuten wenigstens etwas: Farbe, Bewegung, Schönheit. Ich bringe Licht in ihr Leben. Oder könnten Sie sich noch ein New York ohne ‹spectaculars› vorstellen?»

Ich versuchte es. Ich malte mir diese Stadt ohne die bunte, verrückte, unwirkliche, aber niemals langweilige Welt des Mister Leigh und der anderen modernen Märchenerzähler aus. Da blieb nicht viel mehr als ein graues, zerfurchtes, verwittertes dunkles Gesicht übrig: ein Haufen Steine, eine Lawine von Lärm, ein zielloses Gerenne unter einem Himmel, aus dem nicht einmal mehr ein großer Flamingo eine leuchtende Orange fallen läßt, die niemand auffangen kann.

Mrs. Average

Columbus, Ohio

Genaugenommen gibt es Mrs. Average nicht. Lebte sie, so wäre sie für die amerikanische Reklameindustrie mehr wert als der glänzendste Filmstar. Man würde sie täglich mit Hunderten von Fragen bestürmen, man würde sie in allen vierundzwanzig Stunden ihres Tageslaufes nicht mehr aus den Augen lassen, man würde ihr Millionenhonorare anbieten mit der einzigen Bedingung, daß sie das Geld erst in einigen Jahren erhalten dürfte. Denn könnte sie es sofort von der Bank abheben, so würde sie ja sofort ihre wertvollste Qualität verlieren, nämlich Mrs. Average, die «Frau Durchschnitt», zu sein.

Die Geschmäcker und Bedürfnisse des «durchschnittlichen Kunden» zu erraten, ist das beliebte, niemals aufhörende Puzzlespiel der amerikanischen Konsumindustrie. Etwa fünfzigtausend «Marktuntersucher», «Erforscher der öffentlichen Meinung», «Wirkungstester», «statistische Analytiker», «psychologische Ratgeber» sind Tag um Tag ausschließlich damit beschäftigt, das Verhalten des «unberechenbaren Verbrauchers» wenigstens annähernd vorauszusagen.

Auch die «market researcher» gehören zu dem «Clan der Märchenerzähler». Ohne sie gibt es kein modernes Reklamebüro. Allerdings fangen ihre Berichte meist mit den Worten an: «Es wird einmal sein...» Und da sie die richtige Mrs. Average noch immer nicht gefunden haben, tragen ihre Erzählungen recht langweilige Titel wie: «Geburtsraten-Zunahme in New England», «Konsumentenjury von 5500 Personen im Staate Pennsylvania» oder «Die Einkaufsgewohnheiten der 2632 Kunden eines Supermarket in Südkalifornien». Je nachdem, wie sich die Helden dieser Massenepen verhalten, ändert die Propaganda ihre Tonart, setzt sie die Akzente auf dies oder das. Schon bevor ein neues Produkt getauft wird, liest man seinen Namen einigen tausend ausgewählten «Durchschnittspersonen» vor. Dann zeigt man ihnen die Verpakkung. Dann probiert man den «Slogan» an ihnen aus, unter dem der neue Artikel verkauft werden soll, und schließlich die Anzeigen, die Plakate, die Radio- und Fernsehprogramme, die das neue Produkt anpreisen sollen.

So wird herausgefunden, daß ein Haarfärbemittel als «Haarglanzmittel» angepriesen werden muß, weil sonst die Kunden, deren Haare grau zu werden beginnen, sich genieren, es zu verlangen. Da richtet eine Fluglinie von nun an ihre beruhigende Reklame nicht so sehr an die meist männlichen Reisenden, sondern an die daheimgebliebene Familie, die befürchtet, dem Ernährer könne ein Unfall zustoßen. Furcht und Scham, Hoffnungsglanz und geheimster Traum, jede nur mögliche Seelenregung in jedem wechselnden Augenblick der Zeitgeschichte sollen aufgespürt, gemessen, analysiert und benutzt werden, um der Reklame den genau richtigen Auftrieb zu geben. Nur nicht sich auf Intuition verlassen. Allein die wissenschaftliche Sezierung der Massenseele verspricht Erfolg.

Nein, Mrs. Average, die Frau mit dem durchschnittlichsten Durchschnittsverhalten, gibt es nicht. Aber mehrere «Mrs. Near Average», die «Frau Beinahe-Durchschnitt», glauben die Gnomen und Heinzelmännchen der Markt- und Reklameforschung doch schon gefunden zu haben. Und mit besonders vielen dieser Fast-Standardkreaturen scheint die Stadt Columbus im Staate Ohio gesegnet zu sein.

Ich stieg in Columbus nur deshalb aus, weil ich gehört hatte, daß die Stadt von ungefähr einer halben Million Einwohnern die «Test Tube», die «Versuchsröhre», der amerikanischen Marktforschung sei. Angeblich kauft die Mehrheit der Nation das, was Columbus kauft, ißt, was Columbus ißt, liebt, was Columbus liebt, und lehnt ab, was Columbus ablehnt.

Hunderte von «near average»-Hausfrauen von Columbus schicken regelmäßig an eine große Marktforschungsfirma in Chicago Fragebogen, auf denen sie genau beschreiben, was sie jeden Monat gekauft haben. Aber Hunderte beantworten Tausende von Telefonanrufen oder persönliche Besuche der Marktforscher, um ihr Urteil über die neueste Packung für «Heimdauerwellen», einen Schaumschläger, vier Wochen lang haltbare Schlagsahne, Aluminiumverpackung oder ein «commercial» abzugeben, einen jener sinnigen Zweizeiler, die in ein paar Monaten mehrere hundertmillionenmal in Zeitungen, auf Plakaten und vor allem in die Rundfunksendungen eingestreut erscheinen werden, wenn... ja, wenn die (fast) durchschnittlichen Hausfrauen im (fast) durchschnittlichen Columbus einverstanden sind.

Frau «Beinahe-Durchschnitt» in Columbus hat gegen ein paar Warenprämien sogar einen kleinen mechanischen «Spion» in ihr Haus aufgenommen. Das ist das in ihren Radioapparat eingebaute «Audiometer» der Nielsen-Corporation, ein Apparat, der vierundzwanzig Stunden lang genau notiert, welcher Station, bei welchem Programm und wie lange sie zugehört hat. Ein Stückchen gelochtes Papier, das später in dem Büro der Nielsen-Leute durch Büromaschinen ausgewertet wird, ist ein «Stimmzettel» in der wöchentlichen «Abstimmung», die festlegt, welche Rundfunk- und Fernsehprogramme den größten «appeal» haben. «Mrs. Near Average» ist nicht überrascht, wenn die Firma Ford an ihrem Puls und Oberarm die Kontakte des Psychogalvanometers (einer Abart des Lügendetektors) befestigen läßt, um zu erfahren, wie stark sie beim Lesen der Zeitung auf die Ford-Annoncen reagiert. Sie ist daran gewöhnt, von der Firma «Audience Research» zur Vorführung eines noch nicht öffentlich herausgebrachten Spielfilmes eingeladen zu werden, um ihr Urteil abzugeben. Allerdings will man präzise und ganz genau detaillierte Auskunft. Deshalb gibt man ihr beim Kinoeingang ein Instrument in die Hand, auf dem sie im Laufe des Filmes jeweils durch Druck auf den entsprechenden Hebel ansagen soll, ob sie «sehr interessiert», «mittelmäßig interessiert» oder «uninteressiert» gewesen sei. Auch dieses Stückchen «Publikumsreaktion», das schön sauber auf einer Rolle im Inneren des Instrumentes aufgezeichnet ist, wird schließlich in einen Bericht verarbeitet, der entscheiden soll, welche Szenen aus dem Film herausgenommen werden müssen, weil sie «Mrs. Near Average» nicht interessiert haben.

«Mrs. Near Average» ist auf diese Weise beinahe so etwas wie eine Geschmacksdiktatorin geworden. Vor ihr zittern die Großen in den Direktionsbüros und in den Filmstudios. In den Reklameagenturen ist ihr Wort Gesetz. So fängt sie an, sich allmählich als «Kennerin» zu fühlen. Sie beginnt, Qualitätsgefühl, ein wenig Geschmack und sogar ein Gefühl der Verantwortung zu entwickeln. Und das ist genau der Augenblick, den der «Marktforscher» rechtzeitig erkennen muß. Denn nun ist Frau «Beinahe-Durchschnitt» nicht mehr das, als was sie sich ausgibt. Sie hat ihre Unschuld verloren, sie hat Eigenschaften erworben, die sie von der Masse des Durchschnitts entfernen. So erhält sie plötzlich keine Fragebogen, keine Kostproben, keine Anrufe, keine Besuche und keine Einladungen mehr. Ihr Leben wird wieder so alltäglich wie zuvor, sie ist entthront.

Die Rattenfänger

Boston, Massachusetts

«Sie müssen Johnnie entschuldigen», sagte die Dame des Hauses, als wir uns zum Dinner setzen. «Er ißt abends nicht mehr mit uns, sondern picknickt im ‹Corral› mit den anderen Cowboys.» Sie versuchte zu lächeln, und ihr Gatte machte einen Versuch, ein diskretes «Hiyooo» im Cowboystil zu markieren. Dann löffelten wir schweigend. Zuerst waren die Eltern sogar ein wenig erleichtert gewesen, als ihr achtjähriger Junge nicht mehr mit ihnen zu Abend aß. Endlich konnten sie einmal wieder ungeniert bei Tisch über alles sprechen, wurden nicht durch endlose Fragen unterbrochen, mußten nicht den «Junior» überreden, «brav» und «anständig» zu essen. Aber jetzt begann er ihnen schon zu fehlen.

«Sie müssen entschuldigen», sagte die Hausfrau wieder, «ich muß doch mal nachsehen, ob Johnnie auch seine Milch trinkt.» Damit verschwand sie im Nebenzimmer. Als sie die Tür öffnete, kam einen Augenblick hohles Hufgetrappel zu uns herein und die lauten mechanischen Schrilltöne einer musikalischen Untermalung. «Es ging nicht mehr anders», erklärte der Gastgeber. «Das Kind war einfach nicht zu halten, sobald die ‹Hoppy Show› angefangen hatte. Rutschte auf seinem Stuhl herum, stopfte hastig die letzten Bissen oder ließ einfach den halbvollen Teller stehen, um nur schnell wieder zu seinem Fernsehapparat zu kommen. Jetzt servieren wir ihm das Essen dort drinnen auf dem Klapptischchen. Er ißt und schaut. Bildet sich meiner Seele ein, er sei ein richtiger ‹Cowboy› und begrüßt mich, wenn ich nach Hause komme, mit dem vorgestreckten Silberrevolver und einem zärtlichen ‹Hands up›.»

Der «Fall Johnnie» ist typisch für das, was sich in zahllosen amerikanischen Familien ereignete, als der Fernsehapparat in ihrem Heim

Einzug hielt. Es war, als sei der «Rattenfänger», dem einst die Kinder der Weserstadt Hameln nachliefen, in den Vereinigten Staaten auferstanden. Fast ohne Ausnahme sind die Kinder Amerikas dem Appell dieses Neuankömmlings verfallen. Während die Erwachsenen, sobald sich der Reiz der Neuheit gelegt hat, dem «TV Set» einen Platz neben anderen Interessen und Amüsements anweisen, sind Boys und Girls unersättlich. Die Jüngsten und Jungen im Alter von drei bis etwa dreizehn Jahren verbringen täglich viele Stunden vor dem magischen kleinen Viereck, das ihnen ohne Unterlaß Geschichten, Abenteuer, Witze, spannende Detektivstories und zwischendurch Dutzende von Reklameslogans serviert.

Der Fernsehapparat stillt den natürlichen Erlebnishunger der Kinder weit vollkommener, als das Bilderbuch es je konnte. Er ist ein unermüdlicher Erzähler, der immer Zeit hat. Ein Handgriff genügt, und schon springt die Quelle von Schattenbildern auf. Selbst Drei- oder Vierjährige sind fähig, diese einfachste Tätigkeit des Schalterknipsens auszuführen. Sie müssen sich die Wirklichkeit nicht mehr mühsam Stück für Stück erwerben: sie ist schon da, mitten im elterlichen Wohnzimmer. Fix und fertig wie das meiste, was diesem jungen Amerikaner dann später zum Kauf angeboten wird, von der Eß- über die Musik- bis zur Theaterkonserve: ausgewählt, vorbereitet, zurechtgemacht von anderen. Der perfekte «Konsument», der von der Schöpferkraft und dem Geschmack einer immer kleineren Zahl produktiver Menschen abhängt, wird so schon im frühesten Alter geformt, ehe eigene Erlebnisse seinen Charakter entwickeln können, eigene Phantasie die Möglichkeit gehabt hat, sich voll zu entfalten.

«Die Kinder machen ihre Schularbeiten nicht mehr», klagen die Lehrer. «Es ist unmöglich, ‹Junior› zum Schlafengehen zu überreden», beschweren sich Mütter. Und die Väter sind entsetzt über die Sprache ihres Nachwuchses. «Zum Teufel», zürnte ein Achtjähriger, über den der TV-Kritiker der «New York Times» berichtete, «wenn ich zu Großpapa mit auf Besuch muß, wird jemand die Folgen tragen ...» Damit lief er zum Wasserhahn und mischte einen «tödlichen Gifttrank», so wie er es in der Fernsehserie «Suspense» gesehen hatte.

Als ein kleines Mädchen mit ihrem Vater an einer Kneipe vorbeikam, zwitscherte es, wie es das im Reklameteil der «TV-Show» gelernt hatte: «Verlange ein Ballantine Bier.»

Als ich diese Geschichten zum erstenmal hörte, lachte ich darüber wie über gewöhnliche Kindermundanekdoten. Erst als ich Kinder auf einer Straße von West Hollywood sah, die vertonte Reklameverschen statt der alten Kinderlieder sangen, als ich dann einige Wochen später in dem riesigen neuen Supermarket von Van Nuys hörte, wie ein kleiner Junge im schwarzen Cowboyanzug seine Mutter drängte: «Bitte, Mammie, kauf nur ‹Barbara Ann Brot›, Hoppy sagt, es macht ihn stark», begann ich zu ahnen, was hier gespielt wurde: Durch das Fernsehen hatten die Reklamebüros Millionen kleiner Knaben und Mädchen zu ihren freiwilligen Agenten gemacht. Der gegen Werbungen aller Art abgehärtete amerikanische Bürger kann manche Lockung der Reklame übersehen oder überhören. Aber wenn eine Kinderstimme bittet, wer kann – besonders in Amerika – noch widerstehen?

Die Entdeckung des «Kindermarktes» ist nicht allerjüngsten Datums. Schon die Hersteller der sogenannten «Breakfast Foods», der in bunten Kartons verkauften Haferflocken, Weizenflocken, Cornflakes, bauten ihre Geschäfte auf der Werbung um die Gunst des Kindes auf. Die Firma, die ihren Packungen die hübschesten Prämien beilegte (oder sie gegen Einsendung des Büchsendeckels in Aussicht stellte), konnte auf die größte Kinderkundschaft rechnen. So überflügelte zum Beispiel die Marke «Wheaties» alle ihre Konkurrenten, als sie nicht lange nach dem Abwurf der ersten Atombombe ihren jungen Kunden einen «Atomring mit radioaktiver Substanz» versprach.

Aber all das war nur das Vorspiel zu dem größten Spektakel kindlicher Massenhysterie seit den fernen Tagen des Kinderkreuzzuges. Die setzte ein, als ein alter Cowboyschauspieler namens Bill Boyd innerhalb weniger Wochen durch seine Fernsehfilme, in denen er die Rolle des tugendhaften «Hoppalong Cassidy» spielte, zum Idol der Jugend eines ganzen Landes aufstieg. In Wirklichkeit war «Hoppy» weder so tugendhaft noch so tapfer wie die Figur, die er darstellte. Er hatte lange einen notorisch wilden Lebenswandel geführt und haßte nichts so sehr wie die Fortbewegung auf dem Rücken eines Pferdes. Das war aber gar nicht wichtig: die «Märchenerzähler» hatten in ihm endlich einen mythischen Helden von Statur gefunden und spannten ihn in einer Art und Weise vor ihre verschiedenen Reklamekarren wie nie zuvor eine lebende Person.

Nicht nur wurden in ein paar Monaten Millionen Cowboysuits (zwischen 45 und 20 Dollar) abgesetzt, sondern fast ebenso viele Pistolen (50 Cent bis 5 Dollar 50), Sporen (2 bis 4 Dollar), Messer (60 Cent bis 7 Dollar), und Reitschuhe (4 bis 9 Dollar). Und als die «Hoppybegeisterung» weiterwuchs, begannen auch andere Hersteller verschiedenster und durchaus nicht nur für den Gebrauch der Jugendlichen bestimmter Gegenstände vom Hoppyfanatismus ergriffen zu werden. Gegen fünf Prozent Anteil am Verkaufspreis war «Hoppalong Cassidy» bereit, sich zum Schutzpatron von Sparkassen, Brotfirmen, Krawattenschneidern, Uhrenherstellern, Schokoladenfabriken, Seifenmarken machen zu lassen. Etwa ein halbes tausend verschiedener «Hoppyprodukte» tauchte auf dem Markt auf und wurde von den Eltern der 25 Millionen Kinder gekauft...

Das ging so lange, bis das Symbol «Hoppy» durch die sorgfältig geplante und geschickt vorgetragene Gegenaktion einer Gruppe von Reklameleuten nach und nach an Boden verlor. Ein Radioprogramm, dessen Held der «Weltraumkadett Tom Corbett» war, eine Art interplanetarer Cowboy, der seine Gegner mit der «Todesstrahlenpistole» erledigte, begann seinen Siegeszug im Fernsehapparat.

Ich habe den Niedergang von «Hoppy» und den Aufstieg seines Rivalen noch an jenem Abend sich ankündigen sehen, als ich bei meinen Bostoner Bekannten ohne Anwesenheit des kleinen Johnnie mein Dinner essen mußte. Zum Erstaunen seines Vaters kehrte die Gastgeberin nämlich nicht, wie wir erwartet hatten, allein, sondern mit ihrem Sprößling aus dem von Hoppys Galopp erfüllten «living room» in das Eßzimmer zurück, und der kleine blasse Junge sagte, wie zur Erklärung abschätzig: «Diese Type beginnt mich zu langweilen ...»

Einen Monat später hatte ihm sein Vater schon einen «Weltraumanzug» (24 Dollar 50) gekauft, eine Gegendose gegen «kosmische Strahlen» (Bonbons zu 60 Cent) und ein Paar «Anti-Schwerkraftschuhe» (7 Dollar 20). Und wenn er nach Hause kam, empfing ihn sein Sohn mit einem lauten «Hands pu», was nicht sehr viel schwerer auszusprechen ist als «Hands up» und bekanntlich das gleiche in der Marssprache bedeutet, wobei er den «Strahlenrevolver» (3 Dollar 98) auf ihn richtete. Der Papa leistete ohne Zögern diesem Befehl Folge, und ehe er die erhobenen Arme wieder herunternehmen konnte, war sein Johnnie bereits wieder verschwunden, um sein Abendbrot an Bord einer Raumrakete zu verzehren ...

Griff nach der Zukunft

ERFINDUNGEN AUF BESTELLUNG

1

Wilmington, Delaware

Beim Lunch im Angestelltenrestaurant des größten amerikanischen Chemiekonzerns Du Pont wurde ich einer am Nachbartisch sitzenden Gruppe mit dem Hinweis vorgestellt: «Meet with the Seventies!» («Lernen Sie die Siebziger kennen!») Da nun keiner der Herren über Fünfzig zu sein schien, stutzte ich und erwog einen Augenblick dic Möglichkeit, ob man mir da nicht die «Versuchskaninchen» für ein neuentwickeltes Verjüngungsmittel zeigen wollte. Die wirkliche Erklärung war zwar einfacher, aber auch recht ungewöhnlich.

Es handelte sich nämlich um Mitglieder einer Unterabteilung des «Development Department», die zur Zeit schon damit beschäftigt sind, Produkte für den Gebrauch in den siebziger Jahren unseres Jahrhunderts zu entwerfen und zu entwickeln: neue Textilfasern, Baumaterialien, Metalle, Fotoverfahren, Düngemittel, Treib- und Explosivstoffe für die kommende Generation.

Eine halbe Stunde später wurde ich von einem dieser «researcher» über die Schwelle des nächsten Jahrtausends geführt. Wir hatten keine Zeitmaschine benutzen müssen, sondern waren in einem ganz gewöhnlichen, etwa zwölf Jahre alten Buick vom Verwaltungsgebäude der Du Ponts in Wilmington nach einer nahe gelegenen, von Fluß und Wald begrenzten Halbinsel gefahren, auf der vielleicht dreißig kasernenähnliche Gebäude aus gelben Ziegeln stehen. Das ist die auf dem Gelände eines ehemaligen Golfplatzes errichtete «Experimental Station». In einem dieser Laboratorien aber sah ich eine Tür, auf der zu lesen stand: «2000 A. D.»

Die Jahreszahl auf dem Eingang sei durchaus kein Scherz, erklärte mir der ernste junge Mann, der mich hierher geführt hatte. Es werde hier tatsächlich versucht, «educated guesses», auf Tatsachen beruhende Schätzungen über die vermutliche Tätigkeit der Firma zu Beginn des dritten Milleniums zu entwerfen. Man könne zum Beispiel aus bisherigen Erfahrungen über das Entwicklungstempo chemischer Erfindungen ziemlich exakt ausrechnen, wie lange die Durchführung gewisser wünschenswerter Versuchsreihen noch in Anspruch nehmen werde. Eine genaue Beobachtung der Strömungen in Technik und Wirtschaft lasse auch mit einiger Wahrscheinlichkeit voraussagen, welche Leistungen von einem chemischen Konzern in den nächsten Jahrzehnten verlangt würden.

Er zeigte mir Tafeln mit chemischen Formelketten, die wie «Stammbäume» aussahen. Aber statt in die Vergangenheit zurückzugehen, reichten sie in die Zukunft, zeigten mit Symbolen den Weg zu neuen, bisher noch nicht hergestellten Erzeugnissen. Da sah man, wie aus neuen Verbindungen Geschöpfe entstehen sollten, die, obwohl selbst noch ungeboren, sich abermals zusammentaten und eine dritte Generation hervorbrachten. Es war eine ganze, in die Zukunft hineinprojizierte Familie von Kindern, Enkeln, Ur- und Ururenkeln der Phantasie, unter denen am Ende der eine, der Gesuchte war, dem die ganze Bemühung gegolten: das erstrebte neue «Wunderprodukt».

«Hier», sagte der Chemiker und wies auf einen der Entwürfe, «das ist das neue Schmieröl, das nicht frieren wird. Es ist noch nicht fertig, aber wir werden es wohl bis spätestens 1965 herstellen können. Das dort ist die Faser, aus der wir Hemden für heiße Gegenden weben werden; dies hier ist ein neues Baumaterial, das zum Leuchten gebracht werden kann und alle Lampen überflüssig macht, und da — nach unserer Berechnung kaum vor dem Jahre 2010 auf den Markt zu bringen — ist der Traum der Menschheit: synthetische Nahrung, gewonnen durch die im Laboratorium und der Fabrik versuchte Nachahmung von Naturprozessen.»

Er sagte das alles, ohne auch nur eine Sekunde den Eindruck eines Phantasten oder Aufschneiders zu machen. Er war der Zukunft so sicher wie ein Selbstgerechter des Himmelreiches. Obwohl er bei einem Konzern angestellt war, der mit der Erzeugung von Schießpulver begonnen, durch die Herstellung von Explosivstoffen im ersten Weltkrieg groß geworden war, im zweiten Weltkrieg die Plutoniumwerke in Hanford gebaut hatte und nun im Auftrage des Staates die erste Fabrik zur Herstellung des Explosivmaterials der Wasserstoffbombe am Savannahfluß einrichtete, stellte der «Du Pont researcher» die Möglichkeit einer Kriegskatastrophe scheinbar überhaupt nicht in Rechnung. Er stand mit dem Morgen und Übermorgen auf du und du. Wenn das Kommende für ihn Schrecken enthielt, so sagte er es jedenfalls nicht.

2

Zukunftsspekulation hat es besonders in der westlichen Welt immer gegeben, aber vermutlich hatte sie nie zuvor einen so konkreten Charakter getragen wie heutzutage in den Vereinigten Staaten. Hier wird die Zukunft nicht mehr religiösen Visionären oder philosophischen Utopisten überlassen, sondern einer neuen Gruppe spezialisierter Wissenschaftler überantwortet, den «forecasters», die mit Hilfe von «Beschleunigungskurven», «Zukunftsparabeln», «Wiederholungszyklen», «Strömungsplänen» und «Wahrscheinlichkeitsrechnungen» das Kommende möglichst exakt vorauszusagen versuchen.

Es fällt außerdem auf, daß die amerikanische Beschäftigung mit der Zukunft sich — abgesehen von den Phantastereien der Literaturgattung «Science Fiction» — selten mehr als höchstens hundert Jahre in den Ozean noch ungeborener Ereignisse hinausbegibt. Bis zum Jahre 2000 haben die Amerikaner auf beinahe jedem Gebiet menschlicher Tätigkeit die voraussichtlichen Routen oft schon mit einer Genauigkeit abgesteckt, die geradezu vermessen anmutet. Noch die erste Hälfte des einundzwanzigsten Jahrhunderts wird hier und da, wie in den interessanten Vorschauen der «Brookings Institution» oder des «Twentieth Century Fund», darzustellen versucht. Weiter wagt man sich nicht, weil jenseits der Grenze von einem oder höchstens zwei Lebensaltern zu je siebzig Jahren keinerlei Voraussage mehr «praktisch verwendbar» wäre.

Auf diese Verwendbarkeit in der Praxis aber kommt es dem Amerikaner bei seiner intensiven Bemühung um die Zukunft in erster Linie an. In einem Lande, welches das Unvorhergesehene in der Natur und im Verhalten des Menschen durch Beobachtung und Beherrschung immer stärker zu kontrollieren verstanden hat, stellt die Zukunft einen der letzten großen Unsicherheitsfaktoren dar. Ihn auszuschalten ist daher ein Hauptanliegen des zeitgenössischen Amerika.

Es geht dem Amerikaner nicht, wie den meisten Zukunftsdenkern anderer Länder, darum, über die Zukunft zu philosophieren, sondern etwas mit ihr zu tun: sie zu erobern und ihr, soweit das menschenmöglich ist, Richtung und Marschtritt vorzuschreiben. Mit Ausnahme von Sowjetrußland und seinen Verbündeten gibt es kein Land der Erde, in dem so viel Zukunftsplanung getrieben wird wie in den Vereinigten Staaten.

Dabei hat die private Wirtschaft, obwohl sie in den von ihr veröffentlichten Streitschriften immer wieder gegen staatliche Planung auftritt, Pionierarbeit geleistet. Beginnend mit den Versicherungsgesellschaften, die als erste sich intensiv mit der Zukunft praktisch zu befassen hatten, um Profit und zu erwartendes Schicksal in ein wirtschaftlich rentables Verhältnis zueinander zu bringen, über die Finanzindustrie mit ihren langfristigen Investitionen und Anleihen, bis zur aus Konkurrenzfurcht auf genaue Beobachtung «technologischer Strömungen» angewiesenen Großindustrie, steckt man eifrig «claims» in den noch unentdeckten «Goldfeldern von morgen» ab.

Diese Bemühung der Wirtschaft um die Zukunft hat sich oft als höchst erfolgreich erwiesen, weil ja Banken und industrielle Firmen es manchmal in der Hand haben, «Zukunft zu machen». Dies trifft besonders in einem Punkt zu: der bewußten Förderung oder Bremsung von neuen technischen Erfindungen. Neue Erfindungen haben die Arbeitswelt seit Beginn dieses Jahrhunderts mehrmals mit der Wucht von Naturereignissen getroffen. Das Auto, die Elektrizität, die Erfindung der Massenproduktion erschütterten die Arbeitswelt und zwangen sie zu hastiger, oft schwieriger Anpassung. Die Wiederholung solcher «technischen Revolutionen» zu vermeiden und statt dessen einen «technischen Reformismus» walten zu lassen, der dem Neuen nur allmählich zum Durchbruch hilft, ist ein Hauptanliegen der amerikanischen Zukunftsplanung.

Der Soziologe S. C. Gilfillan hat hier Pionierarbeit geleistet. Er wies nach, daß jede Erfindung etwa fünfunddreißig bis fünfzig Jahre zu ihrer vollen Entwicklung braucht. Wer schon bei der «Geburt» einer neuen Erfindung ihre Möglichkeiten entdecke, könne daraus auf eine große Reihe von erfinderischen Zukunftsmöglichkeiten schließen. So konnte zum Beispiel der bekannte Elektroingenieur Charles P. Steinmetz 1915 eine ganze Reihe kommender Erfindungen «voraussagen», die in seinem Arbeitsgebiet gemacht werden müßten. Tatsächlich bewahrheiteten sich (zum Teil erst nach seinem Tode) 76 Prozent dieser Prophezeiungen, 24 Prozent waren zum Teil richtig und keine einzige wirklich falsch.

Aufbauend auf dieser Tatsache von der «Voraussagbarkeit» der Erfindungen, haben amerikanische Großkonzerne, wie zum Beispiel die «General Electric», zur Schulung begabten Nachwuchses «Schulen für Erfinder» eingerichtet, in denen «Erfinden» als die Kunst der Kombination von zwei Bekannten zur Schaffung eines noch unbekannten Dritten gelehrt wird.

3

Nirgends ist die Bemühung um systematische Erkenntnis und zielbewußte Eroberung der Zukunft mit so viel Energie und Erfolg betrieben worden wie in der chemischen Industrie Amerikas. Sie hat es einmal verstanden, durch genaue Analyse zukünftiger Entwicklungen sich auf kommenden Bedarf einzustellen, und andererseits durch ihre eigenen auf Bestellung entwickelten «Wunder» diese Zukunft selbst aktiv mit- und umgestaltet.

Das Ergebnis – begünstigt durch den bereits in den dreißiger Jahren vorausgesehenen Rückgang der deutschen chemischen Industrie im Kampf um die Weltmärkte – ist eindrucksvoll: Die chemische Industrie der Vereinigten Staaten lief in den dreizehn Jahren zwischen 1937 und 1950 der Automobilindustrie den ersten Rang ab. Das Schlüsselwort für diesen Aufstieg heißt «research» – aktive, zielbewußte, zukunftsgerichtete Forschung nach neuen Produkten.

Die Firma Du Pont hat wiederum den ersten Platz innerhalb der chemischen Industrie durch eine Art Massenangriff auf die Naturgeheimnisse erobert und gehalten. Rund zweitausend Wissenschaftler arbeiten in den dreiunddreißig verschiedenen Laboratorien von Du Pont. Sie werden jährlich mit einem Budget von rund dreißig bis fünfunddreißig Millionen Dollar dotiert, entwickeln durchschnittlich an jedem der dreihundertfünfundsechzig Tage des Jahres ein neues anmeldungsreifes Patent und haben ständig etwa tausend verschiedene Projekte in Arbeit, von denen nur etwa jedes zehnte zu positiven Resultaten führt.

Es gibt bei Du Pont kaum Wissenschaftler, die einzeln experimentieren. Sie sind in «teams» zusammengefaßt, die miteinander an bestimmten Erfindungen arbeiten. Ehe ein neues Projekt in Arbeit genommen wird, muß es einem Rat von dreizehn «Forschungsdirektoren» vorgelegt werden, der sich seinerseits nur über den vermutlichen technischen Wert der geplanten Erfindung aussprechen kann und sein Urteil zur endgültigen Beschlußfassung an die zehnköpfige Finanzkommission und das ebenfalls zehnköpfige «executive committee», die eigentliche Regierung des Milliardenunternehmens, weiterleitet.

Anregungen für neue Erfindungen kommen nun aber nicht nur aus den Laboratorien, sondern beinahe noch zahlreicher aus der nach dem Muster eines staatlichen «Intelligence Service» aufgebauten Nachrichtenabteilung und der Abteilung für Marktforschung. Die «Intelligence Division» gibt wöchentlich zur internen Information ein vervielfältigtes Bulletin heraus, das 150 Seiten stark ist und in abgekürzter Form Arbeiten aus der Fachliteratur aller Länder enthält, sowie ein «Patentbulletin», das die Firma über alle neuen, für sie interessanten Patentanmeldungen im In- und Ausland unterrichtet. Außerdem gibt es noch die vertraulichen Berichte der «development scouts», die im Auslande Informationen über dortige industrielle Entwicklungen sammeln. Die Abteilung für «market research» hält die Firma mit Berichten über Bevölkerungsstatistik und Bevölkerungsbewegungen sowie über vom Publikum erhoffte, erwartete und als notwendig empfundene Neuerfindungen auf dem laufendem.

Entwickelt sich die Arbeit an einer Erfindung nicht mit der vorhergesehenen Geschwindigkeit, so kann beschlossen werden, die Versuche vorläufig aufzugeben. Die in den «research laboratories» dieser wie anderer Industriefirmen beschäftigten Forscher müssen sich klar darüber sein, daß sie hier nicht der «reinen Wahrheit» dienen, sondern auch die Rentabilitätsansprüche ihrer Arbeitgeber in Rechnung ziehen müssen. Bei Du Pont zum Beispiel herrscht das Prinzip, daß mindestens einer von vier für die Forschung ausgegebenen Dollar sich im Laufe einer kurzen Frist zu amortisieren hat. Deshalb werden zu theoretische und «kommerziell unpraktische» Experimente oft plötzlich «von oben» gestoppt.

Der neue amerikanische Erfindertyp, der sich in diesen Versuchsstätten herausbildet, hat nicht mehr viel mit den genialen Einzelgängern und phantasievollen Eigenbrötlern der früheren Erfindergenerationen gemein. Er ist ein «team worker», der Beschränkungen der Forschungsfreiheit und des Rechts auf seine Erfindung hinnimmt, um dafür materielle und persönliche Hilfe im Großlaboratorium einzutauschen, ohne die seine Ideen viel langsamer oder gar nicht zu verwirklichen wären. Außerdem gibt ihm die Firma Sicherheit, die der Mehrzahl willkommener ist als Hungerjahre und langverkanntes Erfindertum.

Gerät einmal eine hochbegabte und eigenwillige Persönlichkeit in diesen streng regulierten, auf methodische Eroberung der Zukunft gerichteten Massenbetrieb, so müssen sich unvermeidlich Reibungen und Enttäuschungen ergeben. Ein Beispiel dafür ist Wallace Hume Carothers, der 1927 von einem «Talentsucher» der Firma Du Pont im Alter von 31 Jahren aus seinem Laboratorium in der Universität Harvard herausgeholt und nach Wilmington gebracht wurde. Hier gelang es ihm, auf Grund seiner theoretischen Forschungsarbeit im Februar 1935 den Grundstoff für eine synthetische Faser zu entwickeln, die Temperaturen von fünfhundert Grad Fahrenheit aushalten konnte. Sie hieß zuerst «Polyamid 66» und wurde später auf den berühmt gewordenen Namen «Nylon» getauft.

Carothers war der Ansicht, daß er, nachdem er einmal die prinzipielle Lösung gefunden hatte, noch weit haltbarere Fasern entdecken könne, und bewies das auch in der Folge. Aber die Firma Du Pont wollte eine weitere Verbesserung und Verfeinerung nicht abwarten, sondern aus kommerziellen Gründen zuerst und möglichst schnell auf dem Markt erscheinen, um ihr nur siebzehn Jahre laufendes Patent voll auszunutzen. Carothers' viel bessere Faser, mit dem Laboratoriumsnamen «5—10» etikettiert, wurde trotz seiner Bitten nicht zur Fabrikation zugelassen. Im Januar 1940, fünf Jahre nach der Entdeckung, brachte Du Pont das Nylon in Massenproduktion heraus. Aber Carothers erlebte die Eröffnung der ersten Nylonfabrik nicht mehr. Er hatte in einem Anfall von Ekel, Schwermut und Scham im Jahre 1937, zehn Jahre nach seinem Weggang von der Universität Harvard, Selbstmord begangen.

4

Es ist behauptet worden, daß die «praktisch unzerreißbare» Faser 5—10, die Carothers entwickelte, nur deshalb von der Firma Du Pont in ihren Laboratorien zurückgehalten wurde, weil die Textilfabrikanten gegen eine solche ihren «Wiederholungsumsatz» gefährdende Erfindung protestierten und mit Boykott drohten. Was an diesem und anderen immer wieder auftauchenden Gerüchten über die freiwillige und absichtliche Hintertreibung von Erfindungen aus rein kommerziellen Motiven heraus wahr ist, läßt sich schwer beurteilen, solange die Archive der Großfirmen der Öffentlichkeit nicht zugänglich sind.

Sicher aber ist, daß der blinde Fortschrittsenthusiamus, mit dem noch vor einem halben Jahrhundert fast jede neue Entdeckung von Wert lanciert wurde, einer vorsichtigen Haltung Platz gemacht hat, die stets auch die wirtschaftlichen und sozialen Zukunftswirkungen einer Erfindung in ihre Rechnung einbezieht. Eine solche Haltung ist durchaus nicht, wie das meist geschieht, in Bausch und Bogen zu verurteilen. Erfindungen bringen menschengemachte Erschütterungen mit sich, die auch von Menschen, wenn möglich, gemildert werden können und sollen.

Das wichtigste Beispiel einer vor allem aus sozialen Rücksichten gebremsten Zukunftsentwicklung ist die «Fabrik ohne Menschen». Seit Jahren schon wird von der «Supermaschine» gesprochen, die einmal fast ohne menschliche Kontrolle den ganzen Produktionsprozeß vom Rohstoff bis zum fertigen Erzeugnis wird erledigen können. Einzelne solche Maschinen sind schon gebaut worden. Es handelt sich aber in diesem Fall eigentlich um komplizierte Automaten, die nur ein einziges Produkt herstellen und keine Änderung oder Verbesserung berücksichtigen können.

Die wirklich angestrebte «Fabrik ohne Menschen» muß aber flexibel sein und sich jeweils veränderten Anforderungen anpassen können. Es ist heute schon durchaus möglich, mit Hilfe der weitentwickelten künstlichen «Sinnesorgane», die von der im zweiten Weltkrieg großgewordenen Elektronenindustrie geliefert werden, eine solche Fabrik zu bauen, die von einem «Elektronengehirn» dirigiert und von anderen Elektroneninstrumenten kontrolliert wird.

Ich konnte in den «David Sarnoff Research Laboratories» der «Radio Corporation of America» am Rande der Universitätsstadt Princeton alle wichtigen Instrumente, die zu einer solchen voll automatischen «Roboterfabrik» gehören, an der Arbeit sehen.

Da war das «Elektronengehirn», das wegen der Schnelligkeit, mit der es Rechenaufgaben lösen konnte, den Namen «Typhoon» erhalten hatte. Es war für Aufgaben der «Produktionskontrolle» eigentlich viel zu geschwind und «intelligent», aber zu Demonstrationszwecken ließ es sich herbei, die Rolle der «Kommandoeinheit» in einer Erzeugungskombination von «elektronic units» zu spielen.

Zunächst wurde von einem «Produktionsplaner» mit Hilfe einer Reihe von langen Kontaktschnüren, die genauso aussahen wie Stöpselverbindungen in einer Telefonzentrale, die «Produktionsaufgabe» gestellt. Er steckte die Kontakte in einer bestimmten Reihenfolge und nach einer bestimmten Anordnung in runde Öffnungen. «Jetzt sendet das kommandierende Gehirn Befehlssignale aus», sagte man mir. Diese Signale wurden von einem Empfangsgerät aufgenommen, das den Namen «Collator» trägt, und dort verglichen mit einer anderen Signalkette, die von einem anderen kleinen Sender kam, dem sogenannten «Sensor».

Der «Sensor», der in vieler Hinsicht jenen Instrumenten gleicht, die, in Höhenraketen eingebaut, den Erdstationen Mitteilungen über den

Verlauf des Fluges senden, hätte bei einem Herstellungsprozeß die Aufgabe, in seiner Voltsprache über Schnelligkeit, Druck, Gewicht, Hitzegrade und noch eine Reihe anderer meßbarer Bedingungen zu berichten, die er bei der Herstellung beobachten würde.

Läuft der Produktionsprozeß fehlerlos, so erhält der «Collator» von dem befehlenden «Elektronengehirn» und dem die Ausführung der Befehle beobachtenden «Sensor» die gleichen Signale. Widersprechen die Signale einander, so meldet es der «Collator» dem «Gehirn», das für diesen Fall eine Reihe neuer Alternativen in seinem mechanischen Gedächtnis aufbewahrt. Es sendet diese Korrektur an den «Collator», der sie dann durch eine Reihe von «Sklavenmotoren» ausführen läßt.

«Mit einer solchen Kontrollapparatur», sagte man mir in Princeton, «könnten zum Beispiel ganz präzise Ventilringe für Motoren hergestellt werden oder metallene Stühle von jeweils verschiedenen Mustern. Die Möglichkeiten sind da, sie sind von uns und von einer Gruppe von ‹researcher› in Harvard ausgearbeitet worden, aber niemand hat sich noch an die praktische Ausführung gewagt. Der Grund dafür ist bestimmt nicht bei uns Technikern zu suchen. Wir sind ‹bereit› für das Zeitalter der automatischen Kontrolle.»

DAS ELEKTRONENORAKEL

1

Washington, D. C.

Das war an einem jener seltenen Tage, an denen Washington, sonst so gelassen und zurückhaltend wie ein rangstolzes Villenviertel, von politischer Unruhe durchzittert war: «Ein berühmter Kriegsheld brüsk entlassen», meldeten die Nachrichtenticker. Die Erregung über diese Entscheidung schlug durch die grünen Isolationsgürtel der Parks hindurch, von denen die Kraftzentralen politischer Willensbildung umgeben sind, durchlief die geraden Straßenstränge, elektrisierte zahllose Debatten und wurde wieder auf die hinter dem Schatten großer Bäume und der Kühle marmorner Fassaden zurückgezogen liegenden Regierungsgebäude zurückgestrahlt.

Im Garten des amerikanischen staatlichen Eichamtes «National Bureau of Standards» werden selten politische Gespräche geführt. Hier beschäftigt man sich mit der Entzündbarkeit von Textilien, debattiert Vor- und Nachteile neuer Kunststoffasern, untersucht die Eigenschaften von Chemikalien und erläßt man Botschaften, so sind sie an den Mond gerichtet in der Hoffnung, von dort ein Echo zu erhalten. Aber an diesem

Tage schien die Erregung über das unexakte und schwer meßbare Phänomen «Politik» sogar die sachlichen «investigators» des NBS gepackt zu haben.

Als wir durch den großen Park gingen, in dem die vielen Laboratoriumsgebäude, Meß- und Prüfungsstellen eingebettet liegen, war die Luft schwer und gesättigt von jener feuchten Lässigkeit, die Washington klimatisch schon den Städten des amerikanischen Südens annähert. Mein Begleiter hatte die blühenden Kirschbäume, die den Amerikanern vor einem halben Jahrhundert von den Japanern geschenkt worden waren, zum Anlaß genommen, um seine Ansichten über die Außenpolitik der USA zu äußern.

Aber ehe er noch mit seinen Ausführungen fertig geworden war, standen wir plötzlich vor zwei niederen Buildings jenes provisorischen Typs, der in der Hauptstadt «WW II (World War II) Style» genannt wird.

«Wissen Sie, daß die Entscheidung, den General abzuberufen, im Grunde in diesen beiden, well... Baracken gefallen ist?» fragte mich mein «guide».

Ich wollte einwenden, daß, wie jedermann wisse, der Entschluß, den Kriegsheros zu «feuern», doch wohl von dem zur Zeit vielgepriesenen und vielverfluchten «Mann im Weißen Haus», dem Präsidenten der Vereinigten Staaten von Amerika, gefaßt worden sei. Aber der Begleiter war schon in der Tür eines der beiden schmächtigen Häuser verschwunden, über dessen Eingang zu lesen stand: «National Bureau of Standards Eastern Automatic Computer» (SEAC). Ich wußte natürlich schon, daß in diesen beiden unscheinbaren Notbauten eines der neuesten «Elektronengehirne» untergebracht war. Um ein solches Fabelwesen aus der Nähe zu sehen, hatte ich mich hierherbringen lassen. Nur konnte ich mir beim besten Willen nicht denken, welcher Zusammenhang zwischen diesem hochentwickelten Laboratoriumsgerät und der politischen «affaire célèbre» des Tages bestehen sollte.

Der Begleiter führte mich in einen kleinen Raum, wo sich außer uns nur ein schlanker junger Mensch befand, der mit ziemlich gelangweiltem Gesicht auf einer Tastatur von schwarzen Knöpfen und Schaltern herumfuhr. Das Instrument erinnerte mich stark an eine jener mit vielen Registern versehenen Konsolen, die von Orgelspielern benutzt werden. Auch der «Organist», den wir hier besuchten, las seine Noten von einem Blatt ab. Über seine Schulter hinweg konnte ich zahlreiche, in immer verschiedenen Mustern angeordnete Punkte und Striche sehen, die augenscheinlich seine Vorlage waren.

Mein Begleiter wies, um den anderen nicht durch Worte zu stören, mit einer stummen Bewegung auf zwei runde Fernsehschirme, die in die Mitte der Konsole eingelassen waren: dort sah man immerzu wechselnde Figuren und Arabesken, die von einem weißblauen Leuchtpunkt auf eine grüne Gitterskala geschrieben wurden und gleich wieder verloschen. Es mußten Zeichen aus dem Inneren der hinter einer Zwischenwand verborgenen Maschine sein, Berichte über die Art ihrer Arbeit, ihr Befinden, den Fortschritt ihrer komplizierten Denkoperationen.

In einem Augenblick, da der «Computer» seine geschäftigen Finger ein wenig ruhen ließ, stellte mich mein Begleiter vor. Dann fragte er: «Woran arbeitet ihr heute, Ed?»

Der andere schaute gelangweilt auf: «Nichts Besonderes. Immer noch das alte 175-zu-175-Gitter. Um vier will Francis ein Flutproblem durchlaufen lassen. Und dann ist noch ein Expreßauftrag von den Airforceboys da. Das übliche Zeug: Wirbelberechnungen, Widerstandsprüfungen. Aber das geht mich schon nichts mehr an. Ich bin in einer halben Stunde fertig und kann gehen. Was sagst du übrigens zu dem General? Unglaublich, was? Aber meiner Ansicht nach ...» Er unterbrach sich; denn auf der Konsole war ein orangefarbenes Blinklicht aufgeleuchtet, gleichzeitig hörte man ein Rattern, wie wenn Drucktypen in eine Setzmaschine fallen. Rote Lämpchen sprangen zwischen den schwarzen Tasten der Kontrollkonsole auf, und auf dem unteren der zwei Bildschirme stürzte das weißblaue Pünktchen wie eine Sternschnuppe schnurgerade ab, eine scharfe Leuchtspur hinter sich zurücklassend.

«Zum drittenmal», sagte Ed resigniert. «Zum drittenmal an einem einzigen Tag führt es sich so auf.» Er drehte sich der Wand zu, die sein «Klavier» von der Maschine trennte, und hielt dem merkwürdigen Elektronenwesen, das sich dahinter befand, eine kleine Standpauke: «You neurotic fool. Du verwöhntes Ungeheuer. Jetzt muß ich deinetwegen noch zwei Stunden lang hier schwitzen und alles von vorne beginnen.»

Ich fühlte mich etwas unbehaglich. Wie ein Gast, der, ohne es zu wollen, Zeuge eines peinlichen Familienstreites wird.

«SEAC macht noch ein paar Kinderkrankheiten durch», entschuldigte sich mein Begleiter. «Es kann immer einmal vorkommen, daß irgendwo einer der vielen Stromkreise kurzschließt, ein paar Röhren versagen oder die Emulsion des Tonbandes, auf dem die Aufgabe notiert ist, eine mikroskopisch kleine Schadenstelle aufweist. SEAC ist nicht vollkommen. ‹Es› lebt erst seit einem Jahr hier bei uns, und wir kennen schon die meisten seiner schlechten Gewohnheiten. So wacht es zum Beispiel langsam am Morgen auf, ist außerordentlich empfindlich und reagiert sofort mit Nervenkrisen, wenn man ihm allzu schwierige Aufträge gibt. Aber diese kleinen Fehler stehen in gar keinem Verhältnis zu den Leistungen, die SEAC vollbracht hat. Wissen Sie, wie wir es nennen? ‹Das Orakel von Washington.› Und diese Hütte, in der es untergebracht ist: ‹Das kleine Weiße Haus›.»

«Orakel? Haben Sie das also wirklich ernst gemeint, was Sie vorhin über die Entlassung des Generals sagten?» insistierte ich.

«Sie meinen, daß SEAC das entscheidende Wort sprach? Ganz ernst.

Sehen Sie, die Sache war doch so: Der General trat für eine Strategie ein, die unser Land an den Rand oder sogar mitten in einen Weltkrieg hineingeführt hätte. Es gab hier in Washington viele Anhänger dieser ‹starken Politik›. Ihnen hätte der Präsident sich vielleicht schließlich beugen müssen, wenn nicht SEAC ein objektives Urteil abgegeben hätte, gegen das es kein vernünftiges Argument mehr gab. Wir ließen hier einige Tage lang Rechnungen über die ‹Denkmaschine› laufen, die man früher nicht einmal zu lösen versucht hätte, weil das Jahre in Anspruch genommen haben würde. Es sollte ausgerechnet werden, wie die amerikanische Wirtschaft in allen ihren Sektoren jetzt auf einen plötzlichen Kriegseintritt reagieren würde. SEAC gab in eindeutigen, klaren Zahlen die Antwort: Schon die von dem General verlangte Verschärfung unserer Angriffsaktionen würde schwere Erschütterungen im ökonomischen System bewirken, ein Kriegsausbruch gar in diesem Augenblick käme zu früh und wäre denkbar ungünstig für uns. Jeder von verschiedenen Seiten gemachte Vorschlag, jede strategische Variante wurde von SEAC bis in die letzte Konsequenz durchgerechnet. Und diese Berechnungen waren dann der stärkste Trumpf in der Hand des Präsidenten, als er gegen den General und seine Politik entschied.»

2

Mir kam damals diese Erzählung eher etwas übertrieben vor. Jeder Spezialist hat heute die Tendenz seine eigene Bedeutung im Gesamtgeschehen überzubewerten. In einer Zeit, die das Individuum in die Rolle des Rädchens unter Millionen Rädchen zurückdrängt, schreibt sich mancher gerne wenigstens die Rolle des «entscheidenden Rädchens» zu, von dessen richtigem Funktionieren das Schicksal der ganzen Maschinerie abhänge. Dieses Gefühl der eigenen Funktionswichtigkeit ist vielen sogar ein Ersatz für die verlorene Freiheit.

Heute muß ich dem Mann, der mich zuerst über die wichtige Rolle aufklärte, die von den modernen Elektronengehirnen beim Zustandekommen großer politischer Entscheidungen der Vereinigten Staaten gespielt wird, Abbitte leisten. Er hat mir damals eher zuwenig als zuviel darüber gesagt. Je weiter ich diese Fährte im Laufe der nächsten Monate verfolgte, um so erstaunter stellte ich fest, daß die von Utopisten vergangener Jahrhunderte erträumte «machine à gouverner», die «Regiermaschine», Wirklichkeit geworden war. Die Geheimhaltung dieser politischen Funktionen der «Denkmaschinen» ist kaum verwunderlich, wenn man sich klarmacht, daß aus den Zahlenreihen, die von dem SEAC und anderen, vor allem von den Streitkräften verwendeten «Elektronenorakel» hervorgebracht werden, oftmals die Richtung des amerikanischen Staatsschiffes abzulesen ist.

So unwahrscheinlich, wie das alles klingt, ist es gar nicht, wenn man sich klarmacht, daß Rechenmaschinen bereits seit einigen Jahren von den «executives» der industriellen Großkonzerne eingesetzt werden, um ihnen das Fällen von Entscheidungen zu erleichtern. Es ist laut einer Aussage von General Groves, der während des zweiten Weltkrieges mit der Leitung des ersten Atombombenprojekts betraut war und nach Friedensschluß die Leitung eines großen Büromaschinenkonzerns übernahm, statistisch erwiesen, daß im wirtschaftlichen Konkurrenzkampf stets diejenigen Firmen am besten fahren, die an Hand genauester Zahlen über ihre Leistungsfähigkeit und Bedürfnisse am besten orientiert sind.

«Regieren heißt voraussehen.» Voraussicht ist aber nicht nur auf Intuition, sondern auch auf möglichst umfassende Kenntnis aller wichtigen Daten gegründet. Die Theoretiker der «wissenschaftlichen Voraussage» haben überzeugend gezeigt, daß zum Beispiel bei der Wettervoraussage die Genauigkeit von der Menge der vorhandenen Daten und der Schnelligkeit ihrer Auswertung abhängt. Ähnliche Überlegungen haben die amerikanische Regierung jedenfalls veranlaßt, sich der Elektronengehirne als Hilfsmittel zu bedienen.

Unter den Washingtoner «Propheten», die mit Hilfe statistischen Materials und der modernen Elektronengehirne im Regierungsdienst erstaunliche Voraussagen machten, haben zwei ursprünglich aus Rußland stammende, aber längst Amerikaner gewordene Spezialisten den größten Ruhm erworben. Der eine von beiden ist Louis Bean, der im Jahre 1948 als einziger «forecaster» den Ausgang der Wahlen für das Weiße Haus und den Kongreß ziemlich genau voraussagte. Er arbeitet hauptsächlich für das Landwirtschaftsministerium, in dessen Auftrag er den Ausfall von Ernten, die Marktlage für landwirtschaftliche Produkte, künftige Überschwemmungen und große Sozialbewegungen wie die Entwicklung der Landflucht voraussagt.

Während Bean sich wenigstens teilweise noch auf seine Intuition verläßt, ist der andere große «Regierungsprophet», Professor Wassily Leontief, ganz dem «objektiven Zifferngehalt» verschrieben. Eine seiner politisch wichtigsten «Prohezeiungen» machte er auf Anforderung des Präsidenten, als sich im Juli 1950 die Frage stellte, ob Amerika als Antwort auf die Ereignisse in Korea voll oder nur teilweise mobilisieren solle. Seine Entscheidung hieß: Teilmobilisation.

Professor Leontief hatte sich zum Ziel seiner Lebensarbeit das genaue Studium des Verhältnisses der einzelnen amerikanischen Herstellungszweige zueinander gemacht. Mit Hilfe seines statistischen «Gitters», das 42 Produktionszweige und 42 ihrer wichtigsten Konsumenten so gruppiert, daß daraus ihre Beziehungen als Verkäufer und Kunden in exakten Prozentzahlen zu ersehen sind, kann die Beanspruchung jedes Teiles der Wirtschaft durch jede neue Anforderung von einer

einfachen Erhöhung der Luftrüstung bis zu einer vollen Mobilmachung genau im voraus kalkuliert werden. Um zu diesen Verhältniszahlen zu gelangen, mußten mit Hilfe von SEAC vorher Millionen von Gleichungen ausgerechnet werden.
Ein erster Versuch, der mit Leontiefs Methode unter Heranziehung der neuen «Elektronengehirne» kurz nach Ende des zweiten Weltkrieges gemacht wurde, hatte die Regierung von der Genauigkeit der Voraussagen überzeugt. Während die Stahlindustrie damals für das Jahr 1947 einen Rückgang des Bedarfes an Stahl erwartete, kam Leontief zum entgegengesetzten Ergebnis: er rechnete aus, daß Amerikas Hochöfen zu diesem Zeitpunkt zu wenig Stahl herstellen würden. Leontief behielt recht. Die von ihm errechnete Zahl des Stahlbedarfs stimmte sogar bis auf ein paar hundert Tonnen.

Seither ist man in Washington geneigt, den «wissenschaftlichen Voraussagen» vollen Kredit einzuräumen. Leontief wurden von verschiedenen Ministerien vermehrte und genauere Statistiken beschafft, die es ihm ermöglicht haben, ein viel detaillierteres «Gitter» von 175 Erzeugungszweigen und ebenso vielen Abnehmergruppen zu bauen, so daß die Voraussagen nun immer genauer werden. Bei der Rohstoffzuteilung an einzelne Zweige der Industrie für Rüstungs- oder Konsumzwecke wird von Leontiefs Vorausberechnungen Gebrauch gemacht. Die zu einem «Regierinstrument» gewordene «Denkmaschine» des «National Bureau of Standards» setzt jeweils die Quoten fest, die zur Verteilung kommen dürfen. Das «Elektronengehirn» ist so zum wichtigsten Instrument der Planwirtschaft geworden.

3

In welchem Ausmaß die «electronic brains» seit dem Ende des zweiten Weltkrieges an der Fassung gewisser außenpolitischer und wehrpolitischer Entschlüsse der amerikanischen Regierung mitbeteiligt waren, ist leider durch Geheimhaltung weitgehend verschleiert worden. Es steht fest, daß der Streit der drei Waffenzweige, die alle möglichst große Teile des Rüstungsbudgets für sich verlangen, nunmehr vor jeder Budgetdebatte erst den «Computern» unterbreitet wird. Das «Elektronenorakel» bestimmt besonders seit der Amtsübernahme des Verteidigungsministers McNamara unter Präsident Kennedy, «in welche Körbe man die Eier verteilen solle», das heißt, wie die Vereinigten Staaten mit einer begrenzten Anzahl von Menschen ihre an Menschen reicheren weltpolitischen Rivalen mit den größten Erfolgschancen in Schach halten könnten.

In Washington werden diese weltpolitischen Probleme besonders oft in der Sprache des Pokers, des Boxkampfes oder Fußballs ausgedrückt.

Daß gerade Vergleiche aus Spiel und Sport gewählt werden, ist nicht ohne tiefere Bedeutung. Es drückt sich darin die Anschauung aus, daß menschliche Anstrengung und Intelligenz den geschichtlichen Ablauf von Runde zu Runde bestimmen, nicht aber göttlich oder historisch determinierte Faktoren.

Will man nun vorauszusehen versuchen, was der Rivale auf der anderen Seite des Spieltisches, der Sportarena oder des Erdballes vorhat, so genügen die bereits beschriebenen gradlinigen Methoden der Zukunftsspekulation nicht mehr. Denn sie können nur dann brauchbare Resultate hervorbringen, wenn der «wissenschaftliche Prophet» eine Überfülle von Daten zur Verfügung hat. Das ist im Falle eines Spieles, eines Matches, einer weltpolitischen Auseinandersetzung nun aber nicht zu erwarten. Der Gegner hält seine Karten, so gut er kann, geheim, er wird seine Taktik zu verschleiern suchen. Um sein Verhalten voraussagen zu können, müssen also andere Methoden des «scientific forecasting» ausprobiert werden.

Nun hat die Wissenschaft schon seit geraumer Zeit versucht, die Karten- und Hasardspiele auf mögliche Gesetzmäßigkeiten hin zu untersuchen. Sie glaubt dabei gewisse Regeln entdeckt zu haben, die sie mathematisch formulierte. Die Befolgung dieser «Spielsysteme» soll denjenigen Spieler, der ihnen folgt, instand setzen, jeweils die zwar nicht hundertprozentig erfolgversprechende, aber doch bestmögliche Taktik zu wählen. Es ist daher gar nicht erstaunlich, daß die von einem eminenten Mathematiker und einem Nationalökonomen der Universität Princeton entwickelte «Theorie der Spiele», die 1933 erschien, höchstes Interesse in Washington fand.

Die in diesem Werk am Beispiel des Pokers von zwei (höchstens drei) Partnern entwickelten wissenschaftlichen Regeln des Bluffens, Ausspielens, Abwägens zwischen Opfer und Gewinn sind nun zur Grundlage einer ganzen Reihe streng geheimer Spezialstudien von hochpolitischer Bedeutung gemacht worden. Sonderabteilungen im Generalstab («Advanced Study Group») und im Außenministerium («Long Planning Staff») beschäftigen sich laufend damit, diese todernsten «Spiele» jeder neuen Situation anzupassen. Sie übersetzen diplomatische Noten, Heere, Rüstungsindustrien, neue Waffen, psychologische Offensiven und Gegenoffensiven in die abstrakte Sprache der Pokerstrategie und lassen sich von den Elektronengehirnen alle nur möglichen taktischen Kombinationen durchspielen, um dann die für das eigene Land beste Lösung zu wählen und in die Realität des Machtkampfes zurückzuübersetzen.

Als klassisches Beispiel einer «unvorteilhaften Strategie», die durch den Einsatz der Pokermathematik und der Rechenmaschine verhindert worden wäre, weisen die Priester des «Elektronenorakels» gern auf Hitlers Fehlrechnungen hin. Hätte Hitler nicht seiner «Intuition» vertraut, so meinen sie, und die Summe der Anstrengungen, die er für den Bau der Raketenwaffe aufbrachte, lieber dazu verwendet, um mit einer starken Luftwaffe die Herrschaft über den europäischen Luftraum länger zu behalten, so wären seine Siegeschancen entschieden größer gewesen.

4

Als ich dem SEAC, dem großen Elektronengehirn des amerikanischen Eichamtes, gegenüberstand und zum ersten Male erfuhr, welche politische Rolle diese «Denkmaschine» spielt, war mir diese Mitteilung unwahrscheinlich erschienen. Einige Monate danach besuchte ich am anderen Ende des Landes, in Santa Monica, die «RAND Corporation», ein von der amerikanischen Luftwaffe begründetes und unterhaltenes Institut. Jetzt kam es mir schon gar nicht mehr überraschend vor zu hören, daß hier beinahe dreihundert Wissenschaftler der verschiedensten Fakultäten «Zukunftsbilder» entwerfen, die den Staat auf seinem Wege ins nächste Jahrzehnt, ja sogar bis weit ins nächste Jahrtausend hinein lenken sollen.

H. G. Wells hat einmal eine solche Regierung der Wissenschaftler prophezeit. Die «Versammlung großer Gehirne», die hier in der kalifornischen Vorstadtstraße ständig tagt, kommt dieser Vorstellung näher als irgendeine ähnliche Institution. Es gibt hier acht Aerodynamiker, zweiundzwanzig Nationalökonomen, einundfünfzig Mathematiker, zwei Psychologen, vier Soziologen, vierzig Spezialisten für die Bedienung von «Computers» und siebenundachtzig Ingenieure. Es gibt einen Astronomen, drei reine Logiker und acht Statistiker, und ihnen allen hat Washington gesagt: «Tell us what to do.» «Sagt uns, wie wir handeln sollen.»

Aber während Wells von einem solchen hohen Rat der Wissenschaftler erhoffte, er werde an Stelle der Willkür die Vernunft auf den Thron erheben, müssen diese Männer ihr Wissen dem allerunvernünftigsten Unternehmen, dem Krieg, zur Verfügung stellen.

Ursprünglich waren die Kräfte der RAND Corporation auf die Lösung von zwei großen, weitumrissenen Aufgaben gerichtet: erstens das sogenannte «Strategic Bombing Project», das die interkontinentalen Aktionen der amerikanischen Luftwaffe in einem möglichen Kriegsfall studieren sollte, und zweitens das «Air Defense of US Project», das die Möglichkeiten und Notwendigkeiten eines Verteidigungsplanes zu erwägen hatte.

Bald wurden die Wissenschaftler aber über ihre ursprünglich rein militärischen Aufgaben hinausgetragen. Denn die Grenzen zwischen Strategie und Politik verschwimmen in diesem Zeitalter wiederaufgelebter Machtpolitik. Die Frage der Gegenangriffe auf feindliches Territorium zum Beispiel ließ Probleme sozialpsychologischer Natur auftauchen. (Etwa die Frage: Würde die Zivilbevölkerung durch solche Angriffe zermürbt oder zu vermehrtem Widerstand angestachelt?) Man hatte sich also mit den Fragen der «psychologischen Kriegführung» zu beschäftigen und mußte in diesem Zusammenhang die Gesellschaftsform des wahrscheinlichen Gegners prinzipiell durchleuchten. Arbeiten über die Natur der Massenbewegungen, über die Rolle der politischen Eliten, über Werden und Zerfall der Staaten wurden in Angriff genommen.

Man führt heute in den zu Büros umgebauten Räumen des alten, etwas verwahrlosten früheren Fabrikgebäudes von Santa Monica imaginäre Kriege, feiert imaginäre Siege und schafft imaginäre Staaten unter Hinzuziehung schärfster menschlicher und künstlicher Gehirne. Hier wird die Zukunft «realistisch» als nie abreißende Kette von politischen, wirtschaftlichen und kriegerischen Konflikten gesehen. Es ist ein unheimliches Zeitsymptom, daß diese erste konkrete Bemühung der Wissenschaft, sich mit Regierungsfragen nicht nur theoretisch, sondern auch praktisch zu befassen, unter dem Unheilszeichen der Zerstörung steht.

Spricht man darüber mit den für die RAND Corporation arbeitenden Gelehrten, so verteidigen sie sich mit der Feststellung, daß die Wissenschaft mit wenigen Ausnahmen schon immer am stärksten durch das Interesse der Kriegsherren gefördert worden sei. «Friedliche» Forschung, wie man sie zeitweise betrieb, sei der Ausnahmezustand, nicht die Regel gewesen. Und dann gehen sie zurück zu ihren «Kriegsspielen», die von ihnen bald auf dem Papier und bald am «Elektronengehirn» durchgeführt werden. Ein Teilnehmer an einem dieser der Öffentlichkeit nicht zugänglichen Manöver beschreibt es folgendermaßen: «Ein Krieg zwischen der ‹blauen› und der ‹roten› Streitmacht wurde gestern im ‹Luftkrieg-Simulator›, einem ‹Analogie-Computer›, durchgeführt. Dieses Elektronengehirn, das vierundzwanzig Stunden täglich mit Problemen der RAND Corporation beschäftigt ist, befindet sich in der ‹Wright Patterson Airforce Base›. Die verschiedenen Stromkreise des ‹Computer› können so eingestellt werden, daß sie die gesamte Kriegsmacht kämpfender Nationen darstellen mit allen ihren bewohnten Städten, Fabriken, Brennstoffvorräten, Ölleitungen, Bombenlagern und Flugzeuggeschwadern.

Das Spiel wird im Zeitraffertempo gespielt: ein Tag entspricht zehn Sekunden. Jede Seite erhält ausführliche Informationen über ihre eigenen Möglichkeiten und Vorräte, aber nicht mehr militärisches Nachrichtenmaterial über die Dispositionen des Gegners als in einem wirklichen Krieg.

Das Ziel des Kriegsspiels ist: die Erledigung des Gegners in der strategisch besten und wirksamsten Weise. Eine Seite mag sich dafür entscheiden, daß dies am besten durch Angriffe auf die Industriezentren, Flugfelder oder Verkehrslinien erreicht werde. Sie wird vielleicht gegen einige Ziele Dynamitbomben, gegen andere Atombomben einsetzen. Vielleicht schlägt sie schon beim Kriegsbeginn stark zu, vielleicht wird sie lieber mit ihren Kräften sparen und zuwarten, bis der Feind seine Kräfte etwas mehr verbraucht hat.

Jeder taktische oder strategische Zug wird durch die Bedienung der entsprechenden Elektronenschalter simuliert. Die Rechenmaschine kann dann mathematisch exakt ausrechnen, wieviel Schaden beim Feind angerichtet wurde. Ein zerstörter Luftstützpunkt schwächt im Augenblick, aber sofortige Reparatur sorgt für Gleichziehen. Wird eine Fabrik getroffen, so ist die Wirkung nicht sofort zu spüren, aber sie hält dafür viel länger an. Diejenige Seite, die ihre Basen zur Abwehr feindlicher Bombenangriffe verliert, wird durch schwerere Verluste getroffen, sobald der Gegner mit seinen Geschwadern angreift. Durch geschickte Züge kann eine Seite ihren Gegner in einen Zustand fast völliger Hilflosigkeit bringen, lange bevor seine ganze Kriegsmaschine zerstört worden ist.

Während die Schalter in dem stillen Raum klicken, werden die Reiche beider Gegner in (simulierte) Ruinen verwandelt. Schließlich sinkt der Zeiger am Ziffernblatt der einen Partei auf Null. Das heißt, ihre Städte sind von Explosionen zerrissen, ihre Menschen erschöpft, gelähmt, vermutlich von Radioaktivität vergiftet und die ganze Luftmacht verloren. Das Spiel ist aus.»

Das Orakel hat gesprochen...

DIE UMKEHR DER DENKER

1

Princeton, New Jersey

Kurz vor elf Uhr vormittags sieht der Hauswart des «Institute of Advanced Study» stets noch einmal nach, ob vor der Wandtafel auf Zimmer 15 auch bestimmt ein paar frische Stück Kreide liegen.

«Der Professor ist der anspruchsloseste Mensch, den man sich denken kann», erzählt er mir, «aber wenn keine angespitzte Kreide an Ort und Stelle liegt, wird er ärgerlich.»

Ich darf mir den mönchisch einfachen Raum kurz ansehen: Stuhl, Tisch, ein leeres Bücherbord — das ist alles. Der Blick aus dem hohen Fenster geht hinaus über eine große Rasenfläche bis zu einer weit hinten abschließenden Gruppe breitästiger Bäume, hinter deren kahlen Zweigen ein paar hübsche weiße Häuschen hervorschauen.

Wie ruhig und friedlich ist es hier. Als ich zum ersten Male vor beinahe fünf Jahren von einem Professor zu einer Unterhaltung in dieses «Institut für fortgeschrittene Studien» eingeladen wurde, konnte ich noch nicht wissen, welche Ausnahme, welche Oase der Beschaulichkeit diese naturumringte Gruppe von Häusern mit ihren Studienzimmern, Bibliotheken, Aufenthaltsräumen im zeitgenössischen Amerika darstellt. Inzwischen habe ich viel von dem Land gesehen. Genug, um zu zweifeln und besorgt zu sein. Ich habe Angst um Amerika: Angst, daß es sein Bestes, die Achtung der Freiheit und Menschlichkeit, in seinem Streben nach fast göttlicher Allmacht verlieren könnte.

Es ist weit und breit niemand zu sehen, als hinten am anderen Ende des Weges ein kleiner schwarzer Fleck auftaucht, der sich langsam auf das Hauptgebäude zu bewegt. Gerade vor den Fenstern gehen jetzt zwei Männer in eifrigem Gespräch auf und ab. Sie bleiben mitten auf dem Weg stehen, weil die Unterhaltung einen besonders schwierigen oder interessanten Punkt erreicht zu haben scheint. Der schwarze Fleck ist jetzt näher gekommen und genau erkennbar: ein alter Mann in einem Winterpaletot. Aus einer Persianerkappe schaut sein volles weißes Haar hervor. Er geht langsam, fast wie im Traum, nur ihm scheint er sein abwesendes Lächeln zu schenken, ganz in ihm lebt er, als er sich jetzt zögernd die wenigen flachen Stufen zum Eingang hinauftastet. Wir müssen schnell seine nüchterne Klause verlassen: Albert Einstein ist zu seiner täglichen dreistündigen Meditation eingetroffen. Die Uhr im dörflich aussehenden Turm über der Mitte des Institutsgebäudes schlägt genau elf.

Die beiden Dialogpartner dort draußen auf dem hellgrünen Grasteppich haben nicht einmal aufgeschaut, als der große Mann an ihnen vorbeiging. Das bedeutet nicht Geringschätzung, sondern selbstverständlich geübte Rücksicht. Hier allein ist der Entdecker der Relativitätstheorie nicht wie sonst, wenn er sich ausnahmsweise außerhalb seines kleinen Wohnhauses in der Mercer Street zeigt, Gegenstand gaffender Neugier.

2

Das «Institute of Advanced Study» in Princeton ist eine der ungewöhnlichsten wissenschaftlichen Einrichtungen Amerikas. Es besitzt keine Laboratorien mit teuren und komplizierten Maschinen, aber bietet dafür etwas, das für den wirklichen Fortschritt wichtiger sein könnte als das hochentwickelte Instrumentarium anderer Forschungsstätten: Zeit und Platz zu ungestörtem Nachdenken. Hier werden keine Lehraufträge und Diplome vergeben. Nichts dient einem sichtbaren, greifbaren späteren

Zweck. Es wird niemand kontrolliert, gelenkt, Leistungsprüfungen unterworfen. Jeder kann kommen und gehen, wie er will. Einmal wird er vielleicht in seinem Stübchen die ganze Woche lang Tag und Nacht durcharbeiten, dann wieder läßt er sich lange nicht im Institut sehen. Niemand ist es vorgeschrieben, woran er arbeitet, und das Produkt seiner Arbeit gehört ihm allein. Rechenschaft darüber ist er nur sich und seinem Gewissen schuldig.

Der amerikanische Pädagoge Doktor Abraham Flexner ist der geistige Vater und Gründer des Institutes. Während der optimistischen zwanziger Jahre dieses Jahrhunderts, als die vorherrschende Meinung in Amerika glaubte, es sei alles zum besten bestellt, spürte er hinter der lauten Demonstration von Lebensenergie schon die als Angriff getarnte Flucht vor beginnendem Zweifel und die innere Unfähigkeit des Menschen, mit dem Tempo des materiellen Fortschrittes mitzuhalten. Zuerst fand Flexners Idee, eine Stätte der Kontemplation für fruchtbare Geister zu schaffen, bei denen, die er um Spenden anging, wenig Anklang. Aber gerade als das Geld für philanthropische Zwecke so selten geworden war wie nie zuvor, nämlich nach dem Bankkrach von 1929, entdeckte der Pädagoge dann doch reiche Gönner, den Warenhausbesitzer Louis Bamberger und seine Schwester Mrs. Fuld. Ihre Stiftung von fünf Millionen war ein Glaubensakt. Sie wollten damit ausdrücken, daß Amerikas Aufstieg durch die Wirtschaftskrise nur vorübergehend aufgehalten werden könne. Wichtig sei es aber, das Warnungszeichen der Depression zu verstehen und, statt einem grenzenlosen Optimismus nachzuhängen, sich wieder auf die großen geistigen Leitsätze zu besinnen.

Der Kern des neuen Instituts war die «School of Mathematics», aber sehr bald erkannte man, daß in einer Zeit großer politischer Erschütterungen vor allem auch ein Bedürfnis nach echter historischer Erkenntnis bestehe, die vielleicht gerade durch den sonst ungewohnten Kontakt mit den nüchternen Disziplinen des reinen Denkens befruchtet werden könne. So wurde eine «School of Historical Studies» angegliedert, deren Mitglieder von der «Archäologie» bis zur «Zeitgeschichte» ohne Haß und Eifer untersuchen, wie der Mensch bisher gelebt und sich mit seinem Schicksal auseinandergesetzt hat.

Die Mathematiker und theoretischen Physiker in Princeton zeigten für diese geschichtlichen Studien von Anfang an ungewöhnlich starkes Interesse. Einige von ihnen hatten gerade erst in Europa in schmerzlichster Weise am eigenen Leib «Geschichte» erlebt und waren brüsk aus ihrer Vorstellung von der Selbstverständlichkeit einer gesitteten Ordnung aufgeschreckt worden. Aus eigener Erfahrung und geschichtlicher Vertiefung begannen sie nun, die objektive Wissenschaft nicht mehr als völlig von der Ethik losgelöst und verantwortungsfrei zu sehen. So haben die Naturwissenschaftler des Institutes eine Wendung zur Humanität vollzogen.

Der nach dem zweiten Weltkrieg neu gewählte Leiter des Institutes versinnbildlicht diese bedeutende Umkehr. Robert Oppenheimer hatte während des zweiten Weltkrieges den Bau der ersten Atombombe geleitet und damit nach seinem eigenen Wort «die Sünde kennengelernt». Nach dem Krieg hat er eine Zurückberufung zur staatlich gelenkten Atomproduktion abgelehnt und ist nach Princeton gegangen, um hier «an der Bewahrung der guten Dinge zu arbeiten, für die der Mensch lebt».

Besuchern gegenüber erklärt Oppenheimer die Rolle des einzigartigen Institutes in folgenden nachdenklichen Worten: «Die Welt geht durch eine Zeit erhöhter Nervosität. Sie fürchtet Ideen, und das ist vielleicht unvermeidbar im Kampf für die Erhaltung und Wiederherstellung der Freiheit. In einer solchen Zeit erscheint es wichtiger denn je, daß es einen Platz gibt, wo Gelehrte aus verschiedenen Ländern zusammenkommen, voneinander lernen, ehrlich und ohne Rücksichtnahme denken und in einer Atmosphäre wirklicher Freiheit leben.»

3

Das «Institute of Advanced Study» hat nur achtzehn ständige Mitglieder, aber es sind fast immer rund hundert Persönlichkeiten aus aller Welt hier zu Gast. Sie werden auf einige Wochen oder Monate, oft sogar für ein bis zwei Jahre, eingeladen, um sorgenfrei Arbeiten zu vollenden, die ihnen seit langem am Herzen liegen, und sich mit anderen großen Geistern kameradschaftlich aussprechen zu können.

Diese Gespräche entwickeln sich oft ganz formlos auf einem Spaziergang durch die nahen Wiesen und Wälder oder in einem der Seminare, die jedermann offenstehen und stets zu anregenden Debatten Anlaß geben.

Aber die vielleicht wichtigsten Debatten beginnen jeden Nachmittag gegen vier Uhr in dem großen Gemeinschaftsraum der «Fuld Hall». Sie tragen den etwas respektlosen und wörtlich aus dem Deutschen übernommenen Namen «Kaffeeklatsch». Da kann man zum Beispiel erleben, wie zwei Nobelpreisträger aus dem Blickwinkel der Kernphysik einen führenden Berater des State Departments scharf kritisieren, der hier im Frieden von Princeton die verlorene Übersicht zurückzugewinnen versucht, und ein Altertumsforscher, der gerade dabei ist, die letzten Ausgrabungen der athenischen Agora zu sichten, in diesem Zusammenhang die Frage aufwirft, was wohl von der Kultur des zwanzigsten Jahrhunderts einmal ausgegraben werden würde.

Das führt zu der hier immer wieder debattierten Frage von der «Schuld» der Naturwissenschaft am Dilemma, in dem der moderne Mensch sich befindet. Es fehlt hier nicht an Selbstkritik. «Wir Gelehrte waren ‹Apostel› und sind ‹Bischöfe› geworden», meinte zum Beispiel der

Mathematiker John von Neumann, einer der Mitarbeiter des Instituts, «wir haben mit den Mächtigen paktiert und uns von ihnen für ihre Ziele einspannen lassen. Darunter leidet die reine Heilsbotschaft der Wissenschaft, die nichts als Wahrheit will.»

Eine solche Rückkehr zur rein wahrheitsuchenden, aber zugleich doch humanistisch verpflichteten Wissenschaft strebt das Institut an. Seine Mitglieder und Freunde lehnen — jeder in anderen Worten, jeder vielleicht auch aus verschiedenen Gründen, denn es handelt sich nicht um eine Sekte, sondern eine Vereinigung freier Geister — die Prätention der angewandten Wissenschaft ab, sich noch wirklich «wissenschaftlich» zu nennen. Denn die Technik, die Atomindustrie, die in die Natur eingreifende Biologie, die menschensortierende und praktische Psychologie haben den Weg der Wahrheit verlassen und sich zu Instrumenten der Versklavung machen lassen. Indem sie der Unmenschlichkeit Vorschub leisten, gefährden sie die Quelle jeden möglichen wirklichen Fortschritts: die furchtlos fühlende und denkende Persönlichkeit.

Hat es einen Sinn, öffentlich gegen diesen Mißbrauch der Wissenschaft durch die Macht zu protestieren? Das ist ein Thema, das in Princeton immer wieder debattiert wird. Einige der Institutsmitglieder haben sich öffentlich mit kritischen und warnenden Kundgebungen herausgewagt, nur um mißverstanden, angegriffen, verfemt oder — schlimmer noch! — benützt zu werden. Ein Zeitalter, das alles zuerst auf seine Verwendbarkeit und Zweckbestimmung untersucht, konnte es sich nicht versagen, auch solche uninteressierten Mitteilungen als Waffe im ideologischen Parteienstreit einzusetzen.

So ist es in letzter Zeit ziemlich still um das «Institute of Advanced Study» geworden. Aber die Arbeit geht ruhig und emsig weiter.

«Woran wir arbeiten?» sagte ein Mitarbeiter des Instituts, als er mich nach dem Universitätsstädtchen Princeton zurückbrachte. «Vermutlich an den wirklichen Grundlagen der Zukunft. Alles, was Sie in Amerika an fortgeschrittenen technischen Entwicklungen gesehen haben, ist ja in Wirklichkeit gar nicht das Kommende, sondern schon das Vergehende. Es beruht nur auf der praktischen Ausbeutung von grundlegenden Gedanken, die meist schon um die letzte Jahrhundertwende gedacht und aufgeschrieben wurden. Dieser theoretische Ideenschatz geht zur Neige. Es müssen wieder wirklich neue und wahre Gedanken für die Praxis von morgen gefunden werden. Ich hoffe, daß manches davon bei uns dort draußen entwickelt wird. Und wir sind ja Gott sei Dank nicht der einzige Platz auf der Welt, wo schöpferisch gearbeitet wird.»

«Sie meinen also, daß die Zukunft nicht einfach eine Übersteigerung der schreckensvollen und bedrängten Gegenwart sein wird, in der wir leben?» fragte ich.

«Nein», sagte er, «Sie dürfen trotz allem hoffen.»

Griff nach dem Weltraum

BAHNHOF ZU DEN STERNEN

1

Cocoa, Florida

Schon um vier Uhr nachmittags am 7. Dezember 1956 sahen die Autofahrer von der großen neuen Straße aus, die von der Südspitze Floridas nach Norden läuft, wie auf Cape Canaveral die Warnsignale hochgingen. Große schwefelgelbe Bälle kletterten an den beiden hohen Masten zur Rechten und zur Linken der Raketenstation empor. Der «Range Clearance Officer» (Schießplatz-Säuberungsoffizier) hatte den üblichen Befehl erlassen: «Die Gefahrenzone muß innerhalb einer Stunde geräumt sein. Wir testen.» Über dem grauen Atlantik tauchten die Flugzeuge der «Coast Guard» auf. Sobald sie in dem fünf Meilen weiten Halbkreis der Küstenregion ein Schiff entdeckten, gingen sie im Gleitflug ganz nahe heran und riefen den Insassen durch Lautsprecher zu: «Get out of here!», eine Weisung, die meist überflüssig war, denn die größeren Schiffe, die von auswärts kamen, hatten längst eine Radiowarnung erhalten, und die Motorboote der Einheimischen wußten aus Erfahrung, was das plötzliche Aufflattern des Flugzeugschwarms bedeutete.

Jim Halbe, Berichterstatter des «Orlando Sentinel», war wohl von all denen, die an jenem Nachmittag vor dem flachen Kap mit seiner spitzen Nase kreuzten, der einzige, der wußte, daß heute kein gewöhnlicher Versuch stattfand, wie man ihn sonst an jedem zweiten oder dritten Tag in dieser einst fast menschenleeren Region erwarten kann, sondern etwas ganz Besonderes. Denn einer der Hunderte von Ingenieuren und Wissenschaftlern in «Patrick Air Force Base» hatte sich nicht an die Vorschrift des kleinen Handbuches gehalten, das jeder Mitarbeiter der «Air Force Missile Test Centers» (AFMTC) bei seiner Ankunft in die Hand gedrückt bekommt. Dort heißt es: «Unterhalte dich nicht über ferngelenkte Geschosse oder ‹Missiles Tests›, außer in einem geschlossenen Büro und wenn es unbedingt notwendig ist ... Es ist deine Pflicht, dich von der Weitergabe solcher Informationen zurückzuhalten. Eine Ausnahme machen nur Personen, die absolut davon wissen müssen.»

Reporter Halbe, Mitarbeiter der nächstgelegenen größeren Lokalzeitung, betrachtete sich als jemanden, «der es absolut wissen» mußte.

Mochten die Militärs ruhig ihre Rüstungsgeheimnisse behalten. Aber bei diesem Versuch ging es ja um etwas anderes. Es sollte heute keine jener todbringenden neuen Waffen ausprobiert werden, mit deren Hilfe die Herren Strategen glauben, in naher Zukunft über Ozeane und Kontinente hinweg Vernichtung tragen zu können, sondern ein Vorläufer künftiger Weltraum-Schiffe, eine Vorhut auf dem langen Wege zu den Monden, Planeten und Sternen des weiten Universums. Denn einige Monate zuvor, am 29. Juli 1955, hatte der Präsident der USA durch seine wissenschaftlichen Sprecher verkünden lassen, daß die Vereinigten Staaten vorhätten, durch Fernraketen eine Reihe sogenannter «unbemannter Satelliten» auf eine Höhe von 480 Kilometern in die Grenzzone der Erdatmosphäre zu bringen. Dort sollten sie dann als eine Art von «künstlichen Monden» in einer weiten Ellipse (bis zu einer Höhe von 1280, ja vielleicht sogar 2240 Kilometern) um unseren Planeten kreisen. Ausdrücklich war aber bei dieser Gelegenheit betont worden, daß dieses Pionierunternehmen historischer Natur als ein Beitrag Amerikas zum «Geophysikalischen Jahr» geplant sei und daher keiner Geheimhaltung unterliege. Weshalb ließen die «Missile Boys» dann weder Jim Halbe noch irgendeinen anderen Zeitungs- oder Radioreporter zu dem ersten großen Vorversuch der «Operation Vanguard», der heute abend stattfinden sollte, zu? Weshalb hatten sie sogar das Datum des Tests verschwiegen? Weshalb waren die Straßen, die nach Cape Canaveral führten, all diese prächtigen neuen «highways», die man in den letzten Jahren angelegt hatte, wo einst nur schmale Pfade durch Sumpfland führten, noch schärfer patrouilliert als sonst?

2

Die Antwort auf solche rhetorischen Fragen wußte Jim Halbe selbst ganz genau. Die Raketenleute, die sich selbst gern «bird men» (Vogelmänner) nennen, sind empfindliche Geschöpfe. Im Treibhaus der Sicherheitsvorschriften, welche die rauhe Luft der Kritik ausschließen und dafür sorgen, daß Fehlschläge entweder gar nicht oder nur in gemilderter Form bekanntwerden, sind die Konquistadoren gewaltiger Höhen und Distanzen empfindlich wie Mimosen geworden.

Wieviel Spott hatten sie gerade jetzt erst über sich ergehen lassen müssen! Zwei Tage zuvor, am 5. Dezember, war eines ihrer fortgeschrittensten Vehikel, die Fernrakete «Snark», rebellisch geworden. Man hatte das über zwanzig Meter lange Geschoß an seiner unsichtbaren «Leine» von Leitsignalen in einem Rechteck nur über das erste Drittel der neuntausend Kilometer weit in den Südatlantik hineinreichenden Versuchsstrecke hin und wieder zurück führen wollen. Aber das Monstrum aus Titanstahl hatte seinen eigenen, mit Hunderten empfindlicher elektronischer Geräte gefüllten «Kopf» durchsetzen wollen. Es enteilte der Kontrolle seiner Meister und beging dann auch nicht, wie erwartet, mit Hilfe der «Test-Fail»-(Test-Versager-)Einrichtung durch Explosion Selbstmord, sondern eilte mit Überschallgeschwindigkeit fernen Horizonten entgegen. Zuletzt hatte man «Snark» unweit der südamerikanischen Küste gesichtet, wie es in Richtung Brasilien flog. Dort, in irgendeiner unzugänglichen Urwaldregion, mochte es dann schließlich aus Brennstoffmangel niedergegangen sein.

Solche «Versager» sind in der noch jungen Kunst der Entwicklung, Herstellung und Erprobung von Raumraketen häufig und fast unvermeidlich. Denn diese unbeholfen aussehenden, aber sensitiven Geschöpfe aus Menschenhand tragen ein Vielfaches an Apparaten, Instrumenten, Leitungen und Kontakten in ihren plumpen Hüllen wie ein Flugzeug oder gar ein Auto. Daher sind auch die Möglichkeiten plötzlichen Versagens tausendfach größer als bei irgendeiner anderen, im täglichen Gebrauch stehenden Maschine. Die Hersteller der Pumpen, Stromkreise, Sende- und Empfangsgeräte, die in ein solches Ungetüm eingebaut werden, trachten nach 99prozentiger Zuverlässigkeit (beim durchschnittlichen Auto gelten 95 Prozent als Standard). In den Fabriken (wie zum Beispiel der von Howard Hughes in Tucson), wo diese Präzisionsinstrumente hergestellt werden, ist es verboten, auch nur einen Bleistift zu spitzen oder ein Blatt Papier zu zerreißen (weil der dabei entstehende feine Staub die Genauigkeit der Produkte beeinflussen könnte), und alle sieben Minuten wird die Luft erneuert. Aber selbst die größte Sorgfalt kann nicht verhindern, daß jeder dritte, bei manchen Serien sogar jeder zweite Versuchsschuß durch das Versagen irgendeines der zahllosen Bestandteile beeinträchtigt, wenn nicht sogar ganz vereitelt wird.

Um ein solches, als «Blamage» betrachtetes Versagen zu vermeiden, haben die für den Start der «Operation Vanguard» Verantwortlichen in den Monaten vor diesem Ereignis zahllose Vorversuche angesetzt. Die Motoren, die das «Schiff», in dessen Nase sich der künstliche Satellit befindet, von der Erde in eine Höhe von 56 Kilometern hinaufjagen sollen, sind in den Versuchsständen der Großfirma «General Electric» bei Schenectady im Staate New York Dutzende Male ausprobiert worden, die Motoren der zweiten «Stufe» im Ödland unweit der kalifornischen Hauptstadt Sacramento und die letzte, dritte «Stufe» bei Mentone im wüstenähnlichen Testgelände der Firma «Grand Central».

Doch keine dieser Proben hat eine solche Bedeutung gehabt wie der für den 7. Dezember 1956 angesetzte Versuch. Diesmal soll ein Schwestermodell der geplanten Satellitenrakete «Viking» in den Himmel geschickt und an ihr eine ganze Reihe neuer Erfindungen getestet werden, die bisher keiner ernsthaften Zerreißprobe unterworfen wurden.

3

Wenn Jim Halbe nun seinen Feldstecher auf die Raketenstation Cape Canaveral richtet, so sieht er an der Spitze den Leuchtturm, dessen Lichtkegel, die subtropische Umgebung für Sekunden der sinkenden Dämmerung entreißend, über Palmen, Bananenbäume, weiße Dünen hinweggeht und dabei auch die massiven, eckigen «Blockhäuser» des Stützpunktes, die spinnwebendünnen Antennen der Sende- und Empfangsanlagen, die fahrbaren Plattformen und Laufkräne der Militäranlage streift. Da, jetzt sieht der Reporter gleich neben dem Leuchtturm vier solcher Abschußrampen dicht nebeneinander. Zwei von ihnen sind heute «belegt». Rechts außen erblickt er eine mächtige plumpe Rakete, nicht weniger als 23 Meter hoch. Das ist «Thor», die für «mittlere Distanzen» (bis zu 2800 Kilometer) bestimmte Rakete der «Airforce». Gleich daneben, schmaler, leuchtend weiß und nur zwei Drittel so groß, steht «Viking 13», das 13 Meter hohe vorbereitete Modell der «Satelliten»-Rakete.

Jetzt blenden dort drüben starke Scheinwerfer auf: Man sieht die winzigen Schatten der Monteure auf den verschiedenen Etagen der Plattform an der Arbeit. Sie bringen in ihren mit Totenköpfen und anderen Warnsignalen bemalten Tankwagen den explosionsgefährlichen Brennstoff aus dem weiter hinten gelegenen «Lox Plant» heran, testen noch einmal Stromkreise, Schaltanlagen, photoelektrische Zellen, während aus dem großen, fast quadratischen Gebäude am Südende der «Transmitter Site» abermals Warnungen und Befehle gesendet werden, die alle Schiffe auf einem breiten, südöstlich verlaufenden Streifen anweisen: «Keep out! Keep out! Long Range Testing...»

Die für heute nacht angesetzte Rakete soll nur etwa 250 Kilometer weit fliegen. Die «Vogelmänner» sind weniger an ihrem Weit- als an ihrem Höhenflug interessiert. Wenn alles gut geht, landet das Geschoß in den Gewässern der Großen Bahama-Insel, nachdem es zuvor 200 Kilometer hoch in den Himmel gestiegen ist. Dennoch werden alle Inseln mit ihren der «Patrick Air Force Base» in Florida unterstehenden «tracking stations» (drahtlosen Leitstationen) durch das neue Unterseekabel von dem bevorstehenden «Schuß» verständigt. Und auf Eleuthera, wo einst englische Flüchtlinge die erste Republik der westlichen Hemisphäre errichteten, auf den Inseln San Salvador, Mayaguna, Santa Lucia bis weit hinunter nach Asuncion, dem einsamen Felsen im Südatlantik, hören die Radioleute die Nachricht: «Attention Test Viking Thirteen. Voraussichtlicher Beginn 22.00 Uhr...»

4

Eine Stunde vor Testbeginn sitzen sechs Männer im «Central Control Building» von Cape Canaveral vor einer Kontrolltafel, auf der Dutzende von verschiedenfarbigen Lämpchen aufflackern. Der «Project Officer» berichtet: «Viking 13 startbereit!», der «Wheather Officer» faßt die letzten Berichte zusammen und erklärt: «O.K. Von mir aus kann's losgehn.» Der «Range Officer» meldet aus seinem vorgeschobenen Bunker, daß die Bahn nun ganz frei sei. Nur der «Telemeter Officer», der die drahtlose Verbindung zwischen dem unbemannten «Schiff» und der Versuchsstation zu halten hat, läßt nichts von sich hören.

Der Leiter des Tests, ein hagerer Offizier der «Navy» – denn die Satellitenversuche stehen unter dem Protektorat der amerikanischen Flotte – fragt ungeduldig im «Telemetry Building» an: «Wann seid ihr so weit?»

«Hören Sie selbst!» antwortet der Radio-Offizier. «Es ist zum Verzweifeln. Vor ein paar Tagen kam uns der Fischdampfer dazwischen, und jetzt *das*!» Der Lautsprecher im Kontrollraum knackt, und aus ihm spricht eine Stimme: «Hallo Joe, Hallo Joe... Fahr nach Nummer 250 Orland Avenue, Winter Park, Demings Art Galleries... Miss Pickering und Miss Hatfield... Beeil dich. Sie sind ungeduldig...»

«Die Taxis in Melbourne und Cocoa senden wieder mal auf unserer Welle!» erklärt der Telemetermann. «Solange sie nicht auf ein anderes Band gehen, sind wir blockiert.»

«Fahr nach Mrs. Wisbys Kindergarten...», brummelt das Radio. «Mrs. Walker und zwei Kinder wollen nach Washington Avenue...»

Mehr als eine Million Arbeitsstunden waren notwendig, um Viking 13 für den Flug in die Höhenschichten der Atmosphäre vorzubereiten, tausend Mann haben auf Patrick, Canaveral und auf den Inseln während der letzten zwei Wochen nur an der Vorbereitung dieses Versuches gearbeitet. In Washington, Baltimore, Los Angeles warten die eingeweihten Offiziere, Wissenschaftler und Ingenieure ängstlich auf die Nachricht vom Gelingen oder Mißlingen des Tests. Nun aber ist alles aufgehalten, weil die Taxichauffeure in den benachbarten Orten sich wieder einmal nicht an die Vorschriften halten können. Telefonanrufe bei der Taxizentrale kommen zehn Minuten lang nicht durch, weil die Leitung besetzt ist. Ärgerlich läßt der Testleiter abblasen: «Test auf 23.00 Uhr verschoben.» Inzwischen sausen zwei MP auf schnellen Motorrädern zur Taxizentrale, bereit, ein «Donnerwetter» loszulassen, das sich an Lautstärke mit dem Grollen von Raketenexplosionen messen kann.

5

Jim Halbe hat sich am Nordende, gerade außerhalb des Zauns der Raketenstation etabliert. Er ist nicht allein. Die Nachricht von dem bevorstehenden Test hat sich herumgesprochen, und auf dem weißen Dünensand scharen sich Touristengruppen um kleine Strandgut verbrennende Feuer. Es wird zehn, es wird elf, es wird Mitternacht. Einige der «sightseers» verlieren die Geduld und gehen fröstelnd zu ihren Autos zurück. Aber der Berichterstatter des «Orlando Sentinel» gibt die Wache nicht auf. Er weiß, solange das Warnsignal brennt – seit die Nacht hereinbrach, ist eine große rote Lampe an die Stelle des gelben Balles getreten –, ist der Versuch nicht aufgegeben. Der Himmel leuchtet heute ungewöhnlich klar. Ganz nah scheint der Mond zu sein, ganz nah die zahllosen Sterne, als wollten sie den Menschen ermuntern, als wollten sie ihm zurufen: «Wir warten auf euch!»

1.00 Uhr ... 8. Dezember. Reporter Halbe beginnt zu bedauern, daß er sich keine Decke auf die Nachtwache mitgenommen hat. Er läuft ein wenig hin und her, um warm zu werden. Da hört er in seinem Rücken ein schrilles Signal. Er dreht sich blitzschnell um. Leise, fast stumm hat sich die schlanke weiße Rakete in die Luft erhoben. Sie zittert, sie schwankt ein wenig, und einen Augenblick scheint es, als könne sie, als müsse sie steil zurückfallen oder seitwärts umkippen. Jetzt erhellt das große gelbrote, ins weißlich-violette übergehende Licht ihres Auspuffs die Landschaft, dieses seltsame Gemisch von dunstigem wucherndem Dschungel und kaltem abgemessenem Menschenwerk aus Beton und Zement. Schon ist sie nur noch ein kleiner Körper im Kegel der großen, himmelwärts gerichteten Scheinwerfer, kleiner als der Mond, bald so klein wie ein Stern, bald verschwunden, verschluckt vom unermeßlichen All ...

DAS ZEITALTER DER VERTIKALEN ENTDECKUNGEN

1

Washington, D.C.

Ehrgeiz und Eitelkeit, Gefühle von Schuld und Aggressivität, charakterliche Kleinheit und Größe – das sind Gegebenheiten, die leider in der Geschichte des wissenschaftlichen Fortschrittes ebenso eine Rolle spielen wie in der politischen Geschichte. Während das Menschliche, Allzumenschliche in den Berichten über Leben und Werke von Staatsmännern seit Plutarch einen Platz eingeräumt erhielt, hat man diesen wichtigen, oft sogar entscheidenden Faktor aus der Wissenschaftsgeschichte ausgeschlossen und sie damit im wahrsten Sinne des Wortes «unwissenschaftlich» gemacht. Denn es genügt nicht — um bei unserem Thema zu bleiben —, die Höhe der Bahn, das Gewicht, die Dicke der Hülle eines Satelliten zu berechnen, um daraus zu folgern, daß er in absehbarer Zeit als erster künstlicher Himmelskörper um unsere Erde kreisen werde, man muß auch das «menschliche Element» in die Rechnung einschließen, den Schwung der einen Persönlichkeit und die bremsende Vorsicht der anderen, die Wirbel, die entstehen, wenn entgegengesetzte Bestrebungen miteinander in Konflikt geraten und das ganze Projekt zum Scheitern zu bringen drohen.

Der Plan, einen unbemannten Instrumententräger in die obersten Schichten der Atmosphäre zu schicken, wurde bereits im Dezember 1948 in einem öffentlichen Bericht des amerikanischen Verteidigungsministers James Forrestal als Anliegen der amerikanischen Streitkräfte angekündigt. Wenn schließlich bis zur Verwirklichung des Traumes fast ein Jahrzehnt vergehen mußte, so ist dies nur zum kleinsten Teil auf wissenschaftliche und technische Hemmnisse zurückzuführen. Weit ausschlaggebender waren die persönlichen Schwierigkeiten zwischen Kommandostellen von Armee, Flotte und Luftwaffe, die das Projekt mehrfach verzögerten.

Ab Ende 1948 hatten die drei Dienstzweige der amerikanischen Streitkräfte vom Verteidigungsminister den Auftrag, einen Satelliten zu bauen. Aber sie würden sich noch heute darüber streiten, welchem von ihnen die Ehre zuteil werden solle, die ersten «künstlichen Monde» am Himmel aufzuhängen, und welche Instrumente sie mit sich tragen sollten, wenn nicht ein Mann, der offiziell nicht einmal mit der «Operation Vanguard» verbunden ist, einen Ausweg aus dem «Bürgerkrieg» um das Satellitenprojekt gefunden hätte. Sein Name ist Theodor von Kármán, und keine Geschichte der modernen Luftfahrt vom primitiven Doppeldecker bis zur Raumrakete kann ohne Erwähnung dieser ungewöhnlichen Persönlichkeit geschrieben werden. Von Budapest über Göttingen (1908—12) und Aachen nach Pasadena (1912—29) wandernd, nacheinander als Berater von Junkers, den Zeppelinwerken und der amerikanischen Luftwaffe (im zweiten Weltkrieg), schließlich als Mitbegründer der Pionierfirma für Raketenantrieb «Aerojet», hat er für seine Generation immer stärkere, vollkommenere Flügel erfunden.

2

Von Kármán, der Prototyp des vergeßlichen Professors, dem nach jeder seiner zahlreichen Reisen aus einem Dutzend verschiedener Hotels Hüte, Schirme, Pyjamas oder Manuskripte in seine Wohnung in Pasadena nachgeschickt werden müssen, ist zugleich der präziseste Denker und aufmerksamste Beobachter, wenn sich ihm naturwissenschaftliche Fragen präsentieren. Der gleiche mittelgroße elegant angezogene Herr, den Polizisten und Richter zweier Erdteile immer wieder wegen Überschreitung der Verkehrsgesetze bestrafen müssen, hat die meisten wichtigen Gesetze der modernen Aerodynamik formuliert. Wohl hat er nie die Geduld gehabt, richtig Autofahren zu lernen, aber dafür Stunden, Tage und Wochen damit verbracht, unermüdlich Seemöwen zu beobachten. Durch Füttern mit altem Brot brachte er sie Hunderte von Malen zu plötzlichem Abbremsen ihres Fluges und gewann auf diese Weise unentbehrliche Erkenntnisse für den Bau und die Bedienung moderner Flugzeuge.

Als von Kármán am 11. Mai 1956 mit einigen seiner zahllosen Freunde im Restaurant des Eiffelturmes seinen 75. Geburtstag feierte, soll er auf einen Toast geantwortet haben: «Das schönste Geschenk habe ich bereits vor beinahe einem Jahr erhalten, als Präsident Eisenhower das Startsignal für den Bau der Satelliten gab.» Von Kármán vergaß zu erwähnen, daß er sich dieses Geschenk sozusagen selbst ausgesucht hatte. Seit Jahren pflegte er, auf dessen Prinzipien die Antriebsaggregate der modernen Raketen beruhen, zu mahnen: «Jede interkontinentale Rakete würde, wenn sie auf einem Teil ihrer Reise in den Weltraum vorstößt, dort in ungelöste Probleme verwickelt werden. Sie müßte zum Beispiel Weltraumpartikelchen und intensive kosmische Strahlen über sich ergehen lassen. Und niemand weiß bisher, welche Wirkungen diese Passage durch den Weltraum auf die delikaten Steuerungsvorrichtungen haben würde.»

Es erschien von Kármán, der bei aller äußeren Unordnung, die in seinem Leben herrscht, ein eminent ordentlicher und methodischer Geist ist, wenig sinnvoll, Milliarden von Dollar für den Bau von Langstreckenraketen auszugeben, solange man derartig wenig über die Beschaffenheit jener Regionen des «Luftmeeres» wußte, die sie durchschiffen sollten. Niemandem fiele es ernsthaft ein, Schiffe aus Pappe aufs Wasser zu schicken, weil es sogar einem Kinde bald bekannt ist, wie schnell die Feuchtigkeit gerade dieses Material zerstören würde. «Sind wir aber nicht vielleicht dabei, Raumgefährte zu bauen, deren Rümpfe aus Materialien hergestellt werden, die dem neuen Element nicht viel besser widerstehen würden als Papier oder Papierkarton dem Wasser?» fragte sich von Kármán.

3

Daß eine möglichst genaue Erforschung des neuen «Milieus» der oberen Atmosphäre, der sogenannten «Exosphäre», die dringendste Voraussetzung jeder Durchdringung des «Ozeans über unseren Häuptern» sei, hatten die «Vogelmänner» allerdings schon sehr bald begriffen. Sie begannen auch ab 1945 mehr und mehr Forschungsraketen, sogenannte Höhensonden, mit immer feineren Instrumenten als Patrouillen in diese unbekannten Regionen des Himmels zu schicken. Aber die Zeit, die jene in den Raketen reitenden Instrumente in diesen fernen Zonen verbringen durften, ehe sie wieder abstürzten, war so kurz, daß man nur ein höchst ungenaues Bild von dieser neuen Welt erhielt.

Ziemlich genau kennen wir daher vorerst nur die «Küstenregion» des gewaltigen Meeres über uns. Bis zu einer Entfernung von etwa 100 Kilometern sind wir recht genau über atmosphärische Dichte, Strahlung, über Hell und Dunkel, Warm und Kalt orientiert. Doch schon über die Zone zwischen 100 und 250 Kilometern sind unsere Daten noch höchst lückenhaft, und es tritt meist Vermutung an die Stelle von Gewißheit. Unsere Karten jener uns eigentlich recht nahen, ja im Grunde benachbarten Regionen (wenn wir diese Distanz einmal horizontal statt vertikal ansehen wollen) sind vorläufig noch so ungenau wie die Karten der Seefahrer zu Beginn der Neuzeit. Wie seltsam verzerrt erschienen auf ihnen noch die anderen Kontinente gezeichnet, wie wenig wußte man über große Meeresströmungen, über Winde, Riffe und Kliffe jenseits der nahen Küsten Europas. Die Vorstellungen gar über weiter weg gelegene Länder und Erdteile, die dann allmählich in die «alte Welt» gelangten, basierten nur auf ganz vereinzelten persönlichen Erlebnissen, aus denen dann falsche Verallgemeinerungen abgeleitet wurden.

Wir stehen heute sicherlich am Beginn eines neuen Entdeckungszeitalters, des Zeitalters der «vertikalen Entdeckungen». Aber die wenigen «Reisenden», die etwas in diese Zonen eindringen konnten, die Astronauten und jene ersten mit Elektroneninstrumenten ausgerüsteten Forschungsraketen, die seit 1946 in den Himmel geschickt worden sind, brachten uns nur spärliche und «subjektiv gefärbte» Kunde. Diese letztere Feststellung ist durchaus wörtlich zu nehmen. Von etwa 200 Kilometer Höhe an ist die Luftdichtigkeit nämlich so gering, daß die Auspuffgase der Rakete in eine Art Vakuum einströmen und es ausfüllen. Die Meßinstrumente, diese feinen «künstlichen Sinnesorgane», berichten dann also mehr über die Ausströmung des Körpers, der sie trägt, als über die sie umgebende Wirklichkeit. Dazu tritt aber außerdem noch als zusätzliche Störung das Phänomen der sogenannten Ionisierung, die das Funktionieren der elektronischen Geräte entscheidend stört. So existieren also für die höheren Regionen der Atmosphäre bisher statt exakter Karten nur sogenannte «Modelle». Sie sind aus spärlichem Wissen abgeleitete Vermutungen und widersprechen einander vorläufig noch so sehr wie die Karten der alten Seefahrer.

Wollte jemand eine Entdeckungsgeschichte des Himmelsmeeres schreiben, so müßte er darin Forscher aller Nationen erwähnen: von dem Franzosen Teisserenc de Bort (der unsere «Küstenregion» in Troposphäre und Stratosphäre teilte) bis zu der von Hitler aus Deutschland vertriebenen Hilde Kallmann (heute am Rand-Institut in Santa Monica), die zur Zeit als «beste Kennerin» der «Gegend» zwischen 250 und 800 Kilometern über der Erde gilt.

4

Für Regionen jenseits der Atmosphäre, für den eigentlichen Weltraum, müssen zur Zeit die Holländer (die ja auch eines der ersten Völker waren, welche sich in die Fernregionen unserer Erde wagten) als die eigentlichen Pioniere angesehen werden. Es war nämlich der damals erst fünfundzwanzigjährige holländische Astrophysiker Jan Oort, der 1925 durch indirekte Methoden beweisen konnte, daß der Raum zwischen den Sternen nicht, wie man angenommen hatte, «leer» oder von einem «Weltäther» ausgefüllt sei, sondern eine beträchtliche Menge von Materie enthalten müsse. Sein Schüler H. C. van Holst hat darüber berichtet: «Er maß das Gewicht eines großen ‹Stückes› Weltraum (einschließlich der Sterne und alles anderen, das er enthielt), indem er die Schwerkraftwirkung dieses voluminösen ‹Stückes› auf die Bewegung der Sterne bestimmte. Oort fand nun, daß die Gravitätswirkung der fraglichen Region nicht allein auf das Gewicht der Sterne zurückgeführt werden konnte: sie mußte außerdem noch andere Materie enthalten.»

Diese Forschungen Oorts, die sogar während der Besetzung der Niederlande erfolgreich weitergeführt wurden und gerade in den Jahren, die dem holländischen Volk schwerste Leiden aufbürdeten, besonders erfolgreich waren, kamen zu dem Ergebnis, daß sich gewaltige Gasmengen verschiedener Zusammensetzung und kleine bis dahin als «Staub» erklärte Eisteilchen im Weltraum bilden, die eierförmig, scheibenförmig und gelegentlich nadelförmig aussehen.

Im Jahre 1950 trafen sich bereits fünfzig Astronomen und Fachleute aus allen Nationen in Paris, um Fragen der Gasbildung im Weltenraum zu debattieren. Sie kamen vier Jahre später in Cambridge abermals zusammen und debattierten über die Geburt neuer Sterne, die ständig neu aus Gaswolken im Raum zu entstehen scheinen, aus denen sie sich schließlich befreien wie «ein Küken von der Eierschale».

In derartigen wissenschaftlichen Zusammenkünften wird das wenige, was wir von der «Welt über uns» wissen, zusammengetragen und verglichen. Und auf eben solchen Treffen ist auch die Idee geboren worden, an Stelle der kurzlebigen Raketen, sobald es technisch möglich sei, Satelliten zu verwenden, die nun, falls sie mit einer bestimmten hohen Geschwindigkeit in eine bestimmte Himmelsbahn gebracht werden könnten, monate- und unter Umständen sogar jahrelang drahtlos Befunde aus den bisher unerforschten Himmelsregionen senden würden. Besondere Verdienste um die Erforschung höherer Himmelsregionen erwarb sich das seit 1946 regelmäßig in den USA zusammentretende «Upper Atmosphere Rocket Research Panel» (Kommission zum Studium der Oberen Atmosphäre), eine jeweils aus zwölf Forschern bestehende Gruppe. Sie hat innerhalb des ersten Jahrzehnts ihres Bestehens nicht weniger als dreiundvierzig dickbändige Berichte über das mit jedem Jahr wachsende Wissen über das unsere Erde umgebende Luftmeer herausgegeben. Und in diesen zehn Jahren wuchs die Zone, von der wir wenigstens einige, wenn auch ungenügende Kenntnisse besitzen, von 15 000 Meter Höhe auf 200 000 bis 300 000 Meter über dem Erdboden.

5

Besonders tat sich in dieser Gruppe der hagere Astrophysiker Fred Whipple hervor, ein Mann, dessen Energie und Intelligenz ihn über den Kreis seiner Fachkollegen hinaus bekannt machte. Es war Whipple, der immer wieder darauf drang, die verschiedenen amerikanischen Waffenzweige und die von ihnen abhängigen Forschungsinstitute sollten endlich aufhören, sich darüber zu streiten, welchen Typ von Instrumententräger und welche Instrumente man nun eigentlich zuerst in den Himmelsraum schicken sollte. «Einmal muß ein Anfang gemacht werden», erklärte er immer wieder. «Und wir müssen uns klar darüber sein, daß es eben nicht mehr als ein Anfang ist. Dem ersten Satelliten werden bald andere, größere ‹künstliche Monde› folgen, die uns weitere Daten bringen werden.»

Aber auch Whipple drang trotz seines Ansehens und Einflusses bei den maßgeblichen Stellen in Washington nicht durch. Das gelang erst von Kármán, der nicht nur ein großer Wissenschaftler ist (was ihm durch die Ehrendoktorate von über einem Dutzend Universitäten bescheinigt wurde), sondern auch ein geschickter Diplomat. In seiner Eigenschaft als Vorsitzender der Forschungsabteilung der NATO kommt von Kármán ständig mit zahlreichen Wissenschaftlern der freien Nationen in Kontakt. So konnte er der amerikanischen Regierung – er ist seit 1936 amerikanischer Staatsbürger – sozusagen in offizieller Funktion mehrmals berichten, daß die USA durch den Bau und den erfolgreichen Flug eines «künstlichen Satelliten» nicht nur einen hervorragenden Anteil an diesem großen wissenschaftlichen Unternehmen nehmen könnten, sondern damit zugleich auch ihren westlichen Verbündeten und den Neutralen einen deutlichen Beweis technischer Superiorität liefern würden.

Es dauerte eine gewisse Weile, ehe diese Ratschläge Gehör fanden. Aber als der Gedanke, durch einen solchen unbemannten Instrumententräger das «International Geophysical Year» zu krönen, 1954 in einem Briefwechsel zwischen den beiden Geophysikern Chapman (Großbritannien) und Kaplan (USA) auftauchte, war der Boden in Washington für eine Entscheidung bereits gut vorbereitet. Es erschien dem «Weißen Haus» als glänzende Lösung, das ganze Projekt zunächst einmal der im Kampfe der rivalisierenden Dienstzweige unparteiischen Akademie der Wissenschaften zu übertragen. Dieser Instanz mochte es dann überlassen bleiben, welchem der drei Waffenzweige sie die praktische Verwirklichung des historischen Unternehmens übertragen wollte.

So kam es endlich am 29. Juli 1955 zur offiziellen Ankündigung des amerikanischen Satellitenprojektes. Die Sticheleien und «Querschüsse» zwischen Offizieren der drei Dienstzweige hörten damit zwar keineswegs auf, aber der Machtspruch Eisenhowers hatte doch wenigstens die Grundlagen zu einer praktischen Verwirklichung des Satellitenprojektes geschaffen.

DIE GEBURT EINER WELTRAUM-INDUSTRIE

1

Die Anstrengungen, welche die Amerikaner seit einigen Jahren machen, um den vermuteten sowjetischen Vorsprung auf dem Gebiet der Raketenindustrie wettzumachen, sind nur mit dem langsamen Anlaufen, der schnellen Steigerung und überwältigenden Entfaltung ihrer Rüstung im zweiten Weltkrieg zu vergleichen.

So wie damals das ganze Land von den unerhörten Produktionsleistungen der Kriegsindustrie im Laufe von nur drei Jahren umgeformt und verändert wurde, so begann im Jahre 1957 fast jeder Mensch, der in den Vereinigten Staaten lebte — besonders aber die Bewohner von Südkalifornien und Arizona —, zu spüren, daß wieder etwas Besonderes im Gange sein müsse. Wie damals zwischen 1942 und 1945 schossen in wenigen Monaten riesige neue Fabriken aus der Erde. Nur daß in ihnen diesmal nicht Bombenflugzeuge, sondern Fernraketen gebaut wurden. Statt der neuen Werften und Docks, welche der «home front» im zweiten Weltkrieg mit ihrer Massenherstellung von Frachtschiffen ihr Gepräge gaben, entstanden nun im ganzen Lande Abschußrampen, Versuchsstände und Krangerüste für «guided missiles»; statt der Munitionsfabriken von damals sah man nun umzäunte, streng bewachte Produktionsstätten, in denen «seltsame Brennstoffe» (man nennt sie die «exotic fuels»), welche den Raketen den notwendigen «Schub» geben, gebraut oder, wie z. B. bei Sandia im Staate New Mexico, Atom- und Wasserstoffbomben für die «warheads» der mechanischen «Todesvögel» hergestellt werden.

2

Den größten Aufschwung hat unter den zahlreichen Zweigen der «Spacecraft Industry» (Weltraumfahrtindustrie), die die «Aircraft Industry» (Luftfahrtindustrie) seit 1960 endgültig überflügelt hat, die Elektronenbranche genommen, ohne deren Beitrag die neuen raumgreifenden Geschosse nicht «sehen», nicht «atmen» und nicht gesteuert werden können. Es mutet wie eine unerwartete und unheimliche Bestätigung der Freudschen Auffassung vom Menschen als einem «Prothesengott» an, daß die meisten Monteure in dieser feinmechanischen Industrie Krüppel sind. Man hat nämlich herausgefunden, daß fast nur Beingeschädigte die Geduld aufbringen, stundenlang fast bewegungslos in jenen Montageräumen zu arbeiten, wo jeder Schritt, jedes Wort, ja schon jedes zu heftige Atmen die unendlich delikaten Instrumente aus dem Takt bringen können. Daher beschäftigt allein die Firma Hughes zur Zeit 1500 Körperbehinderte. In manchen neuen Siedlungen, die unweit der Elektronenfabriken entstanden sind, leben fast ausschließlich – sei es durch den Krieg, den Verkehr oder die Fabrikarbeit verschuldet – Opfer unseres fortgeschrittenen technischen Zeitalters. Und sie bauen mit an Waffen, die neue und abermals neue Krüppel schaffen werden, falls sie je ihrer furchtbaren Bestimmung zugeführt werden sollten.

Neue Baustoffe, neue Metalle, neue Energiequellen, neue Rechenmaschinen, neue Berufe, ja neue Menschen mit ihrer eigenen neuen Fachsprache, die nur den Spezialisten im engsten Kreis verständlich ist, braucht die «Weltraum-Industrie». Da werden Fachleute für «Servo-Mechanismen», für die Herstellung von «Cermet» (einer Mischung von Keramik und Metall), für «foto-elektrische Versuche», für «Sensing Instruments» (Super-Instrumente) und «Data Processing» (Übersetzung aus der Sprache der Computer in die Menschensprache) gesucht.

Etwa dreihundert Berufe, die es vor 1945 überhaupt noch nicht gab, sind als Folge der im Zusammenhang mit der Raketenentwicklung gemachten Erfindungen entstanden. Die Nachfrage nach technischem Personal ist so groß geworden, daß selbst Anfänger auf allen Gebieten, die irgendwie mit der «Spacecraft Industry» zusammenhängen, heute auf Gehälter rechnen können, die früher erst Männer mit langen Dienstjahren erhielten.

Daß alle diese Anstrengungen – zumindest vorläufig – der Herstellung «absoluter Waffen», Geschossen von einer alle Vorstellungen übertreffenden Furchtbarkeit dienen, wissen die in der «Weltraum-Industrie» Beschäftigten. Aber so gern sie vom höchsten Punkt der ballistischen Kurve ihrer bis in den Weltraum vorstoßenden mechanischen Geschöpfe sprechen, so wenig wollen sie von dem «point of impact» wissen, jenem Punkt also, an dem die Rakete irgendwo tausende Kilometer weit weg mit ihrer explosiven Ladung wieder zur Erde fällt, Wohnungen,

Häuser, Städte, ganze Landstriche in radioaktiv verseuchte Wüste verwandelnd.

3

Wenn die «Spacecraft Industry» inseriert, so appelliert sie daher nicht an patriotische Gefühle oder vielleicht an politische Gedankengänge, mit denen mancher Waffentechniker seine Tätigkeit zu rechtfertigen versuchen könnte (falls er je wirklich über ihre Bedeutung nachgedacht hat), sondern an den Abenteuergeist, an die Pioniertradition der amerikanischen Jugend.

«Gesucht: Pioniere für die letzte Grenze des Menschen!» annonciert zum Beispiel «Rocketdyne», eine der führenden Firmen zur Herstellung von Raketenmotoren. «Was treibt den Raketeningenieur an?» fragt der anonyme Verfasser der Anzeige, und antwortete sich sofort selbst: «Er fühlt den gleichen Ruf, der Magellan anzog, die Brüder Wright antrieb und Goddard lockte, als er 1926 seine erste flüssige Rakete fliegen ließ.» «Wo liegt die Grenze menschlichen Wissens ...? Hilf uns, diese Grenze zu durchbrechen!» ruft die Anzeige eines anderen Laboratoriums. Oder man liest in einem Inserat, das die Erdkugel in bläulichem Schimmer zeigt, so wie sie einst Reisende nach dem Mond weit weg im Himmel unter oder über sich erblicken werden: «NUR EINMAL (bietet sich diese Gelegenheit) ... Denn niemals ist der Mensch vor einer Aufgabe gestanden, die ihn so sehr herausforderte ... Heutzutage können junge Wissenschaftler und Forscher ihre Berufslaufbahn mit der bestimmten Hoffnung antreten, daß sie in absehbarer Zeit selbst dabei mithelfen werden, das erste bemannte Schiff nach dem Mond vom Stapel zu lassen.»

«Systems Laboratories Corporation», welche diese Anzeige nebst einer anderen, die nach «jungen Männern, welche die andere Seite des Mondes sehen wollen», fragte, veröffentlichte, ist in mehr als einer Hinsicht typisch für die neuen Firmen der in ständigem Wachstum befindlichen Weltraumindustrie. Es ist kein großes Unternehmen, sondern eine Art Arbeitsgemeinschaft von 44 Wissenschaftlern und Technikern, die alle vorher bei größeren Firmen der «Spacecraft Industry» gearbeitet hatten, aber dort zuwenig innere Befriedigung für ihre um die Eroberung des Weltraums kreisenden Träume fanden. Unter Leitung von Professor John L. Barnes haben sie sich zusammengetan und in dieser Zeit der Knappheit an «wissenschaftlichen Gehirnen» ohne weiteres Aufträge für rüstungswichtige Entwicklungsarbeiten erhalten.

4

Der äußerlich unauffällige moderne Gebäudekomplex, in dem sich die Büros und Werkstätten der «Systems Laboratories» befinden, liegt mitten im «Raketenland», dem südkalifornischen San Fernando Valley, wo noch vor einigen Jahren die erfolgreichen Schauspieler und Regisseure des nahe gelegenen Hollywood in ländlicher Exklusivität lebten. Jetzt haben sie ihre Ruhe verloren, denn fast jeden Tag dröhnen von der Bergkette zur Rechten, den «Santa Susannah Mountains», die auf den 19 Versuchsständen der «North American Aviation Co.» erprobten Raketenmotoren, die morgen den «Atlas» bis auf 960 Kilometer Höhe oder vielleicht den mächtigen «Saturn» bis zum Mond schicken werden.

Der Wert des Bodens hier in den Vororten von Hollywood und Los Angeles ist abermals um ein Vielfaches gestiegen. Die letzten Orangenhaine machen Fabrikhallen, die letzten Gemüsebeete Bürogebäuden und summenden «Computer»-Stationen Platz. In Burbank bei Lockheed warten sie bereits gespannt auf die Resultate jedes «Satelliten»-Versuches, um ihren fortgeschrittenen Modellen, den Vorstufen künftiger bemannter «Space Ships», neue Aufgaben zu stellen, ein paar Straßen weiter bei «International Electronic» werden Radioröhren hergestellt, welche auch in den phantastisch hohen Temperaturen beim «Wiedereintritt» («re-entry» heißt das Fachwort) eines Geschosses oder Satelliten oder Raumschiffes in die tieferen Schichten der Erdatmosphäre noch arbeiten können, in Santa Monica arbeitet Douglas an seinen Geheimmodellen eines «Mondschiffs», gleich daneben bei Rand werden genaue Berechnungen über die Atmosphäre der uns nächsten Planeten angestellt. Und genauso ist es in Torrance, in Inglewood, in Culver City und Fullerton! Den primitivsten Geboten des Luftschutzes zuwiderhandelnd, drängen sich nämlich die Hersteller der zahllosen Raketenbestandteile in einem Umkreis von etwa vierzig Kilometern um Los Angeles zusammen. Eine einzige feindliche Fernrakete mit einem Wasserstoffbomben-«warhead» würde genügen, um mindestens ein Drittel des gesamten «missiles potential» (Raketen-Potential) der USA zu zerstören.

Aber die Raketenbauer sind eben nicht nur Bestandteile eines neuen «Waffensystems», sondern auch Menschen. Deshalb bauen sie ihre Fabriken und Laboratorien so nahe aneinander. Denn wie jeden Berufsstand seit Urzeiten, so zieht es auch diese Angehörigen dieser neuesten Berufe fast instinktiv zueinander. Sie wollen in ihrer Freizeit fachsimpeln können, sich gegenseitig ihre «elektronischen Gadgets» zeigen: die Garagentür, die sich auf Fernbefehl öffnet, das Mikrophon über der Kinderkrippe, das ferngesteuerte System zur Bewässerung des kleinen Stückchens Rasen vor dem Haus, den Bandaufnahmeapparat, auf dem sie Kinderlachen, Mozartsonaten, Autogeräusche, das Schnarchen der lieben Gattin, die Witze eines Fernsehkomikers, das Echo der Testexplosionen festhalten. Besonders beliebt zur Unterhaltung von Gästen ist hier das Abspielen von Tonbändern, die angeblich Interviews einiger «Fliegende Teller»-Spezialisten mit Marseinwohnern wiedergeben. Sie können im nahen Tarzana (dem von Rice Borroughs, dem reichen Autor der «Tarzanbücher», gegründeten Ort) zum «Selbstkostenpreis» erworben werden. Die «Marsbewohner» sprechen alle glänzendes Englisch, das sie angeblich durch irdische Radiosendungen gelernt haben, und sie warnen: «Ihr werdet die Erde in die Luft sprengen.» Was für einen Heidenspaß es doch macht, dem zuzuhören! Natürlich glaubt niemand von den «Vogelmännern» an «diesen Unsinn», und doch lesen sie alle begeistert «Science fiction», in deren Stories sie als Helden voller Glamor geschildert werden.

5

Im «Raketenland» um Los Angeles herum liest man aber Zukunftsromane, diese Märchen unserer Zeit, nicht mehr nur aus purem Vergnügen, sondern als praktische Anregung. Denn die «Spacecraft Industry» ermutigt heute ihre Techniker, die seltsamsten, die «verrücktesten» Ideen vorzulegen. Es gibt in allen diesen Unternehmen Abteilungen, die sich mit der Analyse des Phantastischen beschäftigen, des Ausgefallenen, das übermorgen vielleicht alltäglich sein könnte. Man hat sogar bereits einige Begriffe für dieses «science fiction research» geprägt. Da gibt es «Prophecy Analysis» (Prophezeiungs-Analyse), «Prognostication Dynamics» (Prognosen-Bewegungsgesetze) und «Prediction Engineering» (Voraussagen-Ingenieurkunst). Gemeinsam ist allen diesen Bemühungen der Versuch, das vorläufig noch Unfaßbare zu fassen, es in mathematische Formeln einzufangen, es zu zerlegen und anders wieder zusammenzusetzen. Vielleicht gibt es bereits zwei oder drei Bestandteile einer neuen Erfindung. Man kombiniert, man rechnet aus, was noch fehlt, man sucht und findet es: aus dem Märchen wird Wirklichkeit.

Denn dies ist der große Unterschied zwischen diesen und früheren Träumern: sie verlieren sich nicht in ihren Phantasien, sie messen sie. Sie begnügen sich nicht mit dem Traum, sie wollen ihn wahrhaben, greifen können und aus ihm Stoff für neue Träume spinnen. Ihre ganze Lebenserfahrung hat sie gelehrt: «It can be done» — «Es kann gemacht werden.» Und sie machen es.

Für diesen neuen Menschentyp ist die Eroberung des ganzen Universums nur mehr eine Zeitfrage. Er rechnet sich sogar in Prozenten aus, wieviel ihn noch von seinen Zielen trennt.

Hier ist zum Beispiel eine solche Kalkulation, die Commander George W. Hoover, der Leiter einer fortgeschrittenen Studienabteilung der amerikanischen Flotte, aufgestellt hat: «Wir wissen bisher nur etwa 40 Prozent von dem, was wir über die Steuerung und Kontrolle der

Raketen wissen müßten, um eine bemannte Rakete in den Weltraum zu schicken. Wir haben 60 Prozent von dem, was für die Nachrichtenverbindung zwischen Raumschiff und Erde vorhanden sein müßte, wir besitzen weniger als 10 Prozent der Kenntnisse, die wir auf dem Gebiete der Weltraum-Medizin brauchen, und wir wissen bisher gar nichts darüber, wie wir die Schiffe sicher auf anderen Himmelskörpern landen und wieder starten lassen können.» Man sagt nicht mehr «unmöglich», man drückt sein Unvermögen in Zahlen aus und erwartet, daß eine solche Statistik in zehn Jahren schon anders aussehen werde.

6

Nur einen Faktor können die «Vogelmänner» nicht einmal ungefähr berechnen, die Frage, ob ein Krieg oder mehrere Kriege ihre Pläne von Reisen nach dem Mond, den Planeten und fernen Milchstraßen hemmen oder fördern werden. Heute arbeiten ihre Hände an der Perfektionierung von Kriegsgeräten, aber ihre Augen schauen dabei nach den Sternen. Vorläufig geht das noch. Der Staat duldet und finanziert wissenschaftliche Pionierpläne, weil er sich davon militärische Vorteile verspricht. Aber jeden Augenblick könnte der Widerspruch, in dem die Forscher und Ingenieure leben, aufbrechen.

Es müßte nicht einmal gleich der Krieg kommen, um eine solche Krise heraufzubeschwören. Es brauchte nur eine der beiden Großmächte der anderen zu sagen: «Wir werden nicht dulden, daß ihr Satelliten mit Beobachtungsgeräten in den Weltraum schickt, mit deren Hilfe ihr uns beobachten und kontrollieren wollt! Wir dulden nicht, daß ihr den Mond besucht und besetzt. Das ist ‹Weltraum-Kolonialismus›! Und wenn ihr es doch versucht, so fliegen morgen unsere Fernraketen gegen eure Abschußrampen und Städte!»

Dann nämlich würde den Menschen vielleicht klarwerden, daß sie mit all ihrer exakten und akkuraten Technik doch höchst unrealistisch waren, als sie in der Mitte des 20. Jahrhunderts nach anderen Himmelskörpern griffen, ehe sie auf ihrem eigenen Planeten eine vernünftige Ordnung geschaffen hatten. Und der Mensch, sowohl als politisches Wesen wie als denkende, fühlende Persönlichkeit, muß dann entdecken, daß auch die Flucht in den Weltraum ihn schließlich wieder auf sich selbst zurückführt, daß er das All nicht beherrschen kann, solange er nicht sich selbst und seinesgleichen beherrschen wird. So könnte vielleicht das neu beginnende Zeitalter der Entdeckungen den Menschen endlich zur Entdeckung seiner selbst und seiner geistigen Bestimmung führen. Kein Umweg ist zu groß, wenn er den inneren und äußeren Frieden bringt. Nicht einmal der Umweg über die Milchstraße.

Griff nach dem Geist

DAS ZEITALTER DER GEHIRNE

1

Der 16. März 1955 war an der New Yorker Börse vergangen wie irgendein anderer Tag, als um die Mittagsstunde plötzlich ein Wertpapier allen anderen davonzulaufen begann. Es handelte sich um die Aktien des aus verschiedenen Firmen der Elektronen-, Flugzeug- und Schiffbaubranche zusammengesetzten Großkonzerns «General Dynamics». Ehe Wallstreet die Schlußkurse anschlug, hatten 84700 «shares» ihre Besitzer gewechselt, und die Käufer schätzten sich glücklich, das Papier in ihren Portefeuilles zu haben, obwohl sie dafür beträchtlich höhere Preise hatten zahlen müssen.

Am nächsten und übernächsten Tag setzte sich diese Hausse in «General Dynamics» fort. Inzwischen war es nämlich allgemein bekanntgeworden, daß dem Unternehmen ein ganz besonderer Coup geglückt war: es hatte auf einen Schlag vierzehn der bekanntesten amerikanischen Atomforscher als wissenschaftliche Berater für sich gewinnen können. Allein diese Nachricht hatte genügt, einen kleinen «Run» auf ihre Aktien zu starten. Denn «brainpower» – «Gehirnkraft» – die nicht sichtbare, körperlose Kraft des Denkens, ist heute der meistbegehrte Rohstoff der amerikanischen Wirtschaft. Die immer neu sprudelnden Gedanken der Forscher und Erfinder sind es ja, die den Explosionsmotor der Industrie in Gang halten. Sie sind der Treibstoff eines auf Hochtouren laufenden «Fortschrittes», der angesichts des immer rasender werdenden Entwicklungstempos längst schon auf «Fortflug» oder «Fortsturz» umgetauft werden sollte.

Es sind die verschiedensten Versuche gemacht worden, der Epoche, in die unsere Welt nach dem Ende des zweiten Weltkrieges eintrat, einen passenden Namen zu geben. Zuerst sprach man vom «Atom-Zeitalter», dann vom «Weltraum-Zeitalter», aber es wäre vermutlich am treffendsten, wenn diese neue Ära den Titel «Gehirn-Zeitalter» erhielte. Denn es sind ja die unablässig forschenden, rechnenden, spekulierenden Gehirne, welche die Kraftquelle im innersten Kern der Materie entdeckten und wenige Zeit darauf Mittel ersannen, die den Vorstoß in neue Himmelsweiten ermöglichten. Der «Griff» nach dem Kleinsten und dem Größten, nach dem Unbelebten und dem Lebendigen, ist letztlich das Ergebnis kaum oder gar nicht sichtbarer Vorgänge in jener «grauen Masse», die in unserem Schädel eingebettet ist. Hier, hinter der menschlichen

Stirn, liegt die eigentliche Kraftquelle einer nicht enden wollenden permanenten Revolution, die das Neue um des Neuesten willen verwirft, um das Neueste gleich wieder dem (schon bedrohten) Allerneuesten zu opfern, und deren Parole lautet: «The moment you think about something, it is already obsolete.» – «Im Augenblick, wo du auf etwas kommst, ist es bereits veraltet.»

Die «Gehirne», gestern noch von den Faust- und Muskelmenschen eher als komisch empfunden, werden von ihnen jetzt mit Staunen und sogar etwas Furcht angesehen. Man traut ihnen schlechterdings alles zu, und diese neue Einschätzung kommt am sinnfälligsten zum Ausdruck beim Vergleich der Geldmittel, welche die amerikanische Gesellschaft ihren Forschern zur Verfügung stellt. Von hundert Millionen Dollar Anno 1928 ist dieses Jahresbudget bis 1958 um das Hundertfache gestiegen, kletterte 1960 schon auf dreizehn Milliarden Dollar und dürfte sich nach den vorsichtigen Voraussagen bis 1970 abermals mindestens verdoppeln. «Research and Development» oder meist auch nur «R. and D.» abgekürzt, die Erforschung der Natur und die technische Auswertung der dadurch gewonnenen Erkenntnisse, sind heute schon für mehr als ein Drittel der gesamten amerikanischen Jahresproduktion verantwortlich, das heißt wenigstens jeder dritte Dollar wird für Erzeugnisse ausgegeben, die es in dieser Form im vorhergehenden Jahr noch nicht gegeben hat. Diese ständige Erneuerung und die damit einhergehende bewußt geforderte Veraltung des gestern erst Hergestellten ist nach Ansicht von Professor Slichter, eines der führenden amerikanischen Volkswirte, der tiefste Grund dafür, daß die Vereinigten Staaten keine Wirtschaftskrise mehr zu fürchten haben, denn die «Industry of Discovery» – «Die Entdeckungs-Industrie» – sorge schon dafür, daß es niemals mehr zu einer Verstopfung der Märkte durch zu viele Waren kommen werde.

2

Die plötzliche Hochschätzung der «gray matter», wie die neue Energiequelle in Anpassung an die Sprache der Rohstoffmärkte genannt wird, führt zu den merkwürdigsten Erscheinungen. Mit der gleichen Energie, die frühere Generationen von Amerikanern auf der Suche nach Gold oder nach Ölquellen einsetzten, wird von einem Heer rühriger Agenten nach neuen Ideen geschürft und frischen Talenten gejagt. Selbst das bereits als unverwendbar Verworfene wird wieder vorgeholt in der – oft belohnten – Hoffnung, darin etwas zu finden, das bisher verkannt wurde.

Man wühlt in alten wissenschaftlichen Zeitschriften, kämmt die Archive der Patentämter in aller Welt durch, wendet sich an potentielle Erfinder und verspricht ihnen (gegen ein Erfolgshonorar) die Prüfung ihrer Einfälle und den Verkauf an eine der vielen Firmen, die nur darauf warten, neue Vorschläge in neue Erzeugnisse zu verwandeln.

«Den legendären im Dachstübchen verhungernden Erfinder, der vergeblich versucht, sein Geisteskind anzubringen, gibt es nicht mehr», behauptet das amerikanische Nachrichtenmagazin «Time». «Heutzutage kommt er kaum dazu, in Ruhe an seinen Erfindungen zu arbeiten, so viele ungeduldige Kunden drängen sich vor seiner Tür.»

Bereits bekannte oder auch nur als hoffnungsvoll betrachtete Forscher werden nun umworben wie einst die Filmstars im längst verflossenen «goldenen Zeitalter» Hollywoods. Man offeriert ihnen Jahresgagen, die oft weit höher (und besser gegen Steuerverluste abgesichert) sind als die Gehälter von Ministern. Tagesgelder für «gelegentliche Beratung», die man Universitäts-Professoren zahlt, falls sie den Schritt aus dem akademischen Bereich in den der Privatindustrie nur halb tun wollen, machen in vielen Fällen mehr aus als ihre ordentlichen Monatsbezüge. «In den Universitätsferien verdiene ich als ‹consultant› (Berater) sechs- bis zehnmal soviel wie in meiner eigentlichen Arbeitszeit», gesteht ein bekannter Physiker.

Jeder größere Konzern, der etwas auf sich hält, baut sein eigenes «Research Center», eine der Forschung gewidmete Siedlung, deren futuristische Glastürme und bald mit zarten Farben getönte, bald mit glitzerndem Aluminium, Kupfer oder Stahl verkleidete Werkstätten, Bürogebäude, Ausstellungs- und Vortragshallen von Landschaftsplanern und Gartenarchitekten in einen kunstvoll arrangierten Naturrahmen gesetzt werden. Das sind dann wahre Schauobjekte fortschrittlichen Unternehmergeistes, in denen die hochbezahlten «Gehirne» sich oft wie Schauspieler und Statisten vorkommen, die der Öffentlichkeit vor geeigneten, Modernität und Zukunftsfreude ausstrahlenden Kulissen das Drama «Fortschritt der Wissenschaften» vorzuführen haben.

Nun sind aber die gutausgebildeten und zuverlässig informierten «Gehirne» in den fünfziger und beginnenden sechziger Jahren besonders knapp geworden. Denn die nicht nur als Schutzmaßnahme im Kriege, sondern auch danach aus Gründen privatwirtschaftlicher Konkurrenz oder der «nationalen Sicherheit» geforderte Geheimhaltung gerade der zukunftsträchtigsten Entwicklungen beginnt sich jetzt zu rächen. Die Pioniere der «neuen Kräfte» hatten zu lange schweigen müssen und daher zu wenige gute Schüler heranbilden können. So entstand die «Intelligenzlücke», ein Mangel, der nur notdürftig durch die Anwerbung ausländischer wissenschaftlicher Kräfte (denen man häufig in Europa von den USA finanzierte Forschungsaufgaben übertrug oder sogar eigene Institute baute) überdeckt werden kann.

3

Ab und zu startet ein besonders kapitalstarker oder ehrgeiziger Konzern einen großen Abwerbefeldzug. Auf den wissenschaftlichen Kongressen, in den Universitäten, auf den Redaktionen einschlägiger Fachzeitschriften, ja sogar unmittelbar in der Nachbarschaft der Konkurrenzfirma nisten sich geschickte Agenten ein und versuchen die «wissenschaftlichen Träumer» nicht nur durch überhöhte Gagenangebote, sondern vor allem durch Versprechungen auf erhebliche «fringe benefits» — «Sondervorteile» — in Versuchung zu führen. Da werden mietfreie Häuser, Auslandsreisen auf Spesenrechnung, freie Benutzung von Jachten und Ferienvillen, Gewinnanteile, Gratisaktien, Altersrenten, vor allem aber und besonders auch sogenanntes «seelisches Einkommen» angeboten: «die Möglichkeit, schöpferisch zu arbeiten», «freundliche, stets zur Aussprache bereite Vorgesetzte», «sympathische, kenntnisreiche Mitarbeiter», «schnelles Vorwärtskommen bei stets neuer, faszinierender Arbeit», «die Gesellschaft von Männern, die Ungewöhnliches erreicht haben», «kein Tag, an dem Sie nicht Ihre Kenntnisse erweitern würden».

Solche Rekrutierungsvorstöße in die Reservate anderer Personalchefs sind zwar kostspielig, lohnen sich aber, wenn sie mit einer bestimmten Absicht und nach einer genau ausgedachten Strategie durchgeführt werden. Als eine der angesehensten amerikanischen Fabriken für die Herstellung von Flugzeugmotoren, Hubschraubern, Propellern und elektronischen Zielgeräten bemerkte, daß ihre Umsätze allmählich zurückgingen, weil die Streitkräfte begonnen hatten, sich auf Weltraumwaffen umzustellen, galt ihre erste Sorge der Zusammenstellung eines Teams von bekannten und bewährten «Gehirnen» auf diesem noch jungen Gebiet.

Das geschah lange bevor die Firma irgendwelche Aufträge oder gar Laboratorien und Werkstätten in dieser bereits hochspezialisierten und durch schärfsten Wettbewerb charakterisierten neuen Branche aufzuweisen hatte. Früher wurden Fachleute gewöhnlich erst engagiert, wenn man über Fabriken und Produktionspläne verfügte. Nun aber baut man nicht von unten nach oben, sondern von oben nach unten.

Zuerst hieß es also «die besten Leute» finden. Niemand war besser darüber informiert, wo man sie suchen müßte, als General P., der bis vor kurzem stellvertretender Chef der «R. and D.»-Abteilung der Air Force gewesen war und daher einen unvergleichlichen Überblick über die gesamte «Space Industry» gewonnen hatte. Mit seiner Hilfe analysierten die Chefs der neuen inzwischen als Schwesterfirma des alten Unternehmens gegründeten Firma, welchen Weg die Raketentechnik vermutlich innerhalb der nächsten fünf Jahre einschlagen würde und in welcher Richtung sich die Vorstellungen der Hauptauftraggeber, nämlich der Streitkräfte, am ehesten entwickeln müßten.

Dabei stellte es sich heraus, daß die Herstellung von ferngelenkten Geschossen mit festen Treibstoffen wegen ihrer schnelleren Einsatzmöglichkeit die Produktion der in diesem Zeitpunkt noch bevorzugten Flüssigkeitsraketen bald weit überflügeln würde, da die bisher gebauten Typen sich wegen des umständlichen und gefährlichen Auftankens für einen im Blitztempo geführten Raketenkrieg nicht eigneten. Zielbewußt begann das neue Unternehmen daher erstklassige Fachleute für Motoren mit festen Treibsätzen «aufzukaufen», so daß es ein Jahr später schon ein Viertel aller Spezialisten auf diesem Gebiet gehortet hatte.

In diesem Augenblick konnte die neue Zweigfirma noch immer keinen anderen «sichtbaren Besitz» aufweisen als ihre inzwischen auf zweihundert «Gehirne» angewachsene Zusammenballung erstklassiger, bestqualifizierter und hochspezialisierter «grauer Materie». Das alleine (vielleicht noch etwas verstärkt durch das Prestige der altbewährten Mutterfirma) genügte nun aber bereits, um dem neugeborenen Unternehmen sofort einen Platz unter den zehn Spitzenfirmen der «Weltraumindustrie» zu sichern. Und – die Kursgewinne für die Aktien des Konzerns, in denen sich das Vertrauen der Börse zu diesem «großartigen Team» sofort ausdrückte, waren um ein Vielfaches höher als die gewiß beträchtlichen Kosten, welche die ganze «Operation Gray Matter» verursacht hatte.

4

Einige der so eifrig umworbenen «Gehirne» haben nun ihre vielbegehrten Denkwerkzeuge zur Analyse ihrer persönlichen Situation eingesetzt und sind dabei zu dem Schluß gelangt, daß sie selbst beim Empfang hoher und höchster Gehälter unterbezahlt seien. Sie rechneten sich aus, daß Forschungstätigkeit ihnen noch weit mehr Verdienst abwerfen müßte, wenn sie ihre eigenen Unternehmen gründeten. So entstanden im Laufe der letzten Jahre mehrere hundert sogenannte «Egg Head Companies» («egg head», wörtlich «Eierkopf», ist der zur Zeit modische amerikanische Ausdruck für die Intellektuellen), von denen einige – besonders die um die geradezu legendäre Landstraße Nummer 140 unweit von Boston gegründeten – für ihre Besitzer zu wahren «Goldgruben» wurden.

Aber sehr bald sahen diese zu Firmenchefs gewordenen Wissenschaftler, daß sie immer seltener im Laboratorium sein konnten, dafür aber mehr und mehr Zeit im Büro verbringen mußten. So stellte sich ihnen fast allen etwas früher oder später die Frage, ob sie ihrem neuen oder weiter ihrem alten Beruf nachgehen wollten. Ein paar Dutzend haben das «harte Los» auf sich genommen, ganz ins Geschäftsleben hinüberzuwechseln und dabei Millionäre zu werden. Die meisten aber kehrten in abhängige Stellungen zurück, in denen sie zwar weniger

«Geld machen», dafür aber ihrer sie unendlich mehr bereichernden Forschungsarbeit wieder nachgehen dürfen.

Heute hat sich der amerikanischen Gelehrtenwelt nach dem «Dollarrausch» des vorhergegangenen Jahrzehnts ziemlich allgemein eine starke Ernüchterung bemächtigt. Der angesehene Physiker Tuve warnte in einer vielbeachteten Rede vor der Gefahr, den wissenschaftlichen Betrieb mehr und mehr in die Hände geschickter «operators» – «Macher» – geraten zu lassen. Von verschiedenen Seiten (darunter auch von einer offiziellen vom Weißen Haus eingesetzten Kommission) ist darauf hingewiesen worden, daß zwar die angewandten Wissenschaften aus dem erwachten Interesse des Staates und der Privatwirtschaft für die Forschung ihren Nutzen gezogen hätten, die eigentliche Grundlagenforschung aber immer noch gefährlich vernachlässigt würde. Es sei weniger die Suche nach der Wahrheit als die Suche nach neuen, praktisch verwertbaren Produkten gefordert worden. Eine solche Entwicklung könne aber dazu führen, daß die so übereifrig ausgeschöpften Quellen der wissenschaftlichen Erkenntnis bald nicht mehr ausreichen und vielleicht sogar versiegen würden.

Endlich hat der Nationalökonom Fritz Machlup in der einflußreichen Zeitschrift «Science» die Frage aufgeworfen, ob nicht über der starken Inanspruchnahme der akademischen Intelligenz durch Forschungsaufträge die mindestens ebenso wichtige Aufgabe der Lehrtätigkeit und der Heranbildung eines tüchtigen Nachwuchses vernachlässigt werde. Tatsächlich geschah es in den Jahren, da der «Goldrausch» viele «Gehirne» umnebelte, immer wieder, daß Studenten ihre berühmten Professoren, derentwegen sie sich bei bestimmten Universitäten hatten einschreiben lassen, so gut wie nie zu Gesicht bekamen, da diese «Stars» nur noch ganz selten in den Hörsälen zu finden waren.

So hat denn ein gewisser Prozeß der Ernüchterung und Selbstbesinnung, der ja bereits im Gefolge des Baus der Atomwaffen begonnen hatte, sich gerade der besten «Gehirne» bemächtigt. Immer häufiger stellen sie sich die Frage: «Ist es eigentlich richtig, ist es sinnvoll, was wir tun?»

VERLANGT: DAS ÜBERHIRN

1

Im Laboratorium des Doktor Olds in Brentwood, einem Vorort Hollywoods, können männliche Ratten durch den Druck auf einen elektrischen Auslöser bald zu wütendem Kampf gereizt, bald eingeschläfert werden. Ein ganz leichter elektrischer Stoß an die eine Stelle ihres Hirns bewirkt, daß sie, auch wenn sie noch so ausgehungert sind, das hingeworfene Fressen unbeachtet liegenlassen; wird dagegen auf eine andere Partie ihrer Hirnrinde gezielt, so werden sie selbst in der Brunstzeit sich ihrem weiblichen Partner gegenüber völlig gleichgültig verhalten.

Neben einem sonnenübergossenen Swimming Pool in einer Bucht der Virgin Islands kniet der spitzbärtige Neurophysiologe Dr. John C. Lilly, um an dem stumpfen, feuchten Schädel eines Delphins Elektroden zu befestigen, mit denen er die Vorgänge in den Hirnzellen dieser Wassertiere beobachten und ihre «Unterhaltungen» graphisch aufzeichnen kann.

An der McGill-Universität in Montreal schickt Wilder Penfield einen Strom von nur ein bis zwei Volt an eine bestimmte Stelle, und die aus Kapstadt stammende Versuchsperson ruft aus: «Ja Doktor, ja Doktor, jetzt höre ich sie singen, meine Freunde in Südafrika. Ganz, ganz genau höre ich sie!»

In Cambridge (Massachusetts) bastelt Warren McCulloch an einem Gewirr von Drähten, Transistoren, Schaltern, Magnettrommeln und Oszillographen, um auf diese Weise logische Denkvorgänge zu rekonstruieren.

In Syracuse (Staat New York) versuchte der Psychologe Dr. Frank Rosenblatt einem aus einigen tausend elektronischen «Denk»zellen und rund vierhundert (Wahrnehmungen empfangenden) Photozellen zusammengesetzten Roboter namens «Perceptron» die Anfangsgründe der englischen Sprache beizubringen.

In den Versuchswerkstätten der Firma Westinghouse in Baltimore prüft ein Elektronenfachmann unter dem Mikroskop die bisher kleinste künstliche Nervenzelle: ein winziges Pünktchen von reinstem Germaniumkristall, das alle wichtigen Schaltfunktionen erfüllt, die gestern noch nur die Radioröhre vollziehen konnte.

Alle diese Experimente steuern von verschiedenen Richtungen her dennoch auf ein gemeinsames Ziel los: sie wollen die einzige Grenze überwinden, die das «Gehirn-Zeitalter» noch geneigt und gezwungen ist, anzuerkennen: die limitierten Fähigkeiten des menschlichen Gehirns selbst.

Dieser Angriff auf das «letzte wirkliche Hindernis» entwickelt sich auf zwei Hauptlinien. Die sogenannten «Wets», die «Nassen», beobachten und untersuchen lebendige Materie. Mit Hilfe zahlloser Versuchsreihen soll endlich Genaueres über das Funktionieren tierischer und menschlicher Gehirne ermittelt werden. Das Ergebnis sind ganz neue «Landkarten» dieser «Terra incognita», und sie erinnern, wenn man sie betrachtet, erstaunlich oft an jene alten «mappemondes», in denen romantisch klingende Namen (wie «die Rolando-Fissur») den Mangel an exaktem Wissen etwas vergessen lassen.

Ganz anders sehen die Arbeitsvorlagen der «Drys», der «Trokkenen», aus. Das sind richtige Schaltpläne, Blaupausen mit unerhört komplizierten, sich hundertfach überkreuzenden Leitungen. Es sind die Vorlagen für eine ganz neue (nun bereits die dritte und vierte) «Generation» von Elektronengeräten, von denen Nachrichtenweitergabe, Steuerungsvorgänge, höhere, bisher nur dem menschlichen Gehirn zugetraute Leistungen wie Suchen, Anpassen, Assoziieren, Wählen, Urteilen nicht nur nachgeahmt, sondern sogar mit weniger Energieverlust und schneller vollbracht werden. McCulloch und sein Mitarbeiter Walter Pitts, zwei eminente Vertreter der «trockenen» Gruppe, glauben sogar behaupten zu können, daß menschliche «Vorschläge, Ideen, Entwürfe und ähnliches», nichts anderes seien als «elektrische Impulse», die sich durch ein bestimmtes kunstvoll gebautes Labyrinth bewegen.

Der Bau solcher «logischen Netze» wird besonders aufregend, wenn diese Anlagen, wie es öfter geschieht, nun auch noch mit eigenen künstlichen Aufnahmeorganen und Nachrichtenspeichern ausgestattet werden. Solche «Maschinen» (stimmt die Bezeichnung hier überhaupt noch?) können nicht nur mit Hilfe ihrer elektrischen «Augen», «Ohren» und «Gedächtnisse» eigene Erfahrungen machen, sondern sie auch selbst verarbeiten, aufheben und aus ihnen lernen.

Sie teilen die von ihnen gezogenen Schlüsse in ihrer eigenen «Sprache» mit, die aber – in den fortgeschrittensten Versuchen – selbst von erfahrenen «Programmern» und «Daten-Ingenieuren» nur noch zum Teil entziffert werden kann. Vor einem großen Teil ihrer Mitteilungen sitzen diese Fachleute vorläufig genauso ratlos wie einst die Archäologen vor ägyptischen oder kretischen Schriftzeichen. Tote Sprache und noch nicht lebendige Sprache, Längstvergangenes und nicht erfaßtes Künftiges berühren sich da auf das seltsamste.

2

Der englische Forscher Lord Adrian hat 1958 beklagt, daß das menschliche Gehirn nicht zweimal so groß sei. Wäre das der Fall, würden wir seiner Meinung nach «wahrscheinlich Probleme, die uns heute noch unlösbar erscheinen, in einem Augenblick lösen können, eine neue Welt des Gedankens läge offen vor uns, unser Verhalten wäre dann ‹übermenschlich› zu nennen ... Das ist nicht so überraschend, wie es klingt», fuhr er fort, «denn mit der Zunahme der Anzahl von Nervenzellen und Nervenbahnen würde das unsichtbare Gewebe der Vorgänge auf der Gehirnrinde noch weit komplizierter werden: ein gewisser Grad von Kompliziertheit mag aber notwendig sein, um so etwas wie den Gebrauch der Sprache zu ermöglichen, die wahrscheinlich unsere geistige Überlegenheit begründet hat.»

Nur etwa ein Jahr nachdem der englische Physiologe diese Feststellung gemacht hatte, fand Dr. John C. Lilly heraus, daß die Delphine – deren Verhalten er im Auftrag der Kriegsflotte zuerst nur deshalb studieren sollte, weil sie ein Unterwasser-Ortungssystem besitzen, das den bestentwickelten elektronischen Suchgeräten der «US Navy» weit überlegen ist – durchschnittlich größere Gehirne haben als die «Spezies Mensch» und daß ihre Gehirnrinde mindestens so kompliziert «gewoben» ist wie die unsere. Also mußten sie vermutlich auch eine Art von «Sprache» besitzen. Tatsächlich entdeckte er bald, daß die Tiere sich nicht nur mit einer Art Sprache untereinander verständigten, sondern auch die menschliche Sprache in quakenden Tönen nachahmen, ja sogar «lernen» konnten.

Ließe es sich denken, daß diese quantitativ überlegenen Delphinengehirne, wenn man versuchen würde, ihnen zuerst Sprachen und dann das in den Sprachen festgehaltene kulturelle Erbe der Menschheit zu vermitteln, auf jene bisher ungelösten Probleme «angesetzt» werden könnten, die den menschlichen Gehirnen zur Zeit noch unlösbar erscheinen? Diese groteske Hypothese hat jedenfalls den Atomphysiker Leo Szilard zu einer großartigen Satire auf die Torheit der Menschen angeregt, die von «Überhirnen» das Heil erwarten, statt auf ihr eigenes Hirn und Herz zu horchen.

An der «University of California» hat der Biologe Stephen Zamenhoff einen Weg zur «Vergrößerung des Gehirns» beschritten, der von einigen seiner Kollegen als bisher erfolgsversprechendstes Experiment in der von Lord Adrian angedeuteten Richtung betrachtet wird. Es gelang ihm nämlich, durch Hormonspritzen die Zahl der Zellen in Froschhirnen zu verdoppeln. «Wenn ein solcher Frosch in seiner Art ein Genie wäre, würden wir es kaum bemerken – aber welche Folgen könnte eine Vermehrung der Gehirnzellen für den Menschen bedeuten!» meint dazu der Biologe Jean Rostand, dessen berühmte Dichtervorfahren aus Erinnerung und Phantasie die Gestalten großer Persönlichkeiten schufen, während ihr Nachkomme ein «Poet ist, der in Fleisch und Blut formt». Er träumt zum Beispiel davon, durch Vermehrung der Neuronen in bestimmten ausgewählten Regionen des Gehirns intellektuelle Spezialbegabungen heranzüchten zu können: den großen Mathematiker, den hervorragenden Komponisten und – den König des Dichterolymps (höchste Ehre, die dem Großvater und Vater des Biologen trotz all ihres literarischen Ruhms verschlossen blieb).

Rostand ist sich durchaus klar darüber, daß alle Bemühungen, die eine Erhöhung der menschlichen Intelligenz durch Eingriffe in das Gewebe des Lebens anstreben, gegen die «heutigen Sittlichkeits- und Moralbegriffe» verstoßen. Er gibt zu, daß die Versuche, den Menschen auf diese Weise zu «verbessern», ihn auf eine Stufe mit dem Tier stellen würden, und weiß, daß dies uns heute noch als «hassenswert und lächerlich» erscheinen müsse. Doch scheint er überzeugt davon zu sein, daß «unsere Ansichten darüber sich möglicherweise weiterentwickeln könnten».

Tatsächlich ist eine solche «fortschrittliche Denkweise» bereits bei zahlreichen biologischen Experimenten nicht etwa nur in den USA, sondern in der ganzen Welt immer häufiger anzutreffen. Tier- und Menschenversuche, die vor dem zweiten Weltkrieg kaum jemand gewagt hätte, werden heute in Hunderten von Laboratorien unternommen. Wird einmal ein solches Experiment, wie zum Beispiel das des Italieners Petrucci, einen menschlichen Embryo in einer Nährschale außerhalb des Körpers der Mutter sich entwickeln zu lassen, durch Zufall der größeren Öffentlichkeit bekannt, so geht eine Welle des Erschreckens durch die Menschheit. Aber die Aufregung legt sich bald wieder, und die Arbeit derer, die eine Art «Überhirn» durch Hormonspritzen. Chemikalien, durch Zuchtwahl oder «Geburt in der Retorte» zu schaffen versuchen, geht weiter.

Seit Jahren schon bemühen sich Biotechniker, durch Herbeiführung künstlicher Mutationen am Erbgefüge lebendiger Wesen Veränderungen zu erreichen. Experimente wie die Schaffung einer neuen Entenrasse durch Einspritzungen der in den Zellkern eingreifenden und ihn verändernden Desoxyribonukleinsäure weisen den Weg zu einer «gezielten Veränderung» des Menschen lange vor seiner Geburt, nämlich noch in den Genen seiner Erzeuger.

Nicht weniger eifrig werden in der seit 1945 gewaltig aufgeblühten biologischen Spezialwissenschaft, der Embryologie, die Möglichkeiten einer aktiven vorgeburtlichen Beinflussung der Leibesfrucht studiert. Dieter Stolze schreibt darüber: «Gehirnanatomen haben festgestellt, daß die Asymmetrie der Hirnhälften bei außergewöhnlich intelligenten Menschen stärker ausgeprägt ist als bei normalen — warum sollte es nicht gelingen, fragen die Forscher, sie durch einen frühzeitigen Eingriff beim Fötus künstlich zu verstärken?» Dabei spielen die Gedanken des holländischen Anatomen Bolk eine Rolle, der behauptet hatte, der Mensch sei eigentlich ein «entwicklungsverzögerter Anthropoide», der seine Überlegenheit gegenüber den Tieren eben dieser langsameren Entwicklung zu verdanken habe. Wäre es nun möglich, durch eine noch weitere Verlangsamung des embryonalen Wachstums, also eine

Verlängerung der vorgeburtlichen Periode um Wochen, ja vielleicht sogar Monate, «intelligentere Wesen» zu züchten? Das «Zwölfmonatskind», dessen «Fötalisationsprozeß» durch Hormoneinspritzungen um ein Drittel verlängert werden würde, ist heute das Ziel verschiedener biologischer Forschungsgruppen, die allerdings ängstlich besorgt sind, daß von ihren Arbeiten möglichst wenig über die engeren Fachkreise hinaus bekannt wird.

4

Diese vorläufig noch freiwillige Geheimhaltung eines Teils der biologischen Forschungstätigkeit erinnert in vielfacher Hinsicht an jenes Stadium der Kernforschung, als die Atomwissenschaftler begannen, sich der enormen politischen, gesellschaftlichen und moralischen Folgen ihrer Arbeiten bewußt zu werden.

Damals ist es nicht gelungen, ein Schweigeabkommen unter den «Wissenden» durchzusetzen. Das erscheint im Falle der biologischen Forschung und der aus ihr erwachsenden Biotechnik noch weniger möglich, da diese Arbeiten seit langem das Interesse der heute in bezug auf wissenschaftliche Entwicklungen viel aufmerksamer gewordenen staatlichen Stellen aller Länder erweckt haben, ja zum Teil sogar von ihnen angeregt und finanziert werden.

Heute sind die Widerstände der öffentlichen Meinung noch zu groß, sind die jahrtausendealten Vorstellungen von der Unantastbarkeit des menschlichen Wachstumsprozesses noch bei Millionen zu tief verankert, als daß ein Staat es wagen könnte, daran zu rühren.

Das muß aber keineswegs so bleiben. Sollte ein einziges Land — wahrscheinlich würde es eines sein, das totalitär regiert wird — entweder durch die jetzt bereits sich vorbereitende biochemische Erbbeeinflussung oder durch eine systematische zum Zuchtzwang entartende Zucht«wahl» den Anfang zu einer planmäßigen biologischen Verbesserung seiner Bevölkerung machen, so würden die anderen Nationen zweifellos sehr schnell folgen, da sie sonst befürchten müßten, in einer oder mehreren Generationen Opfer einer anderen ihnen intellektuell überlegenen «Rasse von Übermenschen» zu werden.

Der in Kanada lehrende Zoologe Norman John Berrill hat diese nicht unwahrscheinliche Entwicklungsmöglichkeit und die daraus sich ergebenden Gewissenskonflikte folgendermaßen beschrieben:

«Es liegt kein Grund zu der Annahme vor, daß die Methoden, die heute bei der Verbesserung der Viehzucht angewendet werden, nicht mit demselben Erfolg dazu benutzt werden könnten, eine gesteuerte Entwicklung der menschlichen Rasse zu beschleunigen. Persönlich bin ich dagegen, diese Methode zur Regel zu machen, und sei es auch für noch so hochfliegende Ziele. Ich zweifle auch daran, daß man sie sich in der westlichen christlichen Gesellschaft je zu eigen machen kann. Aber diese ist ja nur ein verhältnismäßig kleiner Teil der gesamten Menschheit, und Methoden, die uns widerstehen, mögen anderen annehmbar erscheinen. Schließlich finden wir nichts dabei, eine Kuh zu melken, während dieser Brauch die Gläubigen bestimmter asiatischer Religionen abstößt... Früher oder später wird sich irgendein Teil der menschlichen Gesellschaft auf dieses Abenteuer einlassen, ganz gleich, ob die übrige Menschheit der Sache zustimmend oder ablehnend gegenübersteht.»

Dem ist leider entgegenzuhalten, daß Professor Berrill die Ehrfurcht der heutigen «westlichen christlichen Gesellschaft» vor dem Leben stark überschätzt. Es waren entchristlichte oder dem Christentum gegenüber gleichgültig gewordene Menschen des Westens, die in den Massenvernichtungslagern des Dritten Reiches an lebendigen Menschen biologische Experimente durchführten und die Opfer, falls sie bei diesen Versuchen nicht bereits umgekommen waren, nachher vergasten. Es waren militärische Planer des Westens und die unter ihrem Befehl stehenden Soldaten der Luftstreitkräfte, die durch den Abwurf einer in ihren biologischen Wirkungen weitgehend unbekannten Bombe auf Hiroshima und Nagasaki Hunderttausende Männer, Frauen und Kinder einer anderen Rasse dem sofortigen oder qualvoll langsamen Tod weihten.

5

Wenn Dr. Olds durch in ihre Schädeldecke eingelassene Elektroden bei seinen Versuchstieren in Brentwood mit Hilfe von elektrischen Schocks auf so tief verankerte Triebe wie Hunger und Geschlecht einzuwirken versteht, so will er damit nicht etwa, wie angenommen werden könnte, tierische Prototypen eines mit drahtlosen Befehlsempfängern ausgestatteten Menschen schaffen, dessen Instinkte der Willkür irgendeines Diktators ausgeliefert wären, sondern Vorarbeit leisten für die Entwicklung pharmazeutischer Präparate, die auf Patienten beruhigend und leistungssteigernd wirken würden.

Solche Präparate gibt es bereits in Hülle und Fülle. Auf chemischem und biochemischem Wege sind ja jene Angriffe gegen die «letzte Grenze», die dem Menschen durch die Größe und Struktur seines Gehirns vorläufig noch gesetzt ist, längst erfolgreich, ohne daß es deshalb zu ernsthaften Protesten gekommen wäre, wie sie bei sichtbaren Eingriffen ins menschliche Gewebe oder eugenischen Eingriffen in die menschlichen Gewohnheiten zu befürchten wären. Kaum jemand findet heute etwas dabei, wenn Millionen von Menschen durch den Genuß der in den fünfziger Jahren auf den Markt geworfenen «Tranquilizers» vorübergehend von ihren Ängsten und Spannungen befreit werden.

Diese pharmazeutisch als «Meprobamat» firmierten sogenannten «Glückspillen» sind aber nur die Vorhut einer Fülle von Arzneimitteln, mit deren Hilfe die geistige Leistungsfähigkeit des Menschen, sei es durch Verminderung der «Reibungen», die seine Fähigkeiten bremsen könnten, sei es durch vorübergehende Steigerung der Aktivität seiner Hirnrinde, erhöht werden soll. Man weiß heute, daß bessere Durchblutung und vermehrte Zufuhr von Sauerstoff die «Atmung des Gehirns» und damit seine produktiven Leistungen verbessern. Aber die Präparate, die, wie Rostand es nennt, «dem Menschen wenigstens ein paar Minuten Genialität pro Tag» verschaffen würden, sind im Augenblick, da diese Zeilen in Druck gehen, noch nicht erfunden. Am nächsten kommen ihnen vielleicht die natürliche aus Kaktusfrüchten gewonnene Droge der Indianer (Peyote) oder das chemisch erzeugte LSD-25. Beide erzeugen Halluzinationen und Visionen, deren Fixierung im normalen Wachzustand dann aber nicht gelingen will. Doch ist in den Untersuchungen von Vernon Mountcastle an der Johns-Hopkins-Universität in Baltimore, von D. O. Hebb an der McGill-Universität in Montreal und von Karl S. Lashley, dem früheren Direktor der Yerkes-Laboratorien für Biologie, bereits so viel über die «physiologischen Grundlagen der Phantasie» herausgefunden worden, daß hier sehr bald ein Durchbruch erfolgen könnte.

Laut diesen Untersuchungen bilden die einander hundertfach überschneidenden «Nervenpfade» der Hirnrinde während der Denkvorgänge immer neue «Muster». Je ungewöhnlicher aber diese dreidimensionalen «Arabesken» und «Patterns» sind, desto origineller ist der Einfall, dessen Auftreten sie bewirken oder wenigstens anzeigen. Könnte man nun diese Neuronen, die, kurz aufzuckenden Glühlampen einer Lichtreklame gleich, sich zu immer neuen Figuren eines ewig hin und her wogenden Wellenspiels zusammenfinden, von außen her beeinflussen und somit erreichen, daß sie, statt gewöhnliche stereotype Konstellationen zu bilden, sich zu ganz neuen «Ornamenten» gruppieren, so wäre es auf diese Weise vielleicht möglich, von außen den Anstoß zu «schöpferischen Gedanken», «neuartigen Vorstellungen» zu geben.

6

Auf der Suche nach dem «Überhirn» haben die «Trockenen», das heißt diejenigen, welche die «Denkgrenze» – ein dem Begriff der bereits durchstoßenen «Schallgrenze» nachgebildeter Ausdruck – mit Hilfe von Elektronen«gehirnen» überwinden wollen, die bisher eindrucksvollsten Fortschritte gemacht.

Niemand bestreitet mehr, daß die elektronischen Rechengeräte und zahlreichen Kontrollapparaturen unerhört komplizierte, aber wichtige mathematische Operationen ausführen können, auf die der Mensch sonst hätte verzichten müssen, weil sie «Millionen Mathematiker Millionen Jahre lang beschäftigt hätten». Hier ist also bereits eine Grenzsprengung gelungen, allerdings erst eine solche quantitativer Natur. Ob nun diese Geräte auch fähig wären, höhere Denktätigkeiten zu übernehmen, oder ob sie «hervorragend informierte, aber gefährliche einseitige Dummköpfe» bleiben müßten, die letztlich doch stets noch von dem abhängig wären, was ihnen ihre «Programmer» eingegeben haben, wird zur Zeit unter den Kybernetikern eifrig diskutiert. Der geistige Vater dieser neuen wissenschaftlichen Sparte, Norbert Wiener, hat sich nicht gescheut, die Gefahr einer vor Jahrzehnten bereits von dem tschechischen Dichter Karel Čapek vorausgeahnten «Unbotsamkeit der Roboter» an die Wand zu malen.

Besonders eindrucksvoll hat Dr. Frank Rosenblatt in dieser Diskussion für die Behauptung Stellung genommen, daß die neuen Elektronengeräte eine Art von «Eigenleben» entwickeln könnten. Er meint: «Wir können jetzt schon Apparate entwickeln, die ihre Umwelt so weit erkennen, daß sie darauf antworten. Wir dürfen ihnen daher kaum absprechen, daß sie in gewissem Sinne bewußt handeln und einen eigenen Charakter entwickeln.»

Diese neue «Generation» von Elektronengehirnen kann nicht nur mit Hilfe von Photozellen «sehen», sondern auch «hören» und «verstehen», also «erleben». J. D. Foulkes, ein Elektroneningenieur der Bell-Telefongesellschaft, hat derartige auf gesprochene Instruktionen reagierende «Computers» bereits experimentell hergestellt. Er ist damit einer Vorstellung von Dr. Rosenblatt nähergekommen, der schon 1959 erklärte, daß sein «Geschöpf», das sogenannte «Perceptron», bald nicht nur Gedrucktes lesen, sondern auch Gesprochenes begreifen und «geistig verarbeiten» werde.

Psychologen, die sich mit dem Zustandekommen von Erfindungen beschäftigt haben, sind zu der Ansicht gekommen, daß die Mehrzahl aller neuen Einfälle, Gedanken, Ideen in Wahrheit nichts anderes seien als das Resultat einer Verbindung von zwei oder noch mehr bereits bekannten Tatsachen. Solche «Einfälle», die demnach nichts anderes wären als äußerst vielfältige und komplizierte Kombinationen von Fakten, könnten die neueren Elektronengeräte zweifellos produzieren. Die Grundlage zu einer solchen Technik der Erfindungen hat der in Amerika lebende geniale Schweizer Astrophysiker Fritz Zwicky bereits gegeben, indem er aufzeigte, daß man durch eine methodische Kombination bekannter Grundvoraussetzungen eines Problems in immer anderen «morphologischen Verwandlungen» auf dem Papier zum Beispiel Maschinen erfinden könne, an die vorher niemand auch nur gedacht hatte. So hat Zwicky während des zweiten Weltkrieges, indem er zunächst einmal die grundsätzlichen Gegebenheiten von chemisch gespeisten Triebwerken genauestens bestimmte und sie dann in jeder ihm errechenbaren Anordnung «paarte», tatsächlich Tausende von Motoren erfunden, von denen vorläufig allerdings nur einige technisch zu verwirklichen waren. Auf ähnliche Weise hat er dann nach dem Kriege zum Beispiel für einen Textilindustriellen alle nur denkbaren «Bekleidungsstoffe» errechnet.

Werden nun nicht die «Elektronengehirne» die begrenzte Zahl von Rechenoperationen, auf die sich Zwicky noch beschränken mußte, ins Unermeßliche steigern können und dadurch ein unabsehbares Feld immer neuer, durch immer andere, vielfältigere Kombinationen gewonnener Erfindungen erschließen?

7

In der Frühzeit der elektronischen Rechengeräte hatte McCulloch die Behauptung aufgestellt, daß eine Apparatur, die so viele Elektronenröhren haben würde, wie es «Neuronen im menschlichen Gehirn» gibt, die Höhe des Empire State Building in New York haben müßte. Die Energie, die zum Betrieb eines solchen künstlichen Gigantengehirns gehörte, entspräche mindestens der Leistung der Niagarafälle, und allein die Kühlung des Apparates würde auf unüberwindliche Schwierigkeiten stoßen. Dazu komme aber vor allem noch, daß durchschnittlich mindestens ein Prozent der notwendigen zehn Milliarden Röhren nicht funktionieren würde, da eine höhere Zuverlässigkeit dieser «Schalter» nicht zu erreichen sei.

Damals, im Jahre 1946, wurde daher der Gedanke, ein dem menschlichen Gehirn quantitativ gleichkommendes Gerät zu bauen, als ganz unverwirklichbar betrachtet. Als 1948 die viel kleineren, sparsameren, unter minimalster Hitzeentwicklung arbeitenden «Transistoren» an Stelle der Röhren erfunden wurden, rückte die Konstruktion eines solchen dem menschlichen Gehirn mengenmäßig angeglichenen Gerätes jedoch schon in den Bereich des Erwägbaren. Aber erst seit es 1960 gelang, Rechenelemente von mikroskopischer Größe zu entwickeln, die als hauchdünne Schicht auf eine Unterlage aufgedampft werden, kann man nun wirklich daran denken, Elektronengeräte mit zehn Milliarden Schaltern zu bauen, ja sogar Apparaturen zu projektieren, deren «Gehirnzellen» zahlreicher sein würden als die Neuronen eines menschlichen Hirns.

Sinnvoll wäre es allerdings nur dann, derartige künstliche «Überhirne» herzustellen, wenn das menschliche Gehirn nicht nur in der Mengenzahl seiner Zellen, sondern auch qualitativ imitiert oder gar übertroffen werden könnte. Je genauer aber Physiologen, Biologen und die ihnen nun häufig beigestellten Elektronenphysiker das menschliche Gehirn studieren, um so mehr wächst ihre Hochachtung vor seiner unerhört kunstvollen, zum Teil immer noch erst halb verstandenen Bauart. Lord Adrian meint: «Wir wissen vorläufig nicht, was im Gehirn vorgeht, wenn der Mensch sich eine neue Gewohnheit zulegt, wenn wir zum Beispiel neue Wörter lernen und sie benutzen, um Probleme zu lösen. Wir wissen zwar schon ein wenig darüber, wie das Hirn gebaut ist, wir wissen etwas von seiner chemischen Zusammensetzung, und wir können einige Vorgänge in den Nervenzellen verfolgen, indem wir ihre elektrischen Impulse messen, aber wir sind noch weit davon entfernt zu begreifen, wie es uns der ganze Nervenapparat in unserem Kopf ermöglicht, daß wir uns wie «intelligente Wesen» benehmen. Wir müssen jedoch nicht befürchten, daß wir das niemals begreifen werden... Es werden so viele neue Versuche gemacht, sich der Wahrheit zu nähern, daß ein wirklicher Fortschritt unmittelbar bevorstehen mag.»

Eine amerikanische Forscherin hat die bisherigen Bemühungen der Wissenschaft um das Verständnis der «grauen Masse» unter unserer Schädeldecke mit den Bemühungen intelligenter (etwa von einem anderen Stern stammender) Wesen verglichen, die noch nie ein Buch gesehen haben und nun, da sie es vorfinden, herausbekommen wollen, was es mit diesem ungewöhnlichen Ding wohl auf sich habe. Sie zählen seine Seiten, sie erfassen die darauf verzeichneten schwarzen Zeichen in verschiedensten Statistiken, sie erkennen vielleicht die «Muster» und die Häufigkeit ihrer Wiederholungen. Sie messen nun Höhe, Breite und die Dicke der Seiten, wiegen sie einzeln und gebündelt, zerschneiden sie schließlich, zerstampfen sie, verarbeiten sie zu einem Brei – es nützt alles nichts – kein derartiger Versuch wird ihnen helfen, wirklich zu begreifen, was die eigentliche besondere Natur eines Buches ist, wie es «funktioniert».

Nur eine ganz neue, eine völlig andere, auf einer ganz verschiedenen Betrachtungsweise fußende Hypothese könnte die Hirnforschung wirklich weiterführen. Und die würde – paradoxerweise – vielleicht nur ein biologisch gezüchtetes oder künstliches «Überhirn» finden.

DIE SUCHE NACH DEM SINN

1

In einer hervorragenden zusammenfassenden Studie über die Entwicklung der Vereinigten Staaten in den fünfziger Jahren dieses Jahrhunderts und einer Vorschau auf das folgende Jahrzehnt* stellt der ameri-

* Veröffentlicht in «America in the Sixties» by The Editors of «Fortune», New York 1960.

kanische Publizist Francis Bello fest, daß ein entscheidendes Merkmal der neuesten Entwicklung in Wissenschaft und Technik der Übergang von der Bemühung um das Überdimensionale, das «Große» und «Größte», zur Beschäftigung mit dem «Kleinsten» sei.

Das ist eine außerordentlich fruchtbare und sicherlich zutreffende Beobachtung. Das Eindringen in die Welt der winzigsten Dimensionen auf nahezu allen Gebieten der Naturwissenschaft und der daraus resultierende Versuch, mit diesen nur noch unter dem Mikroskop oder sogar nur dem elektronischen Super-Mikroskop wahrnehmbaren Erscheinungen zu operieren, ja sie womöglich in «überverkleinerten» Geräten zu imitieren, ist wirklich als Vorstoß in eine ganz neue Welt zu betrachten.

Erstmals wird unserem Zeitgenossen, dem Menschen der Jahrtausendwende, im Elektronenmikroskop und in den großen Atombeschleunigungsmaschinen oder der «Bläschenkammer» das Innerste der lebendigen Zellen, das geheime «Alphabet» der Erbmasse, die erst halbverstandene – von den Kernphysikern als «Zoo voller seltsamer Biester» bezeichnete – Vielfalt der subatomaren Partikelchen sichtbar. Es scheint, als hätten die Forscher erstmals nicht mehr nur mit den Gestalten der Natur als solcher zu tun, sondern mit dem, was diese Gestalten hervorbringt und verändert, mit den bisher unsichtbaren innersten «Sprungfedern» der belebten und unbelebten Schöpfung (eine Zweiteilung übrigens, die gerade in dieser Welt des Winzigsten nicht mehr ganz klar zu ziehen ist, da sich hier die Grenzen zwischen lebendiger und «toter» Materie zu vermischen beginnen).

In diesen «neuen Territorien» werden täglich, ja stündlich so zahlreiche neue Einzelheiten entdeckt, daß es selbst den Spezialisten immer schwerer wird, mit der Fülle letzter Informationen Schritt zu halten. Die «Lawine» von immer neuen Forschungsergebnissen auf allen Gebieten der Wissenschaft läßt sich an folgenden Zahlen ablesen. Es erschienen im Jahre 1960 in der Welt etwa 100 000 Forschungsberichte, 60 000 wissenschaftliche Bücher und bereits zwischen 50 000 und 100 000 Fachzeitschriften in über 60 Sprachen. Sie enthielten an die zwei Millionen wissenschaftliche und technische Artikel, etwa dreimal mehr, als an der Schwelle des zweiten Weltkrieges erschienen waren. Ein mit der Geschichte der Wissenschaften beschäftigter Historiker am «Institute of Advanced Study» in Princeton glaubte 1958 noch, eine Art «Gesetz» über die mengenmäßige Entwicklung der Wissenschaft aufstellen zu können, indem er auf Grund seiner bis ins achtzehnte Jahrhundert zurückgehenden Studien konstatierte, daß die Zahl der Wissenschaftler sich durchschnittlich alle zehn Jahre verdoppele. Diese Prognose scheint aber nach den Ende 1960 auf der Jahressitzung der «Association for the Advancement of Science» gemachten Mitteilungen über die forcierte Heranbildung neuer Wissenschaftler im kommunistischen China bereits wieder überholt zu sein. Die Flut der Forschungsberichte, genährt nicht nur durch die Entdeckungen der Wissenschaften, sondern auch dadurch, daß neue, in dieser Richtung bisher wenig aktive Völker die Wissenschaft nun für sich entdeckt haben, wächst und wächst und wächst.

2

Lee A. DuBrigde, Rektor des «California Institute of Technology» hat noch Ende 1959 dieses Problem der «Informationslawine» in einer vielbeachteten Ansprache als fast unlösbar angesehen. Die wissenschaftlichen Erkenntnisse, so führte er aus, nähmen heutzutage schneller zu als die Möglichkeiten des Menschen, sich die neuen Erkenntnisse anzueignen, ja sie auch nur zu überblicken.

Hier sind nun bald darauf einige wichtige «Durchbrüche» erzielt worden, an denen speziell für diese Zwecke vorbereitete «Elektronen-Gehirne» (oder, genauer gesagt, «elektronische Datenverarbeitungsgeräte») einen wichtigen Anteil haben. Der ihrem «Gedächtnis» anvertraute Titel- und Stichwortkatalog stellt in Minuten- oder in einigen Fällen sogar Sekundenschnelle ein zu einem bestimmten Problem verlangtes Literaturverzeichnis zusammen. Das kann für die Forschung von größter praktischer Bedeutung sein, denn es werden sich dann Wissenschaftler nicht mehr um die Lösung von Problemen kümmern müssen, die Kollegen von ihnen schon längst gelöst und bekannt gemacht haben. Pannen wie die jenes amerikanischen Elektrokonzerns, der acht Millionen Dollar für zwei Erfindungen zahlte, die – wie sich etwas später herausstellte – längst von früheren Erfindern gemacht und patentiert worden waren, oder Enttäuschungen wie die der amerikanischen Luftwaffe, deren Forscher nach mehrjähriger angestrengter Forschungsarbeit 1958 herausfanden, daß die Russen die Lösung eines von ihnen bearbeiteten Problems bereits 1950 publiziert hatten, wird es dann nicht mehr geben.

Doch liegt auf lange Sicht die Bedeutung dieser sich in stürmischer Entwicklung befindenden Wissenschaft des «Information Retrieval», des «Wiederauffindens von Information», viel tiefer. Denn mit ihrer Hilfe könnte es möglich werden, den Fluch einer zu engen wissenschaftlichen Spezialisierung zu überwinden. Je tiefer die forschenden «Gehirne» graben, desto häufiger treffen sie nämlich nun auf Gänge und Schächte anderer «Fakultäten». Der Physiker bricht durch eine Mauer und sieht sich plötzlich im «Bau» der Biologie; der Biologe vernimmt neben sich das Scharren der Mathematiker, die Signale der Soziologen und Philosophen. Es gäbe unzählige Querverbindungen zu ziehen, es wäre möglich, diese Entwicklung der «Konvergenz», des heute erst zufälligen Aufeinanderzukommens der Erkenntniswege, bewußt zu fördern und damit ein Zeitalter größter geistiger Fruchtbarkeit einzuleiten. Aber das könnte nur geschehen, wenn es gelänge, die Unmenge der neuen Einsichten zu übersehen und derart in ihren tieferen Bezügen zu erkennen.

Noch dringlicher wäre solche «Schau des Ganzen» für diejenigen, die aus der Auswertung der Geistesarbeit Kraft und Macht schöpfen. Welche Katastrophen haben Politiker und Techniker über die Menschheit gebracht, weil sie «nicht wußten, was sie taten», weil sie die Wirkungen der neuen von der Forschung freigesetzten Gewalten nicht in allen ihren Folgen zu beurteilen versuchten. Die Befreiung der in der Materie eingebetteten radioaktiven Strahlung und die heute schon fast sichere Möglichkeit, das Lebendige durch Eingriffe ins Erbgefüge zu verändern, ja vielleicht sogar künstlich zu «erzeugen», verlangen eine gereifte Menschheit, die das Neue nicht mehr so unbekümmert auf die Welt losläßt. Übersicht wäre ein erster Schritt zu Voraussicht und Vorsicht.

Die Tatsache, daß 1961 mit dem neuen Präsidenten der USA die Elektronengehirne ins Weiße Haus eingezogen sind, ist daher nicht besorgniserregend, sondern eher beruhigend. Denn diese Datengeräte ermöglichen es dem Staatschef, das vielfältige und verworrene Gewebe der Wirklichkeit, die zahllosen aufeinander einwirkenden Prozesse und Tatsachen genauer zu erfassen, und erlauben so den führenden Politikern, die im Besitze solchen Wissens sind, vernünftiger zu handeln, als es eine Führung vermöchte, die nur ihren Eingebungen und Launen vertrauen würde.

Anfang 1961 gab es bereits 524 «elektronische Datenverarbeitungsgeräte» in den Regierungsbüros von Washington (gegenüber einem im Jahre 1950), und rund 6000 Spezialisten waren damit beschäftigt, diese «Elektronenorakel» mit immer neuen Informationen über die ständig sich wandelnde Lage zu füttern und sich von ihnen das «Rohmaterial» der Entscheidungen liefern zu lassen. Alles deutete aber schon damals darauf hin, daß dieser neue «trend», diese hochwichtige Entwicklung erst begonnen hätte.

3

Die elektronischen Datenverarbeitungsgeräte können dem Menschen vielleicht die unter der «Informationslawine» begrabene «große Sicht» wiedergeben, ihm jedoch nicht die Frage nach dem Sinn und der wünschbaren Richtung seines stürmischen Fort-Stürzens beantworten.

Diese Frage aber, die Frage nach den «Zielen», die es eigentlich verfolge, hat sich das amerikanische Volk in der letzten Zeit mit immer größerer Beharrlichkeit gestellt. Die Zahl der selbstkritischen Äußerungen amerikanischer Schriftsteller, Künstler, Wissenschaftler und Staatsmänner ist von Jahr zu Jahr gestiegen. Diese schonungslosen Schilderungen und Analysen fast jeden Aspektes der amerikanischen Gesellschaft und ihrer Kultur haben nur vorübergehend zu Verleumdung und Verfolgung der Kritiker geführt. Die kurze Periode undemokratischer Unduldsamkeit, die durch das Auftreten des unseligen Senators Joe McCarthy gekennzeichnet war, hat allen gezeigt, «it could happen here» («es könnte vielleicht hier geschehen»), und so als Schutzimpfung gegen neue ähnliche Anfälle von totalitärer Intoleranz gewirkt.

Gerade aus der Minorität von kritischen Köpfen, die aufzeigten, daß die USA seit ihrem Aufstieg zur «Super-Großmacht» manchen Irrweg gegangen waren, sind heute zum Teil die führenden Mitarbeiter der neuen Regierung rekrutiert worden. Sie versuchen nun – ob mit oder ohne Erfolg wird sich erst in Jahren zeigen –, ihre Vorstellungen von einem menschlicheren Amerika in die Wirklichkeit umzusetzen.

Typisch für diese Entwicklung ist die Tatsache, daß Professor Jerome B. Wiesner, Gründer und langjähriger Direktor des «Lincoln Communications Center» am «Massachusetts Institute of Technology», zum ersten wissenschaftlichen Berater von Präsident Kennedy gewählt wurde. Dieses «Center» bemüht sich um eben jene «große Perspektive», die mit Hilfe (aber ohne Überschätzung) der Elektronengehirne wiedergewonnen werden könnte, indem es Forscher verschiedenster Sparten zu großen Gemeinschaftsprojekten zusammenspannt. «Psychologen, Sprachforscher, Neurophysiologen, Mathematiker, Physiker, Elektroingenieure und Informations-Theoretiker treffen sich hier und tauschen ihre Gedanken aus ...» schreibt der amerikanische Publizist John Lear über diese ungewöhnliche Forschungsstätte. «Es ist der Sammelpunkt Hunderter Geister, die sich Gedanken darüber machen, wie Menschen sich anderen Menschen mitteilen, wie sie sich mit Maschinen verständigen können und wie Maschinen mit anderen Maschinen verkehren.»

Jerome B. Wiesner hat sich schon seit 1957 für den Gedanken verwendet, daß die Bemühung um eine kontrollierte Abrüstung alle anderen Zielsetzungen der USA überschatten müßte. Es sollte ein besonderes «Friedensministerium» geschaffen werden, außerdem aber in allen anderen Ministerien – vor allem im Staatsdepartement und im Verteidigungsministerium – «kleine aktive Gruppen qualifizierter Friedensforscher» dafür sorgen, daß die Bemühungen des Staatsoberhauptes um eine friedliche Welt von diesen Behörden wirklich unterstützt und nicht sabotiert würden.

Schließlich hat Professor Wiesner – laut John Lear – vorgeschlagen, «es müßten die Konstellationen brillanter Gehirne, die hier und dort im Lande – an Orten wie Los Alamos, dem Lincoln-Laboratorium, der Johns-Hopkins-Universität – versammelt seien, von der Regierung durch Stipendien und feste Aufträge veranlaßt werden, einzeln oder in Gruppen Expeditionen in jene dunklen, unerforschten Dschungel zu wagen, in deren Lichtlosigkeit die Hindernisse für den Frieden verborgen sind.»

4

Die Amerikaner stellen heute nicht nur die zentrale Position der Aufrüstung als Hauptantrieb der wissenschaftlichen Betätigung in Frage, sondern auch das Übergewicht einer auf praktische Anwendung und materielle Erfolge hinarbeitenden Naturforschung. Gerade die einsichtigen «Gehirne» erkennen an, daß der Geist sich nicht nur in den Reagenzgläsern und Zyklotronen, sondern auch anderswo offenbare. Die Gelehrten der «humanistischen Fächer» reichen nun endlich den «Anderen» die Hand, wie folgendes Zitat aus der vom «Parlament der Wissenschaft» (einer aus über hundert repräsentativen Forschern bestehenden Versammlung der «American Association for the Advancement of Science») gefaßten Entschließung vom März 1958 zeigt. Dort heißt es: «Die besonderen Kenntnisse des Naturwissenschaftlers sind sicherlich notwendig, aber dieses Wissen wäre machtlos oder sogar gefährlich, wenn es nicht alle Gebiete der Wissenschaft einschlösse und mit den Beiträgen der Humanisten, der Staatsmänner und Philosophen vereinigt würde ... Obwohl die Naturforschung eine Menge praktischer und nützlicher Ergebnisse zeitigt und obwohl wir nicht die geringste Absicht haben, die Bedeutung dieser praktischen Resultate zu verkleinern, wollen wir betonen, daß die Wissenschaft im Grunde und in Wirklichkeit ein Ausdruck der geistigen Neugier des Menschen ist, mit der er auf die Ordnung und Schönheit des Universums, in dem er sich befindet, reagieren will. Sie ist in keiner Weise die einzige Antwort auf diese Ordnung und Schönheit, und daher fühlt sich die Wissenschaft mit anderen Bestrebungen wie den Künsten und den humanistischen Studien verbunden, keineswegs aber ihnen entgegengesetzt.»

Diese Washingtoner Resolution des repräsentativen Forums der Naturwissenschaftler, die im Sommer 1960 noch einmal feierlich bekräftigt und erweitert wurde, muß als Ereignis von größter geistiger Bedeutung gewertet werden. Denn hier kündigt sich eine Überbrückung der jahrhundertealten Kluft zwischen der Naturwissenschaft und den Künsten an. Das Resultat dieser Trennung war – in den Worten des Engländers C. P. Snow – die Entstehung von «zwei getrennten Kulturen», einer sich immer mehr in den Vordergrund schiebenden naturwissenschaftlich-technischen neben der alten humanistischen, auf Ethik und Ästhetik gegründeten Kultur.

Jetzt aber erweist es sich in den mutigen und auf ihre Art ergreifenden Worten des Parlaments der Naturwissenschaftler, daß sie, erschüttert von den unvorhergesehenen und noch zu erwartenden Folgen ihrer Arbeiten, ohne geistig-moralische Grundsätze nicht mehr auskommen können und wollen. Denn nun erklären sie feierlich: «Wir sagen tatsächlich, daß der Mensch abermals vor einer Schwelle steht, vor einer neuen Beziehung zum Atomkern, zur Zelle, zu seinem eigenen Innersten und zum All. – Viele Kräfte haben dahin gewirkt, aber es ist klar, daß die Wissenschaft hauptverantwortlich für das Werden dieser neuen Situation ist. Diese neue Lage wird alle Kraftquellen des Menschen beanspruchen, besonders aber seine Fähigkeit, die neue Macht mit Weisheit, Zurückhaltung und Anstand zu verwalten.»

In dieser Erklärung ist der menschliche Geist über die Grenzen, die er sich selbst durch die Einseitigkeit seiner so erfolgreichen, aber auch bedrückend gefährlichen Bemühungen setzte, hinausgewachsen.

So hat mit der «Resolution von Washington» vielleicht schon eine sinnvollere und schönere Zukunft begonnen.

Nachwort

BRIEF AN EINEN, DER AN DER ZUKUNFT VERZWEIFELN MÖCHTE

Lieber Freund,

so will ich Sie ansprechen, obwohl wir uns nur ein einzigesmal begegnet sind, denn seither habe ich mich im Geiste oft mit Ihnen unterhalten und Sie sind mir ein vertrauter Gefährte geworden. Da ich jedoch weder Ihren Namen noch Ihre Adresse kenne, so kann ich nicht unmittelbar mit Ihnen in Verbindung treten und muß auf den guten Zufall hoffen, der Ihnen diese Ausgabe meines Buches vielleicht ebenso in die Hände spielen wird wie die frühere.

Es war nach einem Vortrag, den ich vor Studenten in Oslo gehalten hatte. In der sich anschließenden öffentlichen Debatte standen Sie auf und sagten zu mir: «Ich will Elektro-Ingenieur werden. Jedoch das Bild, das Sie von der in den Vereinigten Staaten und anderen hochzivilisierten Ländern begonnenen technischen Entwicklung entwerfen, läßt mich an meinen Berufsplänen zweifeln. Darf ich denn mithelfen am Bau einer kalten, künstlichen, lebensfeindlichen, entmenschlichten Welt? Ist es nicht konsequenter, an dieser Zukunft zu verzweifeln?»

Es war Ihnen bitter ernst. Das spürten wir alle, die im Saale saßen. Wir sahen, wie blaß Sie waren, und hörten, wie Ihre Stimme zitterte. Sie hatten uns unvermittelt vor eine der großen Fragen unserer Zeit geführt, eine Frage, die erst brennend geworden ist, seitdem der Mensch durch die von ihm geschaffenen Machtmittel selbst über das Wohl und Wehe der Welt bestimmen kann.

Nachdem ich mich von meiner Betroffenheit etwas erholt hatte, versuchte ich Ihnen damals ungefähr auf folgende Weise zu antworten:

«Bitte bleiben Sie bei Ihrer Berufswahl. Sie sollen nicht nur Elektro-Ingenieur werden, Sie müssen es sogar! Denn erst wenn es mehr Techniker geben wird, die ihr Gewissen fragen, ob das, was sie tun, zum Gemeinen oder zum Erhabenen, zum Häßlichen oder zum Schönen, zum Bösen oder zum Guten führe, können die Schatten der Vernichtung von uns weichen.» Aber diese impulsiv gegebene Antwort erschien mir in den kommenden Monaten immer unbefriedigender. Hatte ich Sie mit meinem Rat nicht vielleicht in andere, noch ärgere Konflikte hineingehetzt? Würde es Ihnen, der später, dem technischen Gefüge entsprechend, doch wohl nur ein Rädchen in der Maschinerie einer großen Organisation sein könnte, überhaupt möglich sein, Sinn und Ziel Ihrer Arbeit mitzubestimmen? Versuchten Sie es, dann würden Sie wohl zerrieben, gebrochen oder einfach ausgeschieden, das heißt entlassen werden. Gäben Sie aber den Versuch einer aktiven Einwirkung auf die Natur und die Früchte Ihrer Arbeit auf, so würden Sie nach einem solchen Akt der Resignation vermutlich schlimmer dran sein als zuvor.

Über diese sehr reale Problematik kann man sich nicht mit irgendwelchen schönen Worten hinwegschwindeln. Das sah ich besonders deutlich, als sie mir in der Folgezeit bei den Vertretern eines anderen Berufes in dramatischer Zuspitzung entgegentrat. Ich hatte nämlich begonnen, Material für ein Buch über das so eigenartige und erschütternde Schicksal der Atomforscher in unserer Zeit zu sammeln. Als ich nun mit diesen Männern sprach, als ich begann, ihre Lebensläufe zu studieren, ihre hohe Hoffnung von einst mit ihrer oft bis zur Verzweiflung gehenden Bedrücktheit von heute zu vergleichen, da hörte ich immer wieder die Entschuldigung: «Ich konnte nicht anders. Gewiß: Ich wollte keine Atomwaffen bauen. Aber ich wurde dorthin gedrängt, ließ mir eine Konzession nach der anderen abringen und wurde so Schritt um Schritt gezwungen, etwas zu tun, was ich eigentlich nicht tun wollte.»

Ist das nicht eine Situation, die, wenn auch meist in weniger zwingender Form, heute viele berufstätige Menschen kennen? Haben wir uns nicht fast alle angewöhnt, im Berufsleben hinzunehmen, was wir im Privatleben niemals dulden würden? Das «Mitmachen» wider besseres Wissen und Gewissen scheint geradezu ein Charakteristikum unserer Zeit geworden zu sein.

Doch fand ich, daß es unter den Atomforschern auch eine Minderheit gab, die sich zum Teil schon sehr früh, zum Teil erst später, teilweise konsequent und teilweise wenigstens in kurzen heftigen Aufwallungen des Gewissens gegen die von ihnen heraufbeschworene Entwicklung gewehrt hatte. Einige Wissenschaftler hatten sich, auch wenn dies beträchtliche materielle Opfer nach sich zog, von der Mitarbeit an Waffenprojekten abgewandt, hatten auf Macht und gute Bezahlung verzichtet, um sich lieber der reinen Forschung zu widmen. Andere wollten oder konnten sich einen solchen radikalen Schritt nicht leisten. Aber sie erhoben wenigstens in Wort und Schrift ihre Stimme, um in beredter Weise vor den gefährlichen Früchten ihres eigenen Schaffens zu warnen.

Das ist aber etwas ganz Neues für unser industrielles Zeitalter, ist vielleicht das erste Anzeichen zu einem gewandelten Berufsethos, das nicht mehr nur fragt: «*Was* produziere ich?» oder «*Wieviel* produziere ich?» sondern «*Wozu* produziere ich?» oder «*Für wen* produziere ich?» Und schließlich: «*Welche Wirkung* hat meine Arbeit? Ist sie gut? Ist sie böse?»

Erstaunlich ist es, daß diese ethische Fragestellung von einem Menschenkreis aufgeworfen wurde, der sich in seiner Mehrheit um moralische Maßstäbe bis dahin wenig zu kümmern pflegte. Die Naturwissenschaftler und die auf ihren Erkenntnissen aufbauenden Techniker glaubten meist ohne die Wertmaßstäbe der Religionen und Sittenlehren auskommen zu können. Nun aber sind sie durch die Konsequenzen der ihnen zugefallenen technischen Allmacht gezwungen worden, sich mit den bisher als überflüssig erachteten Fragen der Philosophie, Theologie und Soziologie auseinanderzusetzen.

Eine ähnliche Wendung läßt sich heute bereits überall dort beobachten, wo technische Höchstleistung erzielt und gegen Grenzen vorgestoßen wird, die man jahrtausendelang für unüberwindlich hielt. Gerade in den Vereinigten Staaten, wo der Glaube an einen «blinden Fortschritt» besonders weit gediehen war, zeigen sich neuerdings Anfänge von etwas, das ich den «sehenden Fortschritt» nennen möchte. Man beginnt sich über die moralischen, psychologischen und sozialen Folgen neuer Erfindungen Gedanken zu machen und ist sogar geneigt, gewisse übertriebene Neuerrungenschaften wieder preiszugeben. Solche Neuorientierung wird nur möglich, wo vorläufig noch kleine Gruppen von Wissenschaftlern und Technikern ohne Rücksicht auf mögliche Zurücksetzungen und Berufsschwierigkeiten für eine höhere Sinngebung ihrer Arbeit kämpfen. Ist dieser Protest erst einmal stark genug geworden, so kann sich die ja im Grunde durchaus anpassungsfähige Technik dem neuen Begehren fügen. Sie wird dann hier und dort vielleicht ihren übersteigerten Grad von *efficiency* etwas zurückschrauben müssen, dafür aber bei den mit ihr lebenden Menschen größerer Zufriedenheit begegnen. Geschieht das, so könnte die Technik, statt Problem zu sein, schließlich Selbstverständlichkeit werden und der schöpferische Geist sich wieder höheren Zwecken als der Eroberung und Ausnutzung von Himmel, Erde, Arbeitskraft und Seele zuwenden.

In einer solchen Übergangszeit zu leben ist nicht leicht, aber für Menschen, die wirklich gestalten wollen und können, von großem Reiz. Die Zukunft nämlich, mag sie auch zur Zeit noch auf gefährlich falschem Weg laufen, beginnt mit jedem Tage und jedem Menschen wieder neu.

Sie mögen, lieber Freund, in Ihrem Ingenieurberuf eine Zeitlang als Außenseiter gelten. Aber vielleicht wird man Sie einmal als Vorläufer einer neuen Zeit betrachten, die aus dem Grauen über manche entmenschlichenden Einflüsse der Technik und dem Glauben an den gottgeschaffenen Menschen gezeugt wurde.

Ihr Robert Jungk

Inhaltsverzeichnis

CLAUDE EATHERLY / GÜNTHER ANDERS
Off limits für das Gewissen

Der Briefwechsel mit dem Hiroshima-Piloten
Herausgegeben und eingeleitet von Robert Jungk
Rowohlt Paperback Band 4. 23.–27. Tausend. 160 Seiten

Die Bücher-Kommentare, Stuttgart: «Eine tiefgründig in die Hilf- und Ausweglosigkeit des Wesens Mensch sich hineinbohrende Dokumentation über die immer stärker werdende Bedrohung des Einzelmenschen, seiner Freiheitlichkeit und seiner Verantwortlichkeit durch die Gewaltsamkeiten der Machthaber und die Gleichgültigkeit der ihr hörigen Gesellschaft.»
National-Zeitung, Basel: «Ein document humain hohen Ranges – ein Dokument unserer Zeit.»

PIERRE LEULLIETTE
Sankt Michael und der Drache

Ein Bericht aus Algerien. Rowohlt Paperback Band 17. 320 Seiten

Die Welt, Hamburg: «Die dichterische Kraft seiner Sprache ist erstaunlich: Voller Phantasie bei der Schilderung des phantasielosen Krieges, sensibel in den Augenblicken zwischen Leben und Tod, realistisch, wenn es darum geht, die schweigsamen und furchterregenden Paras zu schildern. Eine der härtesten Anklagen gegen den Krieg. Das glänzend geschriebene und trefflich übersetzte Buch ist von zeitlosem Wert.»

ULRICH SONNEMANN
Das Land der unbegrenzten Zumutbarkeiten

Deutsche Reflexionen. Rowohlt Paperback Band 18. 300 Seiten

Frankfurter Allgemeine Zeitung: «Hier meldet sich eine neue, aber sofort ungewöhnlich autorisierte Stimme zu Wort, wo immer es um ‹deutsche Reflexionen›, um Bestimmung der Lage, Geschichtsentscheidung, Kultur- und Gegenwartskritik geht. Seit Ernst Bloch ist bei uns noch nicht wieder im gleichen Maß das Phänomen eines gewachsenen, vom Geist strukturierten Stils sichtbar geworden.»

ROLF HOCHHUTH
Der Stellvertreter

Schauspiel. Mit einem Vorwort von Erwin Piscator. Rowohlt Paperback Band 20. 14.–25. Tausend. 276 Seiten

Times, London: «Deutschland entdeckt einen neuen Dramatiker!»
Life, New York: «Ein Stück, das Deutschland aufrüttelt!»

Taschenbücher zur Zeitgeschichte

rowohlts rotations romane:

BRUNO APITZ, Nackt unter Wölfen [416/417]

ERICH KUBY, Das ist des Deutschen Vaterland / 70 Millionen in zwei Wartesälen [306]

MARGA MINCO, Das bittere Kraut. Eine kleine Chronik
JACOB PRESSER, Die Nacht der Girondisten [292]

ERNST VON SALOMON, Der Fragebogen [419/420/421]

ERNST VON SALOMON, Die Geächteten [461/462]

DER LAUTLOSE AUFSTAND – Bericht über die Widerstandsbewegung des deutschen Volkes 1933–1945 / Herausgegeben von Günther Weisenborn [507/508]

rowohlts klassiker:

OHNE HASS UND FAHNE, Kriegsgedichte des 20. Jahrhunderts. Deutsch – Englisch – Französisch [58]

rowohlts deutsche enzyklopädie:

HILDEGARD BRENNER, Die Kunstpolitik des Nationalsozialismus [167/168]

ERWIN HÖLZLE, Geschichte der zweigeteilten Welt: Amerika und Rußland [135] – Revolution der zweigeteilten Welt / Eine Geschichte der Mächte 1905–1929 [169]

EDVARD KARDELJ, Vermeidbarkeit oder Unvermeidbarkeit des Krieges / Die jugoslawische und die chinesische These [128]

RICHARD THILENIUS, Die Teilung Deutschlands / Eine zeitgeschichtliche Analyse [55]

MARGRET BOVERI, Der Verrat im XX. Jahrhundert – I: Für und gegen die Nation: Das sichtbare Geschehen [23] – II: Für und gegen die Nation: Das unsichtbare Geschehen [24] – III: Zwischen den Ideologien: Zentrum Europa [58] – IV: Verrat als Epidemie: Amerika / Fazit [105/106]

Rowohlt Taschenbuch Verlag

Ein Experiment

Wie wünschen Sie sich die Zukunft?

Wir versuchen mit diesem rororo-Band ein Experiment. Der Leser soll nicht nur aufnehmen und hinnehmen, sondern dazu bewegt werden, eigene Vorschläge für eine wünschenswerte Zukunft zu formulieren. Es fehlt der Welt heute an neuen Gedanken. Ein zu enger Kreis – fast ▶

Inlandporto
15 Pfg

An den
Rowohlt Taschenbuch Verlag GmbH
Betr.: Die Zukunft hat schon begonnen

2057 Reinbek bei Hamburg
Hamburger Straße 17

Absender:

immer wieder sind es die gleichen Fachleute – nimmt an der Vorbereitung und Gestaltung der Zukunft teil.

Benutzen Sie, wenn es Ihnen Freude macht, sich zu diesem Thema zu äußern, diese Karte (und evtl. weitere Briefseiten), um möglichst greifbare, einleuchtende Gedanken – am besten aus ihrem eigenen Berufs- und Erfahrungskreis – **für die Gestaltung einer neuen Welt** darzustellen.

Robert Jungk